《中国语文》
索引
(1952－2002)

隋晨光(主编)　孔晓　丁欣兰

商务印书馆
2004年·北京

图书在版编目(CIP)数据

《中国语文》索引:1952—2002/隋晨光主编.-北京:商务印书馆,2004
ISBN 7-100-03823-5

I. 中… Ⅱ. 隋… Ⅲ. 汉语-期刊-索引-中国-1952~2002　Ⅳ. Z89. H1

中国版本图书馆 CIP 数据核字(2003)第 052854 号

所有权利保留。
未经许可,不得以任何方式使用。

ZHŌNGGUÓ YǓWÉN SUǑYǏN
《中国语文》索引
(1952—2002)
隋晨光(主编)　孔晓　丁欣兰

商　务　印　书　馆　出　版
(北京王府井大街36号　邮政编码 100710)
商　务　印　书　馆　发　行
北京瑞古冠中印刷厂印刷
ISBN 7-100-03823-5/H·969

2004年7月第1版　　开本 787×1092　1/16
2004年7月北京第1次印刷　　印张 18¼
定价:26.00元

《中国语文》索引(1952—2002)说明

本索引收录《中国语文》自1952年创刊至2002年50年的全部内容。在《〈中国语文〉索引》(1996年出版)的基础上,本索引增加了1993—2002年10年的内容。基本分类不变,只是个别小类或少数篇目作了相应的调整。

1. 本索引收录期限为1952年创刊号至2002年第6期。共计291期。凡在此期间《中国语文》刊载的文章一律编入。《中国语文》从1952年创刊至1962年为月刊;1963年至1966年4月为双月刊;1966年5、6月为月刊;1978年至2002年为双月刊。中间1960年7月至9月休刊,1966年7月至1978年4月停刊。

2. 本索引分四部分:一、语言和语言学;二、汉语;三、少数民族语言;四、动态·消息等。前三部分以学术论文(包括译文)的篇目为主,第四部分"动态·消息等"包括"动态·消息"、"读者·作者·编者"、"语言学论文索引·提要"、"启事"、"更正·补正"、"广告"、"图片"、"政治"等篇目。

3. 所收篇目按性质分类编排。同类的篇目大体上按发表时间的先后为序,其中有可以按性质分组的,用星号隔开。所分类别当中,有些互有联系,查阅时可互相参考。个别篇目文字或页码有误,编入时作了改正。

4. 著录体例,先列篇名,次列作者,后面的阿拉伯数字依次为总期数、年份、期数、页码。少数篇目篇名不能显示内容的,酌加注文。

5. 为便于查阅,分类索引后附有作者姓名(汉语拼音排序)索引。

目 录

第一部分 语言和语言学

语言理论 ··· 1
 马克思主义和语言学问题 ·· 2
 语言学学术思想问题 ··· 3
 语言和思维 ·· 4
 语言的起源和发展 ··· 5
  方言 ·· 6
  国际共通语、世界语 ··· 6
 书刊评介 ·· 6
语言学史（外国）·· 8
 外国语言文字研究 ··· 8
 书刊评介 ·· 10
历史比较语言学 ·· 10
对比语言学 ··· 10
 书刊评介 ·· 11
社会语言学 ··· 11
心理语言学、神经语言学 ··· 13
应用语言学 ··· 13
 计算语言学 ·· 14
 数理语言学 ·· 15
语言学教学和语言学名词 ··· 15
 书刊评介 ·· 18
语音学 ··· 18
 书刊评介 ·· 19
词汇学 ··· 20
 语义 ·· 20
语法学 ··· 20
 书刊评介 ·· 21
文字学 ··· 21

第二部分 汉语

中国语言学史 23
    语言学家纪念 28
    研究方向 30
    书刊评介 33

汉语 33
    校勘和标点 34
    书刊评介 35

现代汉语 36
    汉语共同语问题 36
    规范化问题 36
    文学作品语言 38
    戏曲、曲艺语言 38
    电影、话剧语言 39
    新闻、广播语言 39
    普通话和方言 40
        推广普通话 40
        方言和方言调查 42
        北方话方言 44
        吴方言 52
        湘方言 54
        赣方言 54
        客家方言 55
        闽方言 55
        粤方言 58
    书刊评介 59

汉语语音 61
    古代和近代语音 61
    现代语音 66
        字调和语调 67
        语音规范 68
    书刊评介 69

汉语词汇 70
    汉语词典 71
    古代词汇 74
    近代词汇 81
    现代词汇 90

同义词、反义词	91
特殊词汇	91
成语、谚语、歇后语、惯用语	91
外来语	92
科学名词	92
人名、地名	93
个别词语（包括实词和虚词，按音序排列）	93
书刊评介	101
汉语语法	103
古代语法	105
近代语法	112
现代语法	115
词和构词	117
词类	119
各个词类	121
句法	126
词组（短语）	130
各个句法成分	132
复句	134
篇章	135
书刊评介	135
修辞、写作、翻译	138
汉语修辞、风格	138
作家语言研究	139
写作	140
语言修养（文风、文病）	140
翻译	151
书刊评介	151
汉字	152
汉字研究	152
古文字	153
汉字整理和简化	154
汉字整理	154
造新字、缩写字问题	155
汉字简化	155
简化方案草案	155
简化方案	156
同音代替问题	157
检字、排写问题	157

文字改革 ·· 157
    新形声字问题 ·· 161
    夹用拼音字问题 ·· 161
    综合文字问题 ·· 161
拼音字母 ·· 162
    注音字母 ·· 162
    拉丁化新文字 ·· 162
    方案问题的讨论 ·· 163
    汉语拼音方案 ·· 163
        原草案 ·· 163
        正式草案 ·· 164
        拼写问题 ·· 165
        标调问题 ·· 166
        同音字问题 ·· 166
        拼写外来语问题 ·· 167
        拼音字母在各方面的应用 ··· 167
    速记 ·· 168
    盲文 ·· 168
    书刊评介 ·· 168

汉语教学 ·· 170
    中小学汉语教学 ·· 171
    成人识字教学（扫盲） ··· 172
    非汉人学习汉语 ·· 174
    书刊评介 ·· 174

第三部分　少数民族语言

少数民族语言文字概述 ··· 176
    创制改建文字和发展语言的工作 ···································· 177
各个语言 ·· 178
    阿侬语 ·· 178
    白语 ·· 178
    布依语 ·· 178
    朝鲜语 ·· 178
    达斡尔语 ·· 178
    傣语 ·· 178
    东乡语 ·· 178
    侗语 ·· 178
    鄂伦春语 ·· 179

高山语	179
哈尼语	179
景颇语	179
黎语	179
蒙古语	179
苗语	180
纳西语	180
羌语	180
撒拉语	180
水语	180
塔吉克语	180
土家语	180
维吾尔语	181
锡伯语	181
瑶语	181
彝语	181
载瓦语	181
藏语	181
壮语	182
书刊评介	182

第四部分　动态·消息等

动态·消息	183
学术会议	193
评奖活动	209
学术交流	212
机构、学科介绍	213
书讯	214
讣告	217
读者·作者·编者	219
语言学论文索引·提要	222
启事	225
更正·补正	228
广告	234
图片	244
政治	245

附 录

作者姓名音序索引 ··· 248
  用汉字署名的作者 ··· 248
  用拼音字母署名的作者 ··· 273
  机关团体作者 ··· 274

第一部分　语言和语言学

语　言　理　论

语言学的对象和任务	罗常培	总 2	1952 年	2 期	12 页
分析形式	А. И. 斯米尔尼茨基 邓蜀平 译	总 52	1956 年	10 期	40 页
谈谈语言学(语言学讲话之一)	彭楚南	总 55	1957 年	1 期	27 页
关于中国民族和语言的分类问题	格·谢尔久琴柯 吴乐 译	总 69	1958 年	3 期	129 页
略论语言学上两个基本问题——同朱 　星先生商榷	施文涛	总 86	1959 年	8 期	355 页
语言学中的一些理论问题(导论)	白水 译	总 87	1959 年	9 期	439 页
关于《语言学中的一些理论问题(导论)》 　的讨论	黑龙江大学汉语教研室	总 91	1960 年	1 期	37 页
对《语言学中的一些理论问题(导论)》的 　意见	А. С. 契科巴瓦 苏华、郑福同 译 白水 校	总 95	1960 年	5 期	227 页
关于问题报告书《语言学中的一些理论 　问题》	C. K. 邵勉 苏华 译　白水 校	总 95	1960 年	5 期	233 页
论语言与言语(上)	高名凯	总 91	1960 年	1 期	13 页
论语言与言语(下)	高名凯	总 92	1960 年	2 期	78 页
论语言、言语和言语作品	施文涛	总 94	1960 年	4 期	181 页
有关语言和言语的几个问题	田茹	总 101	1961 年	2 期	9 页
再论语言与言语	高名凯	总 102	1961 年	3 期	11 页
现代理论语言学的一些迫切问题	В. А. 兹维金米夫 靳平妥、阮安善 译 白水 校	总 106	1961 年	7 期	32 页
论语言系统中的义位	高名凯	总 109	1961 年 10－11 期		8 页
论语言的研究方法	В. А. 兹维金采夫 伍铁平 译	总 121	1962 年	12 期	572 页
语言和语言学	赵世开	总 146	1978 年	3 期	227 页
语言学的进展——简记霍凯特教授的 　学术讲演	陈平	总 197	1987 年	2 期	154 页
变异中的时间和语言研究	徐通锵	总 209	1989 年	2 期	81 页

结构的不平衡性和语言演变的原因	徐通锵	总214	1990年	1期	1页
论语言普遍性的研究	邢公畹	总219	1990年	6期	406页
语境与语言研究	西槙光正	总222	1991年	3期	195页
粘着型语言结构的描写问题	道布	总238	1994年	1期	26页

马克思主义和语言学问题

痛悼革命导师斯大林同志，学习并发扬他的光辉的语言学说		总9	1953年	3期	8页
语文教师要好好学习《马克思主义与语言学问题》	张寿康	总9	1953年	3期	19页
学习斯大林的语言学说——纪念《马克思主义与语言学问题》发表三周年	马叙伦	总12	1953年	6期	3页
学习《马克思主义与语言学问题》的问题解答（一）（二）		总24	1954年	6期	19页
列宁和马克思主义的语言学	多明 译	总31	1955年	1期	16页
斯大林关于语言学的论文对于中国语言科学工作的意义	魏建功	总33	1955年	3期	14页
《马克思主义与语言学问题》	B. B. 维诺格拉多夫 彭楚南 译	总36	1955年	6期	32页
结构主义和马克思主义语言学	A. 格拉乌尔 黄景欣 译	总72	1958年	6期	288页
关于语言的社会性和使用语言的阶级性	单祖华	总85	1959年	7期	338页
论言语的阶级性——与高名凯先生商榷	朱星	总93	1960年	3期	126页
从学习毛主席著作中理解语言是社会斗争的工具	王德春	总96	1960年	6期	260页
语言在阶级斗争中的作用	黄佛同	总96	1960年	6期	264页
语言是没有阶级性的	王希杰	总146	1978年	3期	207页
认真学习毛主席的语言理论	王德春	总80	1959年	2期	67页
《矛盾论》和语言发展问题	闵加基	总94	1960年	4期	157页
学习毛主席的哲学著作，进一步推动语言学的发展	潘尔尧	总95	1960年	5期	203页
毛泽东同志对语言科学的伟大贡献	伍青文	总98	1960年	11期	351页
用毛泽东思想武装我们的头脑，指导我们的工作	语言研究所现代汉语小组全体青年	总98	1960年	11期	357页
活学活用毛主席著作是语言工作者的首要任务（短论）		总141	1966年	2期	83页

标题	作者	总期	年份	期	页
加强对毛主席的语言理论和语言实践的研究——纪念毛主席八十五周年诞辰	本刊编辑部	总148	1979年	1期	1页

语言学学术思想问题

标题	作者	总期	年份	期	页
我从《红楼梦》研究的讨论中得到的一些体会	王力	总30	1954年	12期	3页
语言学界必须充分展开讨论和批评，肃清资产阶级唯心论的观点	周祖谟	总30	1954年	12期	5页
试评我国语言学界目前存在的资产阶级思想	胡明扬	总33	1955年	3期	17页
批判"民族语言的纯洁性"的说法	金天汉	总69	1958年	3期	138页
在语言学界展开对资产阶级学术思想的批判（社论）		总75	1958年	9期	401页
略论汉语语法研究中的资产阶级唯心主义学术思想	刘建辉 李燮纯	总79	1959年	1期	1页
批判我国语言学界关于语言发展的错误理论	唐启运	总80	1959年	2期	58页
批判王力先生《中国语言学的现况及其存在的问题》一文中的反马克思主义观点	王晶湖 郭松泉	总75	1958年	9期	403页
从《中国语法理论》看王力先生重理论轻实践的资产阶级观点	鹿琮世	总75	1958年	9期	407页
对王力《中国语言学的现况及其存在的问题》一文的再批判	朱星	总77	1958年	11期	501页
应该对高本汉的汉语学说重新评价	周斌武	总77	1958年	11期	503页
批判我在语言学工作中的资产阶级思想	王力	总77	1958年	11期	506页
批判王力《汉语诗律学》中的资产阶级学术思想	金连城	总79	1959年	1期	20页
简评高名凯《普通语言学》"语义和词汇"编中表现的资产阶级观点	石安石 杨筱敏	总75	1958年	9期	409页
揭露和批判高名凯先生的资产阶级学术思想	甘世福	总75	1958年	9期	414页
批判我在语言学工作中的资产阶级学术思想	高名凯	总76	1958年	10期	458页
谈谈高名凯先生的治学态度	王福祥 赵云中 胡孟浩 吕国军	总81	1959年	3期	114页

批判吕叔湘《中国文法要略》中的资产阶级学术思想	熊正辉　陈建民	总76	1958年	10期 451页
黎锦熙先生致本刊编辑部的信		总76	1958年	10期 454页
黎锦熙先生语法体系批判	史锡尧　李大魁	总76	1958年	10期 455页
关于语法体系的批评与自我批评——兼答史锡尧、李大魁同志	黎锦熙	总78	1958年	12期 559页
对待学术思想批判的正确态度是什么？——对《黎锦熙先生致本刊编辑部的信》的意见	汪惠迪	总78	1958年	12期 569页
黎锦熙先生语法研究中的几个问题	史锡尧　李大魁　李桐华　蔡同安	总79	1959年	1期 11页
秦凤翔对待民族语文工作的反动观点和破坏活动	缪鸾和	总64	1957年	10期 8页
批判陆志韦先生在汉语音韵学研究中的资产阶级学术思想	周定一　王显　邵荣芬　廖珣英	总78	1958年	12期 551页
批判张世禄先生在语言学工作中的资产阶级学术思想	严修　胡裕树　张君炎	总79	1959年	1期 16页
评介《人文杂志》批判傅子东的文章	李千英	总81	1959年	3期 140页
批判岑麒祥在《普通语言学》中的两个错误观点	雅罗夫	总99	1960年	12期 443页
批判描写语言学语法研究中的形式主义	华言军	总134	1965年	1期 7页
批判结构主义语言学的几条方法论原则	赵洵　李锡胤	总135	1965年	2期 85页
对结构语言学分布原则的几点批判	徐通锵	总135	1965年	2期 93页
揭穿胡适考证方法的骗局	郑权中	总36	1955年	6期 23页
批判胡适反动的语言学观点	殷德厚	总38	1955年	8期 12页

语言和思维

论聋哑人的语言与思维——评高名凯教授的《语言与思维》一书的几个论点	洪雪立	总96	1960年	6期 272页
聋哑人的思维问题	许威汉	总96	1960年	6期 279页
儿童不能进行抽象思维吗？	陈永正	总101	1961年	2期 8页
要研究自然语言的逻辑——兼评《现代汉语逻辑初探》	李先焜	总164	1981年	5期 341页

语言的起源和发展

标题	作者	总期	年份	期	页
词的借用和语言的融合	戚雨村	总80	1959年	2期	51页
论语言的融合——答戚雨村同志	高名凯	总83	1959年	5期	204页
关于语言融合的几个原则性问题	赵振铎	总86	1959年	8期	359页
语言的分化和统一	T.C.沙拉泽尼泽 彭楚南 译述	总2	1952年	2期	28页
民族与语言——少数民族语文讲话之一	傅婧 刘璐	总2	1952年	2期	20页
民族语言、文学语言跟地域方言	A.C.契科巴瓦 俞敏 节译	总24	1954年	6期	43页
在斯大林的语言学著作的启示下论中国和日本的民族语言（上）	ㄋ.ㄧ.ㄘㄜㄣㄦㄚㄉ 彭楚南 译	总26	1954年	8期	32页
在斯大林的语言学著作的启示下论中国和日本的民族语言（下）	ㄋ.ㄧ.ㄘㄜㄣㄦㄚㄉ 彭楚南 译	总27	1954年	9期	30页
关于单一的民族语言	格拉乌尔 岑麒祥 译	总41	1955年	11期	30页
民族与民族语	林枞敉	总61	1957年	7期	20页
民族和民族语的关系问题——和林枞敉同志商榷	徐荣强	总77	1958年	11期	511页
略论语言史和社会史之间的关系	格拉乌尔 北京大学西语系法语教研组 译	总44	1956年	2期	20页
文学语言对全民语言体系的关系	Р.И.阿瓦涅索夫 陈鹏 译 吕叔湘 校	总50	1956年	8期	27页
关于语言发展的内因与外因	计永佑	总100	1961年	1期	1页
论语言的内部矛盾及其发展	徐青	总100	1961年	1期	7页
语言发展的内因是什么？	南京师范学院中文系"马克思主义语言学原理"教材编写组部分学生集体讨论（徐浑 执笔）	总100	1961年	1期	13页
论语言发展的原因和规律	薄鸣 俭明	总103	1961年	4期	9页
谈语言发展的内部矛盾	黄佛同	总104	1961年	5期	20页
语言发展的矛盾	北京大学中文系1956级语言组（相清 志白 守岗 执笔）	总104	1961年	5期	23页
论语言的"内""外"及语言发展的内因和外因	黄景欣	总105	1961年	6期	19页
论语言发展的内在基本矛盾	孟英	总106	1961年	7期	11页
论语言发展的内因和外因	高名凯	总106	1961年	7期	16页
关于语言发展的内因和外因问题讨论的意见	石安石 赵世开 时风 张靖立	总106	1961年	7期	21页

语言的起源及建模仿真初探	王士元 柯津云	总282	2001年	3期	195页
信息传达的性质与语言的本质和语言的发展	罗仁地 潘露莉	总288	2002年	3期	203页

方　言

方言和方言学（苏联大百科全书）	ㄦ.ㄧ.ㄚㄢㄚㄋㄝㄙㄛㄢ 彭楚南 节译	总13	1953年	7期	29页
就苏联经验谈方言研究方法	布·哈·托达叶娃　中央民族学院语言翻译组译	总45	1956年	3期	14页
研究方言的方法	C.C.维索特斯基 张永言 译	总46	1956年	4期	44页

国际共通语、世界语

国际共通语和世界语	赵觉诚	总58	1957年	4期	28页
关于国际共同语的形成问题	武彦选	总61	1957年	7期	24页

书 刊 评 介

《普通语言学》上册（高名凯）	俞敏	总34	1955年	4期	39页
《普通语言学》上、下册（高名凯）	王宗炎　刘冠群	总50	1956年	8期	45页
《普通语言学》（岑麒祥）	力山	总60	1957年	6期	44页
评岑麒祥的《普通语言学》	薄鸣	总99	1960年	12期	438页
略论语言学史的几个问题——评岑麒祥《语言学史概要》	黄心平	总77	1958年	11期	537页
评岑麒祥《语言学史概要》	筱文	总77	1958年	11期	541页
读岑麒祥著《语言学史概要》	王宗炎	总114	1962年	4期	182页
应该对初学者负责（评宋振华、王今铮编著《语言学概论》语音学部分）	杨长礼	总72	1958年	6期	293页
《语言学概论》（[苏联]布达可夫）	寄予	总52	1956年	10期	49页
评朱星《语言学概论》	赵振铎	总77	1958年	11期	543页
读三本新出版的语言学概论教科书（叶蜚声、徐通锵《语言学纲要》、马学良《语言学概论》、李兆同、徐思益《语言学导论》）	伍铁平	总173	1983年	2期	146页
《语言学论文选译》（第一辑）		总49	1956年	7期	49页
《语言学论文选译》（第二辑）	劳宁	总55	1957年	1期	47页

篇名	作者	总期	年份	期	页
《语言》(濮之珍)	郑达 杨定 贺绍兰	总57	1957年	3期	48页
介绍《语言学结构主义和方言地理学研究》([波兰]多罗舍夫斯基)	岑麒祥	总68	1958年	2期	71页
《语言是社会现象》([苏联]加尔金娜-菲多鲁克)	祖力	总53	1956年	11期	47页
《怎样对幼儿进行语言教育》(源良作)	祖力	总55	1957年	1期	45页
《为帝国主义服务的语义学的语言魔术》(尹仲贤)《人文科学学报》(1956年第2期)		总49	1956年	7期	50页
《批判唯心哲学关于逻辑与语言的思想（对罗素的批判之一）》(金岳霖)《北京大学学报(人文科学)》(1956年第1期)		总49	1956年	7期	51页
《伟大十月社会主义革命以来的莫斯科大学的语言科学》([苏联]B. A.兹维根策夫)《南京大学学报(人文科学)》(1956年第3期)		总49	1956年	7期	51页
《论语言的质变与语言研究中的历史观点》(夏延章)《南京大学学报(人文科学)》(1956年第3期)		总49	1956年	7期	51页
《批判美英音位学中唯心的理论》(桂灿昆)《中山大学学报(社会科学版)》(1956年第3期)	王作宾	总51	1956年	9期	48页
《原始佛教的语言问题》(季羡林)《北京大学学报(人文科学)》(1957年第1期)	温端政	总61	1957年	7期	49页
《批判高本汉和马伯乐的汉语语法观点》(严修)《学术月刊》(1957年总第9期)	温端政	总65	1957年	11期	46页
《语言学研究与批判》(北京大学中国语言文学系)(第一辑)	甲文	总80	1959年	2期	92页
《马克思主义与语言》、《高举马克思主义语言学的红旗前进》(北京大学中文系语言学教研室青年教师、研究生)	杨贺松 郭锡良	总80	1959年	2期	94页
《有关语言学的几个问题》简介([苏联]谢列勃连尼柯夫)	管燮初	总81	1959年	3期	141页
对《高举马克思主义语言学的红旗前进》一书中几个问题的意见	刘新友	总85	1959年	7期	341页
《语言学基础》(北京大学中国语言文学系)	潘尔尧 赵振铎	总92	1960年	2期	97页

评《语言论》(高名凯)	徐青	总137	1965年	4期 264页
评《语言论》中的语言系统(高名凯)	李彤	总137	1965年	4期 270页
评《语言论》中的几个问题(高名凯)	刘月华	总138	1965年	5期 382页

语 言 学 史（外国）

语言学简史(语言学讲话之二)	彭楚南	总57	1957年	3期 33页
关于结构主义的几点意见	М. И. 斯铁布林-卡勉斯基 刘涌泉 译	总62	1957年	8期 28页
论结构主义	安塔尔·拉斯罗 巴琼妮 鲍洛尼 译	总76	1958年	10期 489页
关于语言结构分析工作的决议	苏联科学院文学与语言学部普通语言学委员会 苏华 译 米尔 校	总95	1960年	5期 236页
结构语言学的迫切任务	邵勉 王德春 译 白水 校	总117	1962年	7期 340页
介绍龙果夫教授的几种著作	周泽耿	总32	1955年	2期 23页
马尔(语言学名词选译)	力山 译	总33	1955年	3期 43页
受过十月革命洗礼的国际主义学者——谢尔久琴柯教授	罗常培	总65	1957年	11期 10页
纪念马洛夫	3.捷尼舍夫 熊振顺 阿鹏 译	总66	1957年	12期 37页

外国语言文字研究

亚洲各民族的语言和文字概况(上)	董羽 于知	总115	1962年	5期 230页
亚洲各民族的语言和文字概况(下)	董羽 于知	总116	1962年	6期 285页
朝鲜语	ㄚㄚㄛㄉㄛㄋㄅ ㄇㄟㄔ 彭楚南 译	总25	1954年	7期 30页
朝鲜语文研究所第一个五年计划发展的远景	周时龙 译	总63	1957年	9期 49页
近年来朝鲜语言学的发展情况	宋瑞龙 周时龙 节译	总68	1958年	2期 78页
日本的方言学研究和方言地图的准备工作	劳宁	总73	1958年	7期 328页
最近几年来东方语文研究的情况	季羡林	总72	1958年	6期 254页
漫谈阿拉伯各国人民的语言文字	马坚	总74	1958年	8期 365页

战后苏联的东方语言研究	Г. 谢尔久琴柯 吴乐 译	总83	1959年	5期	226页
苏联各族语言底发展问题	В. В. 维诺格拉多夫 Б. 谢列布连尼科夫 王少恭 译	总6	1952年	6期	27页
论俄罗斯民族语言发展的历史条件问题	《.I.Ɒlรา≥ŧፓ 杜松寿 节译	总18	1953年	12期	30页
俄罗斯方言学引论	∮.Ϻ.ҕУAЗϬЪƼ 彭楚南 译述	总21	1954年	3期	30页
苏联北方各部族的标准语与方言	В. А. 阿夫洛林 王辅世 刘涌泉 节译	总22	1954年	4期	27页
论现代乌孜别克标准语的方言基础	В. В. 列歇托夫 王均 译	总40	1955年	10期	35页
现代东干语的计算词、计算词尾和数量单位的语法特征	A. A. 卡里莫夫 彭楚南 译	总40	1955年	10期	37页
两个综合的字母表	A. B. 苏别兰斯卡娅 刘涌泉 译	总46	1956年	4期	50页
苏联是解决多民族国家文字问题的典范	傅懋勣	总65	1957年	11期	14页
一九五〇年苏联语言学界的辩论	罗常培	总1	1952年	1期	35页
最近的苏联语言学动态	余也牧	总5	1952年	5期	35页
关于词类的讨论	彭楚南 译	总35	1955年	5期	40页
苏联语言学的发展道路（苏联《语言学问题》社论）	高祖舜 周铮 译	总68	1958年	2期	63页
全苏数理语言学会议	白水	总84	1959年	6期	279页
苏联的应用语言学研究	魏仁 译	总86	1959年	8期	385页
最近苏联的应用语言学研究活动	刘非 译	总93	1960年	3期	128页
苏联将大量出版东方和非洲语言概要	谢尔久琴柯 刘鲁扬 译	总93	1960年	3期	134页
捷克斯洛伐克科学院的音档	吴宗济	总68	1958年	2期	76页
布拉格学派（批判特鲁别茨科依的音位学说）	谢尔久琴柯 刘涌泉 陈鹏 译	总38	1955年	8期	23页
布拉格语言学派近况和捷克的语言研究协会	齐水	总85	1959年	7期	336页
阿尔巴尼亚的语言文字概况和解放后十七年来的语言研究工作	群文	总110	1961年	12期	42页
阿尔巴尼亚的方言学及其研究成果	S. Floqi 众义 译	总110	1961年	12期	47页
介绍阿尔巴尼亚语言科学的成就	赵洵	总124	1963年	3期	263页
非洲各族人民的语言和文字概况（上）	群策	总100	1961年	1期	35页
非洲各族人民的语言和文字概况（下）	群策	总101	1961年	2期	29页

斯瓦希利语简介	金荣景	总138	1965年	5期	413页
非洲语言研究的现状和问题	Д.A.奥利德罗格 刘敏 译 白水 校	总112	1962年	2期	94页
班图语概况	宗菲	总140	1966年	1期	69页

书刊评介

《苏联民族语文问题》([苏联]嘉治耶夫)	巨	总52	1956年	10期	49页
《欧洲语言学说简述》([苏联]杰格捷列娃)	梁振	总87	1959年	9期	443页
评弗里斯的《英语结构》	胡明扬	总141	1966年	2期	155页

历史比较语言学

现代藏语和汉语在构词方面的共同特点	韩镜清	总83	1959年	5期	211页
论调类在汉台语比较研究上的重要性	邢公畹	总111	1962年	1期	15页
论汉语同族词内部屈折的变换模式	严学宭	总149	1979年	2期	85页
藏缅语复辅音的结构特点及其演变方式	孙宏开	总189	1985年	6期	433页
内部拟构汉语三例	梅祖麟	总204	1988年	3期	169页
对汉语和侗台语声调起源的一种设想	罗美珍	总204	1988年	3期	212页
汉藏语的"岁、越","遝(旋)、圜"及其相关问题	梅祖麟	总230	1992年	5期	325页
拷贝型量词及其在汉藏语系量词发展中的地位	李宇明	总274	2000年	1期	27页
藏缅语的是非疑问句	戴庆厦 傅爱兰	总278	2000年	5期	390页
汉藏系语言研究法的检讨	丁邦新	总279	2000年	6期	483页
原始汉藏人的宗教与原始汉藏语	邢公畹	总281	2001年	2期	112页
藏缅语的形修名语序	戴庆厦 傅爱兰	总289	2002年	4期	373页

对比语言学

越南语和汉语构词法比较研究初探	阮善志	总117	1962年	7期	325页
试论"着"的用法及其与英语进行式的比较	陈刚	总154	1980年	1期	21页
英语和汉语的被动句	王还	总177	1983年	6期	409页
通过日语汉音看假名五段与汉字四等的关系	曲翰章	总170	1982年	5期	388页

汉日拟声词比较研究	濑户口律子	总217	1990年	4期 264页
"它"和"it"的对比	鲁健骥	总248	1995年	5期 390页

书刊评介

《俄汉语语法对比研究》(梁达)	有景 徐家桢	总72	1958年	6期 292页
任著《汉英比较语法》简评(任学良)	刘新	总176	1983年	5期 390页

社 会 语 言 学

社会语言学的兴起、生长和发展前景	陈原	总170	1982年	5期 321页
从现代汉语几个用例[模型]分析语言交际的最大信息量和最佳效能——一个社会语言学者的札记	陈原	总176	1983年	5期 321页
从我国语言实际出发研究社会语言学	陈建民 陈章太	总203	1988年	2期 113页
* * *				
汉语的爱称和憎称的来源和区别	俞敏	总20	1954年	2期 15页
"阶级方言"和"slang"	劳宁 译	总58	1957年	4期 30页
关于"社会习惯语"或"社会方言"的讨论	郑达汉 彭国钧 陈永正 杨定	总58	1957年	4期 31页
关于"社会习惯语"或"社会方言"的讨论	高名凯 岑麒祥	总59	1957年	5期 33页
灌阳方言的二字语	陈振寰 刘村汉	总171	1982年	6期 457页
汉语隐语说略——一种语言变异现象的分析	曹聪孙	总226	1992年	1期 45页
广东揭西棉湖的三种秘密语	林伦伦	总252	1996年	3期 192页
朝鲜族朱河龙一家五代人的单、双、三语情况调查	崔吉元	总177	1983年	6期 439页
明清以来北京城区街道名称变革所涉及的一些语言问题	张清常	总186	1985年	3期 193页
北京地名谐音改字试析	张清常	总240	1994年	3期 197页
北京街巷名称二题	张清常	总255	1996年	6期 428页
北京街巷名称中的14个方位词	张清常	总250	1996年	1期 10页
《北京街巷名称中的14个方位词》补正	党怀兴	总257	1997年	2期 152页
方位和方向在中华民族语言中的一个小小问题——兼答《〈北京街巷名称中的14个方位词〉补正》	张清常	总257	1997年	2期 154页
山西理发社群行话的研究报告	侯精一	总203	1988年	2期 103页
《通俗编》有类似山西理发社群的计数行	乔全生	总217	1990年	4期 247页

话

山西理发社群行话补说	高炯	总218	1990年	5期 398页
聋哑人手语改革的初步成果	洪雪立	总140	1966年	1期 77页
聋哑儿童的语言训练	黄家教	总145	1978年	2期 122页
视觉语言学	游顺钊	总188	1985年	5期 342页
方言和民俗	温端政	总204	1988年	3期 202页
南北朝人名与佛教	吕叔湘	总205	1988年	4期 241页
说货声	朱建颂	总226	1992年	1期 50页
北京话中的满汉融合词探微	赵杰	总235	1993年	4期 281页
常用面称及其特点	郭继懋	总245	1995年	2期 90页
福建建瓯"鸟语"探微	潘渭水	总270	1999年	3期 205页

*　　*　　*

香港粤语词杂论	陈宁萍	总189	1985年	6期 420页
美国彻丽坞华人社区的语言	Sau-Lim Tsang 郑懿德 译述　王还 校	总189	1985年	6期 424页
香港地区的语言态度和语言应用 ——对普通话的考察	Herbert D. Pierson 文兰 译	总207	1988年	6期 423页
澳门的三语流通与中文的健康发展	程祥徽　刘羡冰	总220	1991年	1期 41页
澳门中文官方地位的提出与实现	程祥徽	总226	1992年	1期 20页
试论澳门语言现状及其发展趋势	盛炎	总238	1994年	1期 44页
澳门开埠前后的语言状况与中外的语言沟通	刘羡冰	总238	1994年	1期 53页
台湾语言现状的初步研究	仇志群　范登堡	总241	1994年	4期 254页
从某些外语专名的汉译看海峡两岸语言使用的同与异	黄长著	总243	1994年	6期 401页
海峡两岸同形异义词研究	苏金智	总245	1995年	2期 107页
"英文为准"与"中文为准"——香港中文的一个难题	姚德怀	总251	1996年	2期 113页
对香港语言问题的几点思考	詹伯慧	总251	1996年	2期 121页
新加坡的语言教育与语言规划	周清海	总251	1996年	2期 125页
试论'97后普通话在香港的地位	侯精一	总251	1996年	2期 131页
传意需要与港澳新词	程祥徽	总252	1996年	3期 200页
英语对香港语言使用的影响	苏金智	总258	1997年	3期 219页
港澳粤方言新词探源	邓景滨	总258	1997年	3期 227页
方言和共同语词汇在港澳传媒中的应用	张卓夫	总258	1997年	3期 232页
台湾地区新词语构成例说	谢米纳斯	总258	1997年	3期 234页
试论香港报纸新闻报道的语言问题	卢丹怀　黄煜　俞旭	总262	1998年	1期 48页
港人对广东话及普通话态度的定量与	龙惠珠	总262	1998年	1期 66页

定质研究				
台湾话的特点及其与内地的差异	刁晏斌	总 266	1998 年	5 期 387 页
澳门言语社会在语际交流中的语码转换	黄翊	总 268	1999 年	1 期 34 页
变体汉文文献中的词义异变举要	冯良珍	总 270	1999 年	3 期 207 页
新加坡华语词的词形、词义和词用选择	周清海 萧国政	总 271	1999 年	4 期 255 页
澳门博彩隐语研究	邵朝阳	总 271	1999 年	4 期 267 页
方言变异还是语体变异——内地与香港娱乐新闻语篇范畴的差异分析	吴东英 许谦文	总 274	2000 年	1 期 35 页
香港书面语的句法特点	石定栩 苏金智 朱志瑜	总 285	2001 年	6 期 558 页
新加坡华语变异概说	周清海	总 291	2002 年	6 期 508 页

心理语言学、神经语言学

三岁前儿童反复问句的发展	李宇明 唐志东	总 215	1990 年	2 期 91 页
儿童反复问句和"吗""吧"问句发展的相互影响	李宇明 唐志东	总 225	1991 年	6 期 417 页
儿童语言中的连谓结构和相关的句法问题	周国光	总 264	1998 年	3 期 181 页
儿童语言中方位词的习得及相关问题	孔令达 王祥荣	总 287	2002 年	2 期 111 页
失读病人语句、篇章阅读中形、音、义关系的探讨	胡超群 李漪	总 228	1992 年	3 期 191 页
汉语皮质下失语患者主动句式与被动句式理解、生成的比较研究	杨亦鸣 曹明	总 259	1997 年	4 期 282 页
中文大脑词库形、音、义码关系的神经语言学分析	杨亦鸣 曹明	总 267	1998 年	6 期 417 页
口误类例	沈家煊	总 229	1992 年	4 期 306 页

应 用 语 言 学

应用语言学中的新问题	Н. Д. 安德列耶夫 Л. Р. 琴德尔 每文 译 白水 校	总 105	1961 年	6 期 39 页
跨入新世纪后我国汉语应用研究的三个主要方面	陆俭明	总 279	2000 年	6 期 516 页

计 算 语 言 学

标题	作者	总期	年份	期/页
机器翻译研究——庆祝建国十周年	刘涌泉　高祖舜	总 88	1959 年	10 期 471 页
机器翻译中的词序问题	刘涌泉　刘倬　高祖舜	总 136	1965 年	3 期 179 页
外汉机器翻译中的中介成分体系	刘涌泉	总 167	1982 年	2 期 142 页
俄汉机器翻译初步试验成功	高祖舜	总 89	1959 年	11 期 550 页
关于设计和制造信息机器的会议	И. 梅里楚克　刘涌泉 译	总 68	1958 年	2 期 75 页
利用机器把汉语译成其他语言的一般原则	М. В. 索弗罗诺夫　志升 译　白水 校	总 75	1958 年	9 期 435 页
机器翻译浅说	刘涌泉	总 78	1958 年	12 期 575 页
莫斯科机器翻译会议	Т. М. 尼柯来耶娃　姚兆炜 译	总 78	1958 年	12 期 579 页
俄汉机器翻译规则系统新旧方案比较	刘涌泉　高祖舜　刘倬	总 119	1962 年	10 期 439 页
俄汉机器翻译中关于标点符号的分析	刘涌泉　刘倬　高祖舜	总 133	1964 年	6 期 419 页
JFY-Ⅱ型英汉机器翻译系统概述(上)	刘倬	总 162	1981 年	3 期 216 页
JFY-Ⅱ型英汉机器翻译系统概述(下)	刘倬	总 163	1981 年	4 期 279 页
论代码和语言	В. И. 格里高利耶维奇　白水 译	总 94	1960 年	4 期 186 页
语言的信息	范继淹	总 149	1979 年	2 期 93 页
人工智能和语言学	范继淹　徐志敏	总 157	1980 年	4 期 310 页
关于汉语理解的若干句法、语义问题	范继淹　徐志敏	总 160	1981 年	1 期 21 页
RJD-80 型汉语人机对话系统的语法分析	范继淹　徐志敏	总 168	1982 年	3 期 223 页
中文信息处理中的切词和句法分析	刘倬	总 186	1985 年	3 期 222 页
在微型计算机上对《寒山子诗》实现逐字索引	姚兆炜	总 186	1985 年	3 期 227 页
汉语答句的计算机生成	杨国文	总 210	1989 年	3 期 176 页
从计算机生成汉语的角度看汉语语法研究	杨国文	总 227	1992 年	2 期 140 页
论旨网格、原参语法与机器翻译	汤廷池　张淑敏	总 253	1996 年	4 期 260 页
汉语语言学文献信息处理的现状与未来透视	黄勤勇	总 254	1996 年	5 期 391 页
现状和设想——试论中文信息处理与现代汉语研究	许嘉璐	总 279	2000 年	6 期 490 页

数 理 语 言 学

谈数理语言学	刘涌泉	总 84	1959 年	6 期 277 页
言语的统计研究对工程技术的意义	Л. А. 瓦尔萨夫斯基 山佳 译　米尔 校	总 86	1959 年	8 期 383 页
语言统计学的重要性	王畛	总 90	1959 年	12 期 605 页
理论的句型	吴润光	总 93	1960 年	3 期 110 页
数理语言学(《苏联大百科全书》学科名词选译)	山佳 译	总 93	1960 年	3 期 149 页
关于语言学中的结构方法及数理语言学应用语言学问题的讨论	Б. В. 高尔农 常富英 译　米尔 校	总 95	1960 年	5 期 225 页
谈谈数理语言学	马希文	总 146	1978 年	3 期 231 页
数理统计在汉语研究中的应用	陈明远	总 165	1981 年	6 期 466 页

语言学教学和语言学名词

语言学课程整改笔谈	冯文柄 林焘 王力 朱星	葛信益 吕叔湘 殷孟伦	梁东汉 马学良 袁家骅	总 73	1958 年	7 期 303 页
各高等院校语言学课程整改情况	吉常宏 阿汤 高子荣 关兴三	石安石 陈秀珠 张芷	胡芸 吴哲夫 子朗	总 73	1958 年	7 期 315 页
语言学课程整改笔谈	方光焘 刘世儒 徐仲华	傅铭第 彭铎 詹伯慧	高名凯 萧璋 张清常	总 74	1958 年	8 期 369 页
各高等院校语言学课程整改情况	徐缦华	李元太		总 74	1958 年	8 期 380 页
在语言教学与研究的阵地上插遍红旗	吉常宏	石安石		总 75	1958 年	9 期 417 页
主要在于政治挂帅	洪笃仁			总 75	1958 年	9 期 445 页
三点意见	甄尚灵			总 75	1958 年	9 期 446 页
语言教学必须政治挂帅	解惠全 陈慧	王建亭 董崇礼	符维青 范晓芳	总 78	1958 年	12 期 570 页
关于专门化问题和"语言学引论"	贺绍兰			总 75	1958 年	9 期 444 页
怎样建立新的"语言学引论"课程	裴显生	夏锡骏		总 78	1958 年	12 期 573 页
对《语言学引论》课程改革的意见	孙良明	贺绍兰	葛本仪	总 80	1959 年	2 期 83 页
关于建立新的"语言学引论"课程的讨论	裴显生 范学院中文系汉语教研组 青年教师	夏锡骏 许惟贤	华中师 晁功	总 82	1959 年	4 期 175 页

标题	作者	总期	年份	期 页
关于建立新"语言学引论"课程的讨论情况	李子云 李兆同 徐思益 本刊编辑部	总83	1959年	5期 241页
"语言学引论"课程座谈会纪要	本刊编辑部	总84	1959年	6期 283页
我们怎样在"语言学引论"课程中联系实际	中央民族学院语文系语言学教研组	总85	1959年	7期 335页
"古汉语"的教学目的（高等院校语言学课程问题讨论）	张永绵	总91	1960年	1期 35页
从《古汉语概论》谈到大学开设古汉语课的目的要求	朱星	总98	1960年	11期 393页
古代汉语的教学	王力	总122	1963年	1期 1页
古代汉语教学中的几个问题	曹先擢 鲁国尧	总137	1965年	4期 309页
关于改进汉语教学和科学研究的几点意见	南京大学中文系语言教研组	总81	1959年	3期 133页
高等师范院校中文系能够不讲汉语音韵学吗？	梁振仕	总85	1959年	7期 337页
高等院校中文系的"写作实习"课	史锡尧 邓明以 葛本仪 张涤华 梁振仕 谢晓安 林海权 张芷 秦旭卿	总86	1959年	8期 370页
应该重视语法作业（高等院校语言学课程问题讨论）	蕴光	总92	1960年	2期 89页
我们是这样开"文选及习作课"的（高等院校语言学课程问题讨论）	甘肃师范专科学校语文科"文选及习作"教学小组（霍旭东 执笔）	总92	1960年	2期 90页
试谈语法修辞结合教学——从"宁可…也不…"谈起	居志良	总148	1979年	1期 41页
语言教学和民族的科学文化水平	许国璋	总145	1978年	2期 91页
必须学好"现代汉语语音"课	沈士英	总146	1978年	3期 225页
谈谈师范院校语音教学的改革	沈士英	总181	1984年	4期 279页
语言能力与语法教学	王培光	总223	1991年	4期 26页
语言运用能力与语言审析能力的分析与验证	王培光	总255	1996年	6期 440页

*　　*　　*

标题	作者	总期	年份	期 页
《语言学引论》教学大纲（苏联高等教育部大学总管理处批准）	季羡林 译	总7	1953年	1期 30页
论培养普通语言学的专家	А. С. 契科巴瓦 郑祖庆 节译	总8	1953年	2期 33页
《斯大林的语言学说基础》教学大纲（苏联高等教育部批准）	彭楚南 译	总10	1953年	4期 32页
七年级《语言的普通知识》教学经验	Б. В. 赫连诺娃 彭楚南 译	总12	1953年	6期 32页

语言学高等教育和语言科学干部的培养(苏联科学院出版《语言学问题》1954年2月社论摘录)	何道南 译	总25	1954年	7期	33页
现代俄语教学大纲([苏联]加尔基娜-费多路克、克留赤柯夫、波斯贝洛夫编拟)	王力 译	总36	1955年	6期	35页
王力先生的来信		总46	1956年	4期	42页
苏联语言学教学大纲(草案)(B.兹维庚采夫著,P.布达哥夫校)	黄树南 译	总61	1957年	7期	37页

* * *

关于"语言学"和"语史学"的译名	劳宁	总54	1956年	12期	51页
音标 音素 辅音 元音 音缀	陈治文	总5	1952年	5期	34页
声母 韵母 单韵母 复合韵母 附声韵母 声调四声	雍从甫	总6	1952年	6期	35页
动词(语言学名词选译)	彭楚南 译	总18	1953年	12期	35页
时制(语言学名词选译)	彭楚南 译	总19	1954年	1期	21页
音素文字(语言学名词选译)	彭楚南 译	总20	1954年	2期	31页
土语(语言学名词选译)	彭楚南 译	总21	1954年	3期	35页
语言中的借用(语言学名词选译)	彭楚南 译	总23	1954年	5期	35页
元音(语言学名词选译)	彭楚南 译	总25	1954年	7期	17页
词根(语言学名词选译)	力山 译	总26	1954年	8期	7页
同行语(语言学名词选译)	萧芸 译	总28	1954年	10期	22页
标准语(语言学名词选译)	刘涌泉 译	总29	1954年	11期	35页
静词(语言学名词选译)	力山 译	总30	1954年	12期	22页
拟声词(语言学名词选译)	力山 译	总31	1955年	1期	19页
语态(语言学名词选译)	力山 译	总32	1955年	2期	43页
形态单位(语言学名词选译)	力山 译	总34	1955年	4期	12页
语言的形态学分类法(语言学名词选译)	力山 译	总35	1955年	5期	27页
术语(语言学名词选译)	熊振顺 译 白水 校	总59	1957年	5期	9页
语言学名词解释(一)	北京大学语言学教研室	总76	1958年	10期	496页
语言学名词解释(二)	北京大学语言学教研室	总77	1958年	11期	546页
语言学名词解释(三)	北京大学语言学教研室	总78	1958年	12期	596页
语言学名词解释(四)	北京大学语言学教研室	总79	1959年	1期	44页
语言学名词解释(五)	北京大学语言学教研室	总80	1959年	2期	85页
语言学名词解释(六)	北京大学语言学教研室	总81	1959年	3期	145页
语言学名词解释(七)	北京大学语言学教研室	总82	1959年	4期	195页
语言学名词解释(八)	北京大学语言学教研室	总83	1959年	5期	246页
语言学名词解释(九)	北京大学语言学教研室	总84	1959年	6期	293页

语言学名词解释(十)	北京大学语言学教研室	总85	1959年	7期	343页
语言学名词解释(十一)	北京大学语言学教研室	总86	1959年	8期	394页
语言学名词解释(十二)	北京大学语言学教研室	总87	1959年	9期	446页
语言学名词解释(十三)	北京大学语言学教研室	总89	1959年	11期	552页

书 刊 评 介

《俄语教学与研究》(1956年1、2期)(哈尔滨外国语学院)		总49	1956年	7期	51页
《俄文教学》(1956年1～3期)(北京俄语学院)		总49	1956年	7期	51页
《史学译丛》的《佛兰克方言》译文(1956年第3期)	力山	总50	1956年	8期	47页
对《语言学名词解释》的几点意见(一)(《中国语文》连载)	王涯	总80	1959年	2期	89页
对《语言学名词解释》的几点意见(二)(北京大学语言学教研室)	潘汞	总80	1959年	2期	90页
评《语言学名词解释》(北京大学语言学教研室)	普语	总105	1961年	6期	43页
评《俄汉、汉俄对照语言学名词(初稿)》(中国科学院语言研究所、北京大学中文系语言学教研室)	朱寄尧	总118	1962年	8-9期	427页

语 音 学

谈谈语音学(语音学常识之一)	田恭	总19	1954年	1期	22页
语音学的符号(语音学常识之二)	田恭	总20	1954年	2期	28页
语音学的研究方法(语音学常识之三)	田恭	总21	1954年	3期	27页
声音构成的原理(语音学常识之四)	田恭	总22	1954年	4期	23页
发音器官(语音学常识之五)	田恭	总23	1954年	5期	25页
元音的分类(语音学常识之六)	田恭	总24	1954年	6期	37页
辅音的分类(语音学常识之七)	田恭	总25	1954年	7期	21页
语音的结合(语音学常识之八)	田恭	总26	1954年	8期	25页
语言的节律(上)(语音学常识之九)	田恭	总27	1954年	9期	19页
语言的节律(下)(语音学常识之十)	田恭	总28	1954年	10期	38页
语音的变化(语音学常识之十一)	田恭	总31	1955年	1期	34页
语音的变化(下)(语音学常识之十二)	田恭	总32	1955年	2期	35页

音位和音位学(上)(语音学常识之十三)	田恭	总34	1955年	4期	35页
音位和音位学(下)(语音学常识之十四)	田恭	总35	1955年	5期	34页
怎样分析语音和描写语音	罗季光	总47	1956年	5期	32页
语音的社会基础	田恭	总48	1956年	6期	3页
论语音变化的原因	甘世福	总53	1956年	11期	10页
语音学和区别特征理论	方特 许毅 编译	总192	1986年	3期	182页
乐音与语音	丁西林	总1	1952年	7期	27页
谈谈声调问题	喻世长	总38	1955年	8期	10页
怎样处理声调在音位系统中的地位问题	周耀文	总68	1958年	2期	88页
声调在音位系统中的地位	李永燧	总92	1960年	2期	71页
声调与音节的相互制约关系	欧阳觉亚	总152	1979年	5期	359页
音位标音的几种选择	陈其光	总241	1994年	4期	266页

* * *

介绍几种简单的语音学仪器	周殿福	总29	1954年	11期	23页
语音实验室的作用	彼得·雷德福格德 吴宗济 译 吕叔湘 校	总65	1957年	11期	38页
实验语音学与方言调查	海盖第斯 吴宗济 节译	总74	1958年	8期	384页
电子学和语音学家——言语分析与合成	H.J.F.克拉贝 齐水 译	总95	1960年	5期	238页
谈谈现代语音实验方法(上)	齐鲁	总109	1961年	10期	80页
谈谈现代语音实验方法(下)	齐鲁	总110	1961年	12期	30页
实验语音学知识讲话(一)引言	语言研究所语音研究室 (吴宗济 执笔)	总148	1979年	1期	78页
实验语音学知识讲话(二)语音的生理分析	语言研究所语音研究室 (吴宗济 杨力立 执笔)	总149	1979年	2期	152页
实验语音学知识讲话(三)语音的声学分析(上)	语言研究所语音研究室 (吴宗济 曹剑芬 执笔)	总151	1979年	4期	314页
实验语音学知识讲话(四)语音的声学分析(下)	语言研究所语音研究室 (吴宗济 曹剑分 执笔)	总152	1979年	5期	393页
实验语音学知识讲话(五)语音的"区别特征"、语音实验的基本建设、赘言	语言研究所语音研究室 (吴宗济 执笔)	总153	1979年	6期	469页

书 刊 评 介

对田恭先生《语音学常识》中几个问题的意见	李思敬	总44	1956年	2期	38页
《普通语音学纲要》(罗常培、王均)	劳君方	总60	1957年	6期	44页

向《普通语音学纲要》的作者商讨两个问题(罗常培、王均)	杨义春	总 72	1958 年	6 期 294 页
评契科巴瓦《语言学引论》语音学部分	P. M. 乌罗耶瓦 E. И. 穆拉舍瓦　望桐 译	总 48	1956 年	6 期　45 页
《实验语音学概要》评介(吴宗济、林茂灿主编)	林焘	总 216	1990 年	3 期 215 页

词 汇 学

试论词汇学中的几个问题	黄景欣	总 102	1961 年	3 期　18 页
论词汇体系问题——与黄景欣同志商榷	刘叔新	总 130	1964 年	3 期 203 页
两次分类——再谈词汇系统及其变化	蒋绍愚	总 272	1999 年	5 期 323 页

语 义

词的多义性跟词义演变的关系和区别	孙良明	总 71	1958 年	5 期 241 页
关于词义演变的两个问题	孙良明	总 102	1961 年	3 期　23 页
论词义的性质及其与概念的关系	岑麒祥	总 104	1961 年	5 期　 8 页
关于词义与概念	石安石	总 107	1961 年	8 期　35 页
谈词义和概念的关系问题	薄鸣	总 107	1961 年	8 期　39 页
关于词义和概念的几个问题	朱林清	总 116	1962 年	6 期 265 页
语义中的相对性	邵乃强	总 172	1983 年	1 期　39 页
模糊语义及其模糊度	石安石	总 202	1988 年	1 期　60 页
模糊语义问题辨述	符达维	总 215	1990 年	2 期 105 页
模糊语义再议——答符达维同志	石安石	总 224	1991 年	5 期 348 页
也谈语义模糊度	周志远	总 215	1990 年	2 期 112 页
组合同化：词义衍生的一种途径	张博	总 269	1999 年	2 期 129 页
柏拉图以来词义说的新审视	张志毅　张庆云	总 275	2000 年	2 期 126 页

语 法 学

语法(苏联大百科全书节译)	П. С. 库兹涅左夫 彭楚南 译述	总 11	1953 年	5 期　30 页
语法理论和语言实际	黄岳洲	总 44	1956 年	2 期　44 页
语法中的选择性原则	Б. А. 谢列布列尼科夫 刘涌泉 译　吕叔湘 校	总 48	1956 年	6 期　40 页

语法的民族特点和时代特点	王力	总 52	1956 年	10 期	5 页
语法研究的理论意义和实用意义	张志公	总 55	1957 年	1 期	1 页
语法形式和语法意义	胡明扬	总 69	1958 年	3 期	112 页
词形变化与辅助词的区别——和胡明扬先生讨论	段其湘	总 78	1958 年	12 期	588 页
谈意义和形式相结合的语法研究原则	徐思益	总 84	1959 年	6 期	280 页
语法研究应该依据意义和形式结合的原则	李临定 范方莲	总 104	1961 年	5 期	1 页
试谈汉语语法学上的"形式与意义相结合"	陆志韦	总 105	1961 年	6 期	12 页
再论语法形式和语法意义	胡明扬	总 230	1992 年	5 期	364 页
语法范畴（上）（语言学讲话之三）	彭楚南	总 59	1957 年	5 期	26 页
语法范畴（下）（语言学讲话之四）	彭楚南	总 61	1957 年	7 期	11 页
关于"语法的种类"的质疑	蕴光	总 66	1957 年	12 期	49 页
词、逻辑、语法	H. 斯威特 廖可为 译	总 108	1961 年	9 期	36 页
漫谈语法研究	吕叔湘	总 144	1978 年	1 期	15 页
语法与语法学	邢公畹	总 149	1979 年	2 期	140 页

书 刊 评 介

汉语语法理论中的一些问题——读傅子东著《语法理论》后	许绍早	总 31	1955 年	1 期	29 页
对许绍早的批评的答辩	傅子东	总 37	1955 年	7 期	22 页
评《语法理论》（傅子东著）	徐仲华	总 32	1955 年	2 期	40 页
对傅子东的答辩的意见	许绍早	总 44	1956 年	2 期	45 页
关于《语法理论》中的几个问题——同高名凯先生商榷	马炎武	总 103	1961 年	4 期	43 页
从语义、语用看语法形式的实质	陆丙甫	总 266	1998 年	5 期	353 页

文 字 学

我们应该建立"文字理论"这门科学	缪锦安	总 68	1958 年	2 期	96 页
论文字发展的规律	张照	总 139	1965 年	6 期	467 页
文字学规划初步设想	唐兰	总 145	1978 年	2 期	87 页
谈谈文字现代化	刘泽先	总 155	1980 年	2 期	155 页
字母表的拟制	J. 柏利 曹今予 译	总 76	1958 年	10 期	492 页
古马亚文研究简述	Ю. В. Кнорозов 周有光 译 南山 校	总 114	1962 年	4 期	167 页

马亚文的释读及其对比较文字学的贡献	周有光	总114	1962年	4期 175页
文字学和文字类型学	周有光	总249	1995年	6期 437页
关于比较文字学的研究	周有光	总278	2000年	5期 407页

第二部分 汉语

中国语言学史

中国语言学的继承和发展	王力	总119	1962年	10期	433页
中国语言学史(连载)前言、第一章训诂为主的时期	王力	总124	1963年	3期	232页
中国语言学史(连载)第一章训诂为主的时期(续)、第二章韵书为主的时期	王力	总125	1963年	4期	309页
中国语言学史(连载)第二章韵书为主的时期(续)	王力	总126	1963年	5期	411页
中国语言学史(连载)第三章文字、声韵、训诂全面发展的时期	王力	总127	1963年	6期	469页
中国语言学史(连载)第三章文字、声韵、训诂全面发展的时期(续)	王力	总128	1964年	1期	62页
中国语言学史(连载)结论	王力	总129	1964年	2期	103页
扬雄和他的《方言》(中国语言学史话之一)	周因梦	总47	1956年	5期	37页
博闻强记的郭璞(中国语言学史话之二)	周因梦	总49	1956年	7期	39页
许慎和他的《说文解字》(中国语言学史话之三)	周祖谟	总51	1956年	9期	26页
刘熙和他的《释名》(中国语言学史话之四)	孙德宣	总56	1956年	11期	26页
陆法言的《切韵》(中国语言学史话之五)	李于平	总56	1957年	2期	28页
清代的古音学创始人顾炎武(中国语言学史话之六)	王显	总60	1957年	6期	31页
周德清的《中原音韵》(中国语言学史话之七)	杨耐思	总65	1957年	11期	33页
清代古音学研究的殿后人黄侃(中国语言学史话之八)	彭昊乾	总71	1958年	5期	243页
中国最早的一部有关修辞理论的著作——《春秋繁露》	谭全基	总84	1959年	6期	258页
论郝懿行的《尔雅义疏》	张永言	总120	1962年	11期	502页
关于《尔雅》的作者	李开	总208	1989年	1期	70页

标题	作者	总期	年份	期/页
《尔雅》分卷与分类的再认识——《尔雅》的文化学研究之一	许嘉璐	总254	1996年	5期 321页
对《〈尔雅〉分卷与分类的再认识》一文的补正	许嘉璐	总256	1996年	6期 421页
佛教对于中国音韵学的影响	张建木	总53	1956年	11期 23页
汉译佛典语文中的原典影响初探	朱庆之	总236	1993年	5期 379页
"同经异译"与佛经语言特点管窥	董琨	总291	2002年	6期 559页
《方言》母题重见研究	濮之珍	总140	1966年	1期 30页
关于唐本《说文》的真伪问题	恽天民 周祖谟	总59	1957年	5期 48页
段玉裁和他的《说文解字注》	殷孟伦	总107	1961年	8期 43页
略谈《说文解字》段注的局限性	傅东华	总109	1961年	10-11期 58页
就对许慎及其《说文》的指责谈一点看法	王显	总147	1978年	4期 271页
郦道元语言论拾零	张永言	总130	1964年	3期 236页
陆德明的《经典释文》	林焘	总113	1962年	3期 132页
《切韵》序和陆爽	平山久雄 邵迎建 译	总214	1990年	1期 54页
校补本十韵汇编序	罗常培	总72	1958年	6期 290页
谈《西儒耳目资》	杨道经	总58	1957年	4期 封4
俄藏宋刻《广韵》残本述略	聂鸿音	总263	1998年	2期 148页
俄藏宋刻《广韵》残卷的版本问题	余迺永	总272	1999年	5期 380页
对《干禄字书》的一点认识	王显	总131	1964年	4期 304页
《大唐三藏取经诗话》写作时代蠡测	刘坚	总170	1982年	5期 371页
《卢宗迈切韵法》述评（上）	鲁国尧	总231	1992年	6期 401页
《卢宗迈切韵法》述评（续）	鲁国尧	总232	1993年	1期 33页
《中原雅音》记略	蒋希文	总147	1978年	4期 253页
《韵学集成》所传《中原雅音》	杨耐思	总147	1978年	4期 255页
《韵学集成》与中原雅音	龙晦	总149	1979年	2期 131页
本悟《韵略易通》的两个刻本	群一	总191	1986年	2期 148页
读《本悟〈韵略易通〉的两个刻本》后	慧生	总206	1988年	5期 392页
《诗词通韵》评述	何九盈	总187	1985年	4期 292页
《中原雅韵》的年代	何九盈	总192	1986年	3期 230页
《中州音韵》述评	何九盈	总206	1988年	5期 374页
《中州音韵》的作者、年代以及同《中原雅音》的关系	许德宝	总211	1989年	4期 289页
王文璧校正《中州音韵》的初刻年代和诸版本的关系问题	许德宝	总220	1991年	1期 47页
"《中原雅音》就是《中州音韵》"质疑	曾晓渝	总220	1991年	1期 60页
论《中原雅音》与《中州音韵》的关系	龙庄伟	总220	1991年	1期 64页
周德清不是《中州音韵》的编者	慧生	总223	1991年	4期 298页

标题	作者	总期	年份	期 页
清人正音书三种《正音通俗表》《正音切韵指掌》《正音再华傍注》	侯精一	总154	1980年	1期 64页
关于《经词衍释》的最初刊本	余明象	总87	1959年	9期 438页
《马氏文通》和旧有讲虚字的书	麦梅翘	总58	1957年	4期 20页
《马氏文通》述评	周钟灵	总147	1978年	4期 305页
《马氏文通》评述	吕叔湘　王海棻	总178	1984年	1期 1页
《马氏文通》评述(续)	吕叔湘　王海棻	总179	1984年	2期 81页
《马氏文通》及其语言哲学	许国璋	总222	1991年	3期 161页
《马氏文通》出版年代考	严修	总253	1996年	4期 320页
《马氏文通》所揭示的古汉语语法规律	廖序东	总266	1998年	5期 323页
《马氏文通》研究百年综说	王海棻	总266	1998年	5期 335页
再谈马建忠和《马氏文通》	郭锡良	总267	1998年	6期 432页
《马氏文通》的作者谈	林玉山	总267	1998年	6期 435页
《马氏文通》虚字学说中的几个问题	陈月明	总267	1998年	6期 437页
《马氏文通》的指称理论	刘永耕	总267	1998年	6期 443页
《汉语发展史》(初稿)绪论	北京大学中文系1956级语言组	总99	1960年	12期 407页
编写《汉语发展史》(初稿)的几点体会	北京大学中文系1956级语言组	总99	1960年	12期 416页
试论研究中国语言学史的观点和方法——兼评王力先生《中国语言学史》	赵振铎	总134	1965年	1期 14页
《历代文选》中的一些问题	杨东　陈玄荣	总141	1966年	2期 152页
《语文论衡》后记	李荣	总187	1985年	4期 303页
《青郊杂著》作者籍贯考	耿振生	总197	1987年	2期 144页
从语言角度看《齐民要术》卷前《杂说》非贾氏所作	柳士镇	总209	1989年	2期 143页
追寻中国古代的语言哲学	许国璋	总232	1993年	1期 50页
汉语构词法研究的先驱薛祥绥	潘文国　叶步青　Han Yang Saxena	总232	1993年	1期 65页
《五方元音》作者的地望辨误	余明象	总234	1993年	3期 180页
关于《拍掌知音》的成书时间问题	古屋昭弘	总243	1994年	6期 452页
神珙《九弄图》再释	杨剑桥	总245	1995年	2期 147页
《正字通》版本及作者考	古屋昭弘	总247	1995年	4期 306页
《字汇》的作者是谁	元丁	总253	1996年	4期 254页
关于《广雅》作者张揖	锐声	总264	1998年	3期 227页
《经典释文》成书年代新考	孙玉文	总265	1998年	4期 309页
俞樾《古书疑义举例》系袭江藩《经解入门》而成	漆永祥	总268	1999年	1期 60页
俞樾《古书疑义举例》系袭江藩《经解入	司马朝军　李若晖	总272	1999年	5期 393页

标题	作者	总期	年份	期	页
门》而成吗？——与漆永祥先生商榷					
牟应震的古韵学	吴庆峰	总273	1999年	6期	456页
论梅膺祚的《字汇》	张涌泉	总273	1999年	6期	473页
从语言的角度看《儒林外史》的作者问题	地藏堂贞二	总274	2000年	1期	79页
新发现的《彙音妙悟》版本介绍	王建设	总282	2001年	3期	263页
读《梦溪笔谈》札记	潘天华	总282	2001年	3期	269页
江有诰的生年	裴银汉	总282	2001年	3期	274页
《万韵书》述略	张鸿魁	总285	2001年	6期	543页
"颜之推谜题"及其半解（上）	鲁国尧	总291	2002年	6期	536页

* * *

标题	作者	总期	年份	期	页
五四以来汉语书面语的变迁和发展——纪念五四运动四十周年	北京师范学院中文系汉语组	总82	1959年	4期	159页
白话文运动的意义	王力	总150	1979年	3期	161页
白话文的兴起、过去和将来	俞敏	总150	1979年	3期	163页
五四运动述感	郭绍虞	总151	1979年	4期	241页
五四运动与现代汉语的最后形成	张寿康	总151	1979年	4期	243页
五四时期的白话文运动	仲庆奕	总151	1979年	4期	247页
鲁迅与三十年代语文论战	何耿镛	总148	1979年	1期	18页

* * *

标题	作者	总期	年份	期	页
十年来我国语言学界记事(1949—1959)	本刊编辑部	总88	1959年	10期	501页
十年来我国语言学界记事补	本刊编辑部	总89	1959年	11期	556页
《中国语文》三十年	本刊编辑部	总169	1982年	4期	241页
纪念《中国语文》创刊三十年笔谈	邢公畹 王还 黄家教 严学宭 吕冀平 张涤华 周定一 张志公 陆宗达 吴文祺	总169	1982年	4期	242页
回顾与展望	林裕文	总169	1982年	4期	251页
语言研究的发展和五年来的《语文研究》	徐通锵	总189	1985年	6期	459页
积极做好新时期的语言文字工作——记全国语言文字工作会议	本刊记者	总191	1986年	2期	113页
汉语研究四十年	本刊编辑部	总212	1989年	5期	321页
中国语文研究四十年学术讨论会纪要（附论文目录）	G.Y.	总229	1992年	4期	317页
《中国语文》四十年	张伯江	总231	1992年	6期	468页
语言研究所四十五年	张伯江	总249	1995年	6期	464页
中国社会科学院语言研究所举办"新中国语言学50年"学术座谈会	方文	总269	1999年	2期	159页
纪念语言研究所成立五十年	本刊特约评论员	总277	2000年	4期	378页

稳步迈进第二个 50 年——贺语言研究所 50 年所庆	江蓝生	总 278	2000 年	5 期 387 页
语言研究所庆祝建所 50 周年	本刊记者	总 278	2000 年	5 期 475 页
迎接新世纪	本刊编辑部	总 274	2000 年	1 期 2 页
《中国语文》50 周年座谈会在京举行	本刊记者	总 290	2002 年	5 期 446 页
庆祝《中国语文》创刊 50 周年国际学术研讨会在南昌举行	本刊记者	总 290	2002 年	5 期 473 页

*　　　　*　　　　*

中国语言学会成立大会纪要	记者	总 160	1981 年	1 期 1 页
开幕词	王力	总 160	1981 年	1 期 6 页
闭幕词	吕叔湘	总 160	1981 年	1 期 7 页
中国语言学会章程		总 160	1981 年	1 期 20 页
中国语言学会首届年会纪要（附论文目录）	记者	总 166	1982 年	1 期 74 页
中国语言学会第二届年会纪要（附论文目录）	记者	总 175	1983 年	4 期 315 页
中国语言学会第三届年会纪要（附论文目录）	于密	总 189	1985 年	6 期 467 页
中国语言学会第四届年会纪要（附论文目录）		总 203	1988 年	2 期 150 页
中国语言学会第五届年会纪要（附论文目录）	仲言	总 215	1990 年	2 期 155 页
中国语言学会第六届学术年会简记（附论文目录）	丁岩	总 226	1992 年	1 期 77 页
中国语言学会第七届学术年会记要（附论文目录）	张旺喜	总 238	1994 年	1 期 74 页
中国语言学会第八届学术年会纪要（附论文目录）	高云祥	总 249	1995 年	6 期 473 页
中国语言学会在江西南昌召开第九届学术年会（附论文目录）	方梅	总 261	1997 年	6 期 474 页
中国语言学会举行第十届年会暨国际中国语文研讨会（附论文目录）	重奇	总 272	1999 年	5 期 396 页
中国语言学会在扬州举行第十一届年会（附论文目录）	本刊记者	总 286	2002 年	1 期 88 页
朱德熙先生的书面发言		总 226	1992 年	1 期 80 页
关于"的"字研究的一点感想——在中国语言学会第六届学术年会上的书面发言	朱德熙	总 235	1993 年	4 期 270 页

近几年来苏联东方学研究中的汉语形态问题(1950—1955)	郭路特 刘涌泉 吴乐 陈鹏 阮西湖 译	总42	1955年	12期	30页
在语言科学的研究中体现了深厚的兄弟般的友谊——记兄弟国家语言学者最近在我国的学术活动	何立	总42	1955年	12期	35页
苏联语文学杂志介绍我国两个语文工作会议情况	劳宁	总48	1956年	6期	27页
四十年来苏联的汉语研究	И.М. 鄂山荫 Б.Г. 穆德洛夫 高祖舜 译 吕叔湘 校	总67	1958年	1期	1页
十年来苏联的汉语研究	С.Е. 雅洪托夫 黄心平 译 劳宁 校	总89	1959年	11期	509页
捷克斯洛伐克的汉学工作简述	J. 卡罗斯卡娃 巴维尔 吴琦 译	总74	1958年	8期	382页
日本最近的汉语研究动态	香坂顺一	总68	1958年	2期	80页
日本中国语学会第九回全国大会简记	香坂顺一	总79	1959年	1期	封4
二十世纪以前欧洲汉语语法学研究状况	贝罗贝	总266	1998年	5期	346页

语言学家纪念

悼念杨树达先生	本刊编辑部	总44	1956年	2期	47页
悼念赵卓同志		总57	1957年	3期	44页
哀悼曹伯韩同志	本刊编辑部	总80	1959年	2期	80页
悼念罗常培先生	本刊编辑部 老舍 冰心 魏建功 郑天挺 傅懋勣 王力	总79	1959年	1期	22页
罗常培先生著作目录(初稿)	周因梦 廖珣英 辑录	总80	1959年	2期	97页
首都学术界集会纪念罗常培先生	刘坚	总90	1959年	12期	589页
深切怀念罗常培先生	傅懋勣	总148	1979年	1期	16页
纪念语言学家罗常培先生八十诞辰座谈会在京举行		总152	1979年	5期	392页
语言学界一代宗师——纪念罗常培先生九十诞辰	王均	总213	1989年	6期	401页
罗常培先生治学逸事	张清常	总213	1989年	6期	408页
古不轻今 雅不轻俗——回忆罗常培先生二三事	周有光	总213	1989年	6期	413页
莘田先生两本游记读后	周定一	总272	1999年	5期	347页
纪念常培师	王均	总272	1999年	5期	350页

记罗常培诞辰百年纪念会	本刊记者	总272	1999年	5期 358页
悼念郭沫若同志	本刊编辑部	总146	1978年	3期 157页
吕叔湘先生传略	吕必松	总185	1985年	2期 152页
吕叔湘先生著作系年		总185	1985年	2期 155页
在庆祝吕叔湘先生九十华诞学术讨论会上的讲话	胡绳	总238	1994年	1期 1页
在庆祝吕叔湘先生九十华诞学术讨论会上的发言	刘坚	总238	1994年	1期 2页
吕叔湘先生在语法理论上的重大贡献——庆祝吕叔湘先生九十华诞	胡明扬	总238	1994年	1期 5页
吕叔湘先生与《中国语文》	侯精一 徐枢	总238	1994年	1期 11页
试述吕叔湘先生对近代汉语研究的贡献	江蓝生	总238	1994年	1期 16页
庆祝吕叔湘先生九十华诞学术讨论会综述	宜文	总238	1994年	1期 70页
吕叔湘先生的语言研究对社会的贡献	田小琳	总239	1994年	2期 113页
吕叔湘先生与对外汉语教学	吕必松	总239	1994年	2期 119页
沉痛悼念吕叔湘先生	本刊编辑部	总264	1998年	3期 163页
一代宗师,风范永存	汝信	总264	1998年	3期 165页
哭吕先生	刘坚	总264	1998年	3期 167页
吕叔湘先生生平手迹		总264	1998年	3期 169页
我国著名语言学家吕叔湘先生逝世	本刊记者	总264	1998年	3期 172页
永远的怀念	江蓝生	总265	1998年	4期 284页
遥寄哀思	陈平	总265	1998年	4期 286页
一代宗师的学者风范	胡明扬	总265	1998年	4期 287页
吕叔湘先生二三事	施关淦	总265	1998年	4期 290页
吕叔湘先生与青年一代	张伯江	总265	1998年	4期 291页
悼念导师范继淹先生	杨国文	总189	1985年	6期 477页
沉痛的悼念	本刊编辑部	总193	1986年	4期 241页
悼念王力教授	吕叔湘	总193	1986年	4期 242页
痛悼了一师	唐作藩	总193	1986年	4期 244页
水龙吟 祝了一先生八十寿	叶圣陶	总193	1986年	4期 245页
怀念先生 激励后学——北京大学王力语言学奖金首届发奖大会侧记	本刊记者	总199	1987年	4期 319页
纪念王力先生九十诞辰语言学研讨会纪要	本刊记者	总219	1990年	6期 476页
纪念王力先生诞辰100周年 21世纪汉语语法及语法理论研究展望研讨会在清华大学举行	方文	总278	2000年	5期 414页
纪念王力先生诞辰100周年语言学国际	纪念王力先生诞辰100周	总278	2000年	5期 476页

学术研讨会暨第8届北京大学王力语言学奖颁奖仪式在北京大学举行	年语言学国际学术研讨会会务组				
纪念陈望道逝世十周年学术讨论会在上海举行	李熙宗	总202	1988年	1期	55页
隆重纪念陈望道先生百岁诞辰记事(附论文目录)	东木	总222	1991年	3期	238页
攀桂仰天高,转蓬行地远——悼念李方桂先生	吴晓铃	总202	1988年	1期	78页
北京四家语文刊物召开座谈会悼念李方桂教授	本刊记者	总202	1988年	1期	79页
深切悼念叶圣陶先生	本刊编辑部	总204	1988年	3期	240页
丁声树同志的学风	吕叔湘	总211	1989年	4期	241页
丁声树先生	李荣	总211	1989年	4期	243页
杰出的学术成就,高尚的道德风范——丁声树先生学术活动追思会侧记		总211	1989年	4期	249页
勤奋 实在 广博 创新 严谨——纪念丁声树先生	韩敬体	总271	1999年	4期	280页
丁声树同志的治学精神	杨伯峻	总271	1999年	4期	283页
悼念秋忠师	徐赳赳	总227	1992年	2期	156页
朱德熙教授追思会在北京举行	霭文	总231	1992年	6期	476页
敏锐、严谨、创新——为朱德熙兄逝世一周年作	林焘	总235	1993年	4期	271页
纪念朱德熙先生	余霭芹 方梅 译述	总235	1993年	4期	273页

研 究 方 向

语文研究应联系实际并照顾全面	罗常培	总1	1952年	1期	7页
语文工作者应加紧学习先进的苏联语言科学	罗常培	总5	1952年	5期	3页
语文工作者怎样为国家在过渡时期的总路线服务	罗常培	总19	1954年	1期	3页
希望开展语言学的学术自由讨论	刘永平	总30	1954年	12期	35页
语言学界也应该广泛展开学术上的自由讨论	刘正埮	总33	1955年	3期	20页
语言学界应该积极开展批评和自我批评	山石	总33	1955年	3期	40页
向语言学界提三点建议	姜远	总33	1955年	3期	41页
为完成语文工作的三大任务而奋斗(社		总43	1956年	1期	8页

标题	作者			总期	年份	期	页
论）							
应当以严肃认真的态度学习和介绍苏联语言学著作	张大本			总46	1956年	4期	39页
贯彻执行百家争鸣的政策，为语言科学的不断发展和提高而奋斗（社论）				总49	1956年	7期	3页
怎样在语言科学研究中贯彻"百家争鸣"的方针（笔谈）	刘世儒 陈刚 高名凯 徐仲华 郭良夫	岑麒祥 俞敏 袁家骅 唐兰 张志公	陆宗达 郑奠 徐世荣 曹伯韩 萧璋	总49	1956年	7期	4页
怎样在语言科学研究中贯彻"百家争鸣"的方针	方光焘 刘静文 吕叔湘 黄智显 胡明扬 景幼南 宁榘 黎锦熙	王宗炎 宋振华 杜松寿 陈仲选 徐萧斧 张寿康 杨伯峻	刘泽先 严学宭 李振麟 姜远 许绍早 彭楚南 杨柳桥	总50	1956年	8期	7页
我对"百家争鸣"的看法	刘冠群			总51	1956年	9期	49页
冷嘲热讽和扣大帽子不是"争鸣"	毛西旁			总51	1956年	9期	49页
"百家争鸣"杂感	海风			总52	1956年	10期	33页
进一步贯彻党的百家争鸣政策（社论）				总101	1961年	2期	1页
怎样在语言学界贯彻百花齐放百家争鸣的方针	张世禄			总103	1961年	4期	7页
汉语研究工作者的当前任务	吕叔湘			总103	1961年	4期	1页
对语言学界的四点建议	郝万全			总56	1957年	2期	47页
中国语言学的现况及其存在的问题	王力			总57	1957年	3期	1页
谢尔久琴柯教授答本刊记者问				总61	1957年	7期	28页
语言科学在党的领导下向前迈进	周定一			总63	1957年	9期	6页
看看人家怎样勤俭办科学（赴捷克斯洛伐克考察体会）	吴宗济			总65	1957年	11期	封4
鼓起革命干劲，为汉语文工作的大跃进而奋斗！（社论）				总70	1958年	4期	151页
为语言科学的跃进而奋斗！（国务院科学规划委员会召开语言学科跃进座谈会上的发言）	姜君辰 黎锦熙 程镇球 王力 马坚 郭麟阁 周祖谟	魏建功 韦悫 孟复 傅懋勣 曹伯韩 王佐良 周达甫	吕叔湘 高名凯 陆志韦 白锐 田宝齐 葛信益	总70	1958年	4期	154页
各地对语言科学大跃进的意见和措施	劳卫 吴哲夫	高子荣	张芷	总70	1958年	4期	165页

标题	作者	总期	年份	期/页
大力普及语言科学	张志公	总70	1958年	4期 167页
西语工作怎样大跃进？	李赋宁	总72	1958年	6期 257页
语文工作跃进漫谈	柏苇 李富才 符士如	总72	1958年	6期 268页
在总路线的光辉照耀下,为实现文化革命而贡献出我们的全部力量(社论)		总73	1958年	7期 301页
大家来动手研究汉语的新变化	徐继孔	总76	1958年	10期 484页
高举毛泽东思想旗帜,使语言科学更好地为社会主义建设服务(社论)		总94	1960年	4期 151页
语言科学要为农村的文化教育建设服务(社论)		总95	1960年	5期 201页
对语言学面向农村面向实际的点滴体会	陆俭明	总141	1966年	2期 107页
语文工作要抓纲快上(社论)		总144	1978年	1期 1页
建国以来的语言工作成就不容否定	赵振铎	总144	1978年	1期 7页
批判"两个估计"、商讨语言学科发展规划座谈会会议纪要	本刊记者	总145	1978年	2期 130页
开幕致词	吕叔湘	总145	1978年	2期 132页
发言摘要	张涤华 李振麟 卞觉非 黄绮 吕冀平 李格非 洪笃仁 张静	总145	1978年	2期 134页
总结发言	吕叔湘	总145	1978年	2期 142页
党的语文工作不容破坏	陈章太	总145	1978年	2期 143页
对语言学科规划的几点意见	黎锦熙	总145	1978年	2期 85页
语言学与四个现代化	张家骅	总145	1978年	2期 93页
语言学必须现代化——电子计算机和语言学	刘涌泉	总147	1978年	4期 266页
铭记周总理教诲 做好语言文字工作	本刊编辑部	总149	1979年	2期 81页
谈谈语言、语言学和现代科学技术革命	伍铁平 黄长著	总149	1979年	2期 145页
语言研究大有可为	本刊评论员	总154	1980年	1期 1页
我对语言科学研究工作的意见	王力	总160	1981年	1期 9页
把我国语言科学推向前进	吕叔湘	总160	1981年	1期 12页
开拓汉语史研究的新途径	马学良	总213	1989年	6期 468页
开拓语言文字工作新局面,为把社会主义现代化建设事业全面推向21世纪服务——在全国语言文字工作会议上的报告(摘要)	许嘉璐	总263	1998年	2期 151页
面对新世纪的我国语言学	许嘉璐	总272	1999年	5期 384页
开拓新世纪的中国语言学	江蓝生	总272	1999年	5期 385页

书刊评介

标题	作者	总期	年份	期号	页码
《汉语史稿》(上册)(王力)	柏苇 道经 钟隆林	总65	1957年	11期	44页
对王力先生两本著作《汉语音韵学》《汉语史稿》(上册)的意见(附王力的答复)	张欣山	总71	1958年	5期	249页
王力《汉语史稿》语法部分商榷	洪诚	总130	1964年	3期	173页
《中国语言学史》读后(王力)	赵遐秋 曾庆瑞	总133	1964年	6期	466页
书王力先生《中国语言学史》后	濮之珍	总133	1964年	6期	472页
读《广雅疏证》	赵振铎	总151	1979年	4期	294页
《吕叔湘语文论集》读后感	吕冀平	总180	1984年	3期	236页
索绪尔语言理论在我国的早期影响——重读《中国文法革新论丛》	高天如	总192	1986年	3期	235页
评《中国史学论文索引》的"中国语言文字学史论文"部分	张永绵	总72	1958年	6期	296页
对《中国语文》的意见	张和珍 孙聪宝 胡晓静 朱良恩 罗福银 施关淦	总134	1965年	1期	1页
《中国语文》校记	余明象	总153	1979年	6期	474页
《中国语文》1990年第1期读后	汪维辉	总219	1990年	6期	463页
评《中国大百科全书·语言文字卷》	玛莉·S·厄鲍 王宗炎 译	总224	1991年	5期	398页
张永言《语文学论集》读后	徐文堪	总232	1993年	1期	73页
一部图文并茂的小百科全书——日本大修馆《中国语图解辞典》	曲翰章	总234	1993年	3期	238页
《中国现代语言学史》读后(一)(二)	董琨 孙玉文	总253	1996年	4期	306页
评《中国语言学大词典》	陈满华	总253	1996年	4期	314页
读《汉语集稿》	眸子	总254	1996年	5期	397页

汉　语

标题	作者	总期	年份	期号	页码
"语文"质疑	姜仲民	总2	1952年	2期	11页
关于"语文"的解释	李克非	总3	1952年	3期	4页
关于"语文"这个名称	高楚	总3	1952年	3期	28页
论汉语(上)	康拉德 彭楚南 译述	总3	1952年	3期	26页
论汉语(中)	康拉德 彭楚南 译述	总4	1952年	4期	29页
论汉语(下)	康拉德	总5	1952年	5期	22页

	彭楚南 译述			
从宪法草案看到语文改革	林汉达	总 25	1954 年	7 期 3 页
汉语研究的一种重要途径和方法	陈亚川	总 235	1993 年	4 期 276 页

      *   *   *

未晚斋语文漫谈(一～四)	吕叔湘	总 209	1989 年	2 期 159 页
未晚斋语文漫谈(五～六)	吕叔湘	总 210	1989 年	3 期 239 页
未晚斋语文漫谈(七～十一)	吕叔湘	总 211	1989 年	4 期 319 页
未晚斋语文漫谈(十二)	吕叔湘	总 212	1989 年	5 期 397 页
未晚斋语文漫谈(十三)	吕叔湘	总 214	1990 年	1 期 79 页
未晚斋语文漫谈(十四～十六)	吕叔湘	总 216	1990 年	3 期 230 页
未晚斋语文漫谈(十七～十八)	吕叔湘	总 218	1990 年	5 期 395 页
未晚斋语文漫谈(十九～二十一)	吕叔湘	总 221	1991 年	2 期 146 页
未晚斋语文漫谈(二十二～二十三)	吕叔湘	总 223	1991 年	4 期 312 页
未晚斋语文漫谈(二十四～二十五)	吕叔湘	总 225	1991 年	6 期 472 页
未晚斋语文漫谈(二十六～二十七)	吕叔湘	总 227	1992 年	2 期 150 页

校 勘 和 标 点

古书标点商榷三则	吾省铭	总 149	1979 年	2 期 134 页
古书引语例辨	徐仁甫	总 150	1979 年	3 期 202 页
古书记言标点易误举例	章秋农	总 150	1979 年	3 期 208 页
《左传》记言省"曰"字三例质疑——与 章秋农先生商榷	薛正兴	总 180	1984 年	3 期 230 页
引号的运用	杨伯峻	总 154	1980 年	1 期 61 页
谈古文的标点、注释和翻译	刘世南	总 151	1979 年	4 期 302 页
古籍校读与语法学习	彭铎	总 152	1979 年	5 期 371 页
古籍校勘述例	周祖谟	总 155	1980 年	2 期 120 页
校勘在俗语词研究中的运用	刘坚	总 165	1981 年	6 期 446 页
古书标点失误举例	王迈	总 177	1983 年	6 期 464 页
古籍整理中姓氏舆地标点失误举例	王迈	总 188	1985 年	5 期 389 页
古书标点正误一则	林昭德	总 199	1987 年	4 期 267 页
古书"一人之辞而加曰字"例辨	何伟棠	总 199	1987 年	4 期 316 页
音韵古籍标点失误举例	顾义生	总 204	1988 年	3 期 236 页
"学识何如观点书"辨	吕友仁	总 211	1989 年	4 期 312 页
说"博览书传历史,藉采奇异"	域弓	总 219	1990 年	6 期 409 页
古书异文解释中的问题例说	王彦坤	总 235	1993 年	4 期 312 页
谈谈古文句读	潘慎 梁晓霞	总 256	1997 年	1 期 70 页

      *   *   *

《三国志》标点本商榷	钱剑夫	总 145	1978 年	2 期 118 页

《通鉴》标点琐议	吕叔湘	总148	1979年	1期 44页
《通鉴》标点琐议(续完)	吕叔湘	总149	1979年	2期 115页
周金文句读举隅	陈邦怀	总148	1979年	1期 60页
《经法》等古佚书四种释文校补	温公翊	总152	1979年	5期 375页
《史记》《汉书》标点琐记	章祖安	总167	1982年	2期 129页
《汉书》标点失误一例	祝鸿杰	总210	1989年	3期 200页
《后汉书》标点失误数则	金小春	总183	1984年	6期 468页
《后汉书》标点献疑三则	顾义生	总242	1994年	5期 398页
敦煌变文校勘商榷	项楚	总169	1982年	4期 306页
敦煌变文校勘拾遗	郭在贻	总173	1983年	2期 138页
敦煌变文校勘零拾	袁宾	总178	1984年	1期 66页
敦煌变文校勘复议	刘凯鸣	总189	1985年	6期 452页
明清白话小说若干标点辨误	白维国	总174	1983年	3期 224页
关汉卿杂剧校勘商兑	蓝立蓂	总193	1986年	4期 296页
《〈广韵〉四声韵字今音表》校读杂记	李葆嘉	总206	1988年	5期 400页
《马氏文通》标点中的一处失误	吴辛丑	总217	1990年	4期 297页
《马氏文通》的一处标点问题	邵霭吉	总267	1998年	6期 450页
《马氏文通读本》的一处标点失误	张文国	总274	2000年	1期 64页
《仓颉篇》五十五章中有重复字	陈黎明	总237	1993年	6期 477页
《〈洛阳伽蓝记〉校注》的一处断句失误	谭代龙	总282	2001年	3期 282页
"铭"是"陷"还是"连环"?——《庄子·外物》断句献疑	汪化云	总283	2001年	4期 368页

书 刊 评 介

评《古汉语概论》(朱星)	山东大学中文系语言教研组	总96	1960年	6期 295页
评《古代汉语读本》(南开大学中文系语言学教研组)	谢质彬	总98	1960年	11期 398页
《古代汉语》(王力)文字上的几个问题	向熹	总138	1965年	5期 378页
《古代汉语》(王力)读后	成蓉	总136	1965年	3期 189页
《古代汉语》(王力)常用词部分的几个问题	许惟贤	总140	1966年	1期 17页
读王力主编《古代汉语》札记	张永言	总162	1981年	3期 206页
《古文标点例析》读后	锐声	总241	1994年	4期 314页
《敦煌变文校注》评介	程惠新	总273	1999年	6期 469页

现代汉语

汉语是不是单音节语？	林汉达	总5	1952年	5期	6页
从汉语的特性说到"语词连书"	张建木	总5	1952年	5期	11页
谈谈有关汉语的性质的几个问题	朱之湘	总5	1952年	5期	13页
论汉语的特性和形态问题	张建木	总31	1955年	1期	25页
单音节语问题的实质	彭楚南	总34	1955年	4期	13页
关于汉语的词和汉语单音节说	郑林曦	总35	1955年	5期	14页
现代汉语系统特点的探索	沈开木	总209	1989年	2期	112页

汉语共同语问题

统一民族语的形成过程——兼谈方言拼音文字	邵荣芬	总3	1952年	3期	20页
谈民族标准语问题	俞敏	总10	1953年	4期	13页
汉语拼音文字的标准音问题	周耀文	总10	1953年	4期	15页
谈民族共通语	刘进	总18	1953年	12期	16页
汉族共通语的拼音文字	金章俊	总20	1954年	2期	19页
我们怎样选择标准语	周铁铮 孙俍工	总23	1954年	5期	3页
普通话和标准音	刘泽先	总23	1954年	5期	4页
论汉族标准语	王力	总24	1954年	6期	13页
根据斯大林的学说论汉语标准语和方言问题	周祖谟	总24	1954年	6期	20页
拼音文字与标准语	周有光	总24	1954年	6期	23页
汉语拼音文字的标准语问题	拓牧	总24	1954年	6期	25页
从人民代表大会看到全民语言的发展	林汉达	总27	1954年	9期	5页
"国语"和方言问题	本刊编辑部	总34	1955年	4期	43页
谈谈拼音文字的标准音问题	江成	总35	1955年	5期	3页
略论汉族共通语的形成和发展	鲍明炜	总36	1955年	6期	3页

规范化问题

北京语言学界茶话会座谈汉语规范化问题		总35	1955年	5期	39页
关于汉语规范化问题	林焘	总38	1955年	8期	4页
对于汉语规范化的意见	丁是	总38	1955年	8期	39页

标题	作者	总期	年份	期	页
从汉语的发展过程说到汉语规范化(初稿)	黎锦熙	总39	1955年	9期	6页
略论汉语规范化	罗常培	总40	1955年	10期	5页
我对语言规范化的意见	浩浩	总40	1955年	10期	19页
教科书里的语言规范问题	蒋仲仁	总41	1955年	11期	16页
现代汉语规范问题学术会议纪要	群策	总41	1955年	11期	36页
现代汉语规范问题(提纲)	罗常培 吕叔湘	总42	1955年	12期	3页
现代汉语规范问题学术会议决议		总42	1955年	12期	24页
关于文学语言规范化的几个问题	鄂山荫 吴乐 陈鹏 译 刘涌泉 校	总41	1955年	11期	26页
汉语规范化对兄弟民族学习汉语的重要意义	吴昌	总42	1955年	12期	21页
毛泽东同志关于反对党八股和改进报刊编辑工作的指示		总43	1956年	1期	5页
编辑工作者怎样分担促进汉语规范化的任务	张志公	总45	1956年	3期	3页
作家们！请用实际行动推广普通话和汉语规范化	葳	总45	1956年	3期	11页
编辑工作者应该重视文字加工工作	谭黄	总46	1956年	4期	37页
规范化不等于简单化	黄景欣	总53	1956年	11期	30页
不必害怕新词语用得多	梁之乐	总78	1958年	12期	589页
从"国语"运动到汉语规范化——纪念五四运动四十年	魏建功	总82	1959年	4期	155页
谈谈现代汉语规范化工作	吕叔湘	总90	1959年	12期	559页
学习鲁迅,为汉语规范化而努力	周定一	总109	1961年	10期	11页
语言中的并存并用和规范化问题	王均	总112	1962年	2期	55页
谈词语书面形式的规范	殷焕先	总116	1962年	6期	272页
少年儿童读物要注意语言规范	晓燕	总141	1966年	2期	104页
进一步促进汉语规范化	许宝华 颜逸明	总145	1978年	2期	150页
有关现代汉语规范化的几个问题	羡闻翰	总148	1979年	1期	4页
文学语言规范化的宝贵尝试——学习鲁迅对手稿、初稿的文字加工	朱泳燚	总172	1983年	1期	24页
略论汉语口语的规范化	陈章太	总177	1983年	6期	401页
当前汉语规范工作中的几个问题	吕冀平 戴昭铭	总185	1985年	2期	81页
关于词语规范	郭良夫	总196	1987年	1期	6页
香港地区的语言文字规范问题	田小琳	总227	1992年	2期	109页
语言文字规范化与语言文字研究	许嘉璐	总250	1996年	1期	40页
传统语文规范及其现实意义	李建国	总250	1996年	1期	45页
普通话词汇规范问题	陈章太	总252	1996年	3期	194页

语言文字规范化对于语言信息处理的作用	冯志伟	总260	1997年	5期 322页
论语言文字的地位规划和本体规划	冯志伟	总277	2000年	4期 363页
中国社会科学院语言研究所和《中国语文》杂志社联合召开学习、宣传、贯彻国家通用语言文字法座谈会	方梅	总280	2001年	1期 封3
语言文字立法是社会进步的需要	陈章太	总281	2001年	2期 169页
语文规范文献的自身规范	魏钢强	总287	2002年	2期 174页

文 学 作 品 语 言

民间文艺的语言	老舍	总1	1952年	1期 18页
清除庸俗低级的语言	张啸虎	总23	1954年	5期 10页
文学语言的新生力量	陆文蔚	总76	1958年	10期 481页
文学作品里的语言	胡一平	总162	1981年	3期 239页

* * *

论文艺作品中的方言土语	周定一	总83	1959年	5期 222页
关于文艺作品使用方言土语的问题	常峻峰 劳君方 丘劲柏 王平	总85	1959年	7期 326页
土话与普通话	老舍	总87	1959年	9期 421页

* * *

诗歌新韵辙的调查研究小结	黎锦熙	总141	1966年	2期 112页
散文用韵	吴蒙	总163	1981年	4期 276页
台湾当代小说的词汇语法特点	黄国营	总204	1988年	3期 194页

戏曲、曲艺语言

在戏曲改革工作中要贯彻为祖国语言的纯洁健康而奋斗的精神	吴晓铃	总5	1952年	5期 5页
京剧和京音	李少春	总47	1956年	5期 31页
论京剧语音改革问题	翠庵	总50	1956年	8期 31页
对昆曲语音规范的体会	白云生	总57	1957年	3期 28页
谈谈传统戏曲中的用词问题	马连良	总87	1959年	9期 418页
试谈开国十年以来艺术语言的发展和问题	吴晓铃	总88	1959年	10期 479页
戏曲语言与普通话	马少波	总88	1959年	10期 483页
昆曲的语言音韵	韩世昌 傅雪漪 整理	总88	1959年	10期 487页
谈京剧上口字与京剧语音改革	翠庵	总91	1960年	1期 20页
京剧语言和汉语规范化	单耀海	总91	1960年	1期 25页

京剧舞台语言改进的一点体会	赵燕侠	总 91	1960 年	1 期	28 页
对于《京剧字韵》的一些意见	丁方豪	总 93	1960 年	3 期	144 页
谈京剧现代戏的字音和韵辙	胡双宝	总 135	1965 年	2 期	139 页
谈谈戏曲唱、念中嗓子"横"的问题	吴晓铃　周殿福	总 135	1965 年	2 期	144 页
试论京剧韵白字音的四声	杨振淇	总 172	1983 年	1 期	71 页

　　　　　　　　　　　　　　*　　　　　*　　　　　*

谈谈"快板"的结构	吴晓铃	总 1	1952 年	1 期	19 页
谈谈"快板"的句式	吴晓铃	总 2	1952 年	2 期	15 页
谈谈"快板"的辙韵	吴晓铃	总 8	1953 年	2 期	11 页
中国科学院语言研究所召开"相声语言座谈会"	葳	总 8	1953 年	2 期	35 页
山东快书正在向规范化语言靠拢	刘洪滨	总 48	1956 年	6 期	44 页
曲艺工作者应该怎样进行推广语言规范的工作	吴晓铃	总 42	1955 年	12 期	14 页
让曲艺语言在推广普通话中起桥梁作用	白凤鸣	总 87	1959 年	9 期	421 页

电影、话剧语言

我怎样进行了电影学校"语音训练"的教学	徐世荣	总 4	1952 年	4 期	26 页
电影、话剧演员们要担起汉语规范化工作中的重任	吴青	总 42	1955 年	12 期	22 页
应该重视电影语言技巧的继续提高	吴青	总 87	1959 年	9 期	419 页
关于电影语言里的方言	刘新友	总 90	1959 年	12 期	590 页
让话剧的语言也提高一步(短评)	葳	总 44	1956 年	2 期	5 页
话剧演员说普通话的语音要统一	李鸣	总 78	1958 年	12 期	577 页
我们是怎样改进舞台语言工作的	中国青年艺术剧院	总 89	1959 年	11 期	539 页
话剧的台词如何向传统学习的问题	吴雪	总 90	1959 年	12 期	585 页
我们仅仅迈出了第一步——一个地方剧院在舞台语言工作上的体会	李滨	总 90	1959 年	12 期	588 页
我们在舞台语言方面存在的问题	全总工人话剧团演员队台词小组	总 92	1960 年	2 期	85 页
是"逻辑重音"还是"感情重音"？	苏民	总 93	1960 年	3 期	141 页

新闻、广播语言

为初步认识字的人们着想,把新闻、布告、法令等写得更好懂一点!	林曦	总 3	1952 年	3 期	3 页

标题	作者	总期	年份	期	页
一些简单的意见	叶圣陶	总7	1953年	1期	4页
新闻语言必须接近民众	郑之东	总7	1953年	1期	6页
关于新闻语言的几个具体问题	蓝钰	总7	1953年	1期	11页
报纸语文必须注意纯洁和健康	朱伯石	总7	1953年	1期	13页
本社召开新闻语言问题座谈会		总7	1953年	1期	33页
我对于新闻语言和广播语言的一点意见	程天民	总7	1953年	1期	15页
十年来新闻语言的发展	毛成栋 王学作 王国璋	总88	1959年	10期	463页
当前广播电视语言文字应用中的几个问题	江蓝生	总256	1997年	1期	73页
广播电视有声语言冗余度新探	高有祥	总283	2001年	4期	335页

普通话和方言

标题	作者	总期	年份	期	页
略说方言和普通话构词的异同	许宝华	总138	1965年	5期	356页
关于"雅言"	李维琦	总159	1980年	6期	458页
普通话与方言	李荣	总218	1990年	5期	321页

推广普通话

标题	作者	总期	年份	期	页
大力推广以北京语音为标准音的普通话	张奚若	总42	1955年	12期	9页
教育部发布推行简化汉字的通知和推广普通话的指示	本刊编辑部	总42	1955年	12期	41页
国务院关于推广普通话的指示		总43	1956年	1期	6页
推广普通话和汉语规范化工作蓬勃展开	本刊编辑部	总44	1956年	2期	42页
在一个联欢晚会上(推广普通话问题)	周明	总48	1956年	6期	43页
我们有决心做普通话的宣传员	侯宝林	总49	1956年	7期	38页
海南岛通讯(推广普通话问题)	柏苇	总58	1957年	4期	43页
对《海南岛通讯》的意见	广东省教育厅	总62	1957年	8期	48页
柏苇对本刊的答复	柏苇	总62	1957年	8期	48页
让推广普通话的红旗插遍全国(社论)		总74	1958年	8期	351页
鼓足干劲推广普通话	韦悫	总87	1959年	9期	405页
推广普通话工作的巨大成就——迎接伟大的中华人民共和国建国十周年	徐世荣	总87	1959年	9期	408页
大力推广普通话,相声演员保证把劲儿加!	侯宝林	总88	1959年	10期	485页
使推广普通话工作更好地为三大革命运动服务	上海市推广普通话工作委员会办公室	总140	1966年	1期	10页

标题	作者	总期	年份	期/页
关于推广普通话工作的几点认识	于根元　曹澄方　林天庆 李仲英　王敏学　应培基	总153	1979年	6期 459页
＊　　　　＊　　　　＊				
普通话的丰收和大跃进——全国普通话教学成绩观摩会观感	徐世荣	总74	1958年	8期 352页
普通话在迅速推广中（附获奖名单）（记全国普通话教学成绩观摩会）	本刊编者	总74	1958年	8期 355页
我们怎样推广和学习普通话（全国普通话教学成绩观摩会上几位代表的发言摘要）	赵德山　夏光　杨定远 张翠銮　李雪铭　杜功乐	总74	1958年	8期 359页
对普通话教学成绩观摩会的两点愿望（附获奖名单）	陈望道	总87	1959年	9期 407页
记第二次全国普通话教学成绩观摩会	秋甫	总87	1959年	9期 415页
第三次全国普通话教学成绩观摩会纪要		总97	1960年	10期 314页
在中国人民大学工作人员中推广普通话的经验	中国人民大学普通话推广工作委员会	总46	1956年	4期 28页
对广州市推广普通话工作的建议	吴伟俊	总70	1958年	4期 199页
山东省用汉语拼音字母巩固扫盲成果和推广普通话的情况	唐捷	总80	1959年	2期 62页
福建省推广普通话与推广注音识字工作报告	福建省教育厅	总98	1960年	11期 360页
投身到文化革命中去——推广普通话和推广注音识字的点滴体会	厦门大学中文系	总98	1960年	11期 364页
在商店职工中推广普通话的一些体会	上海市第67中学	总98	1960年	11期 370页
香港人学习普通话的历史和现状	缪锦安　张励妍	总187	1985年	4期 277页
《普通话水平测试标准》的研制与实践	孙修章	总226	1992年	1期 12页
普通话水平考试的理论思考与标准化	刘英林	总280	2001年	1期 45页
中国内地与香港特区普通话水平测试之比较研究	田小琳	总280	2001年	1期 54页
语文测试里的语文问题	周清海	总280	2001年	1期 60页
＊　　　　＊　　　　＊				
课本要用普通话编写	吴可久	总27	1954年	9期 35页
我对于《课文要用普通话编写》一文的意见	刘凯鸣	总31	1955年	1期 40页
教学北京音的点滴经验	徐世荣	总42	1955年	12期 16页
怎样教学北京语音	张拱贵	总44	1956年	2期 29页
"先"和"再说"	周文董	总53	1956年	11期 17页
这种态度要不得	李凤歧	总63	1957年	9期 47页
怎样在学习普通话中提高拼音字母的	徐世荣	总70	1958年	4期 183页

功能				
"早梅诗"和拼音歌诀	周有光	总84	1959年	6期 255页
从上海市学校普通话教学中看到的几个问题	陈润斋	总100	1961年	1期 16页
汉语拼音方案Y、W的两种教学法	王谷若	总100	1961年	1期 20页
怎样教"半上声"？	钟梫	总135	1965年	2期 115页
试教《邯郸人学习普通话手册》的情况	河北省哲学社会科学研究所语言研究室	总139	1965年	6期 495页
对利用汉字偏旁记忆普通话字音的几点意见	金有景	总91	1960年	1期 38页

方言和方言调查

汉语方言学方法论初探	钱曾怡	总199	1987年	4期 241页
在中国语言和方言学术讨论会上的发言	朱德熙	总193	1986年	4期 246页
汉语方言亲疏关系的计量研究	郑锦全	总203	1988年	2期 87页
比较方言学中的计量方法	马希文	总212	1989年	5期 348页
方言区际的横向系联	俞敏	总213	1989年	6期 425页
汉语方言发展的不平衡性	张光宇	总225	1991年	6期 431页
方言关系的计量表述	王士元　沈钟伟	总227	1992年	2期 81页
汉语方言沟通度的计算	郑锦全	总238	1994年	1期 35页
论方言相关度、相似度、沟通度指标问题	陈海伦	总254	1996年	5期 361页
关于方言沟通度和方音理解的几个问题	张树铮	总264	1998年	3期 201页
关于方言研究为农村服务的一些意见——以浙江省温岭县方言调查为例	李荣	总141	1966年	2期 94页
电子计算机绘制方言地图的试验	熊正辉	总185	1985年	2期 138页
现代汉语方言音档·总序	侯精一	总235	1993年	4期 275页

     　　＊　　　＊　　　＊

怎样求出方音和北京音的语音对应规律	李荣	总48	1956年	6期 7页
怎样求出方音和北京音的语音对应规律（续完）	李荣	总49	1956年	7期 37页
方言里的文白异读	李荣	总58	1957年	4期 22页
谈谈有关语音对应规律的几个问题——读王力《广州话浅说》后	李未	总69	1958年	3期 123页
怎样运用语音对应规律	施文涛	总104	1961年	5期 30页
方言语音对应关系的例外	李荣	总139	1965年	6期 432页
汉语方言中的几种音韵现象	张琨	总229	1992年	4期 253页
汉语方言里的两种反复问句	朱德熙	总184	1985年	1期 10页

标题	作者	期号	年份	期/页
"V-neg-VO"与"VO-neg-V"两种反复问句在汉语方言里的分布	朱德熙	总224	1991年	5期 321页
汉语方言同义词略说	贺巍	总190	1986年	1期 31页
现代汉语方言词语的研究与近代汉语词语的考释	李行健　折敷濑兴	总198	1987年	3期 183页
谈谈跟考本字有关的几个问题	颜森	总217	1990年	4期 276页
汉语方言"祖父""外祖父"称谓的地理分布——方言地理学在历史语言学研究上的作用	岩田礼	总246	1995年	3期 203页
方言间韵母系统相似度测度研究	陈海伦	总275	2000年	2期 139页
方言词汇的同源分化	陈泽平	总275	2000年	2期 146页
汉语方言体貌助词研究与定量分析	刘祥柏	总276	2000年	3期 257页
汉语方言里一种带虚词的特殊双宾句式	陈淑梅	总284	2001年	5期 439页
从词头"不、布"谈起——汉语方言和民族语言比较札记	张双庆　张惠英	总288	2002年	3期 270页
汉语否定词考源——兼论虚词考本字的基本方法	潘悟云	总289	2002年	4期 302页
《水浒》里几个方言词的意义	张卫经	总76	1958年	10期 封4
《金瓶梅》用的是山东话吗？	张惠英	总187	1985年	4期 306页
《〈金瓶梅〉用的是山东话吗？》质疑	刘钧杰	总192	1986年	3期 224页
《金瓶梅》所用方言讨论综述	白维国	总192	1986年	3期 228页
＊　　　＊　　　＊				
高等教育部和教育部发出关于汉语方言普查的联合指示		总47	1956年	5期 48页
怎样编写本地人学习普通话手册和方言调查报告	李荣	总53	1956年	11期 3页
有关编写"学话手册"的几个问题	詹伯慧	总97	1960年	10期 322页
学话手册的用处和用法	王大勇 问　陈治文 答	总66	1957年	12期 42页
怎样求出汉语方言音系的轮廓	李荣	总54	1956年	12期 27页
怎样训练学生从事方言调查工作	刘又辛	总54	1956年	12期 34页
怎样记词汇和语法例句	李荣	总55	1957年	1期 17页
怎样使用《汉语方言调查字音整理卡片》	金有景	总57	1957年	3期 40页
汉语方言的普查工作方式和记音方法	李荣	总59	1957年	5期 10页
切韵音系与方言调查	杨耐思	总61	1957年	7期 35页
收集和整理汉语方言词汇	詹伯慧	总77	1958年	11期 526页
方言调查实习工作的体会（高等院校语言学课程问题讨论）	北京大学语言学教研室汉语方言学及方言调查教学小组	总91	1960年	1期 35页

方言调查不应忽视词汇语法（高等院校语言学课程问题讨论）	夏锡骏	总91	1960年	1期	36页
集体比较语音在方言调查工作中的重要性	张喆生　施文涛　叶祥苓	总97	1960年	10期	327页
河北省方言词汇调查整理工作的收获	中国科学院河北省分院语言文学研究所	总99	1960年	12期	428页
加强少数民族地区的汉语方言调查研究工作	杨筱敏	总99	1960年	12期	431页
关于编制方言词汇调查表格的若干问题	张喆生	总101	1961年	2期	23页
关于进一步开展汉语方言调查研究的一些意见	丁声树	总102	1961年	3期	4页
谈汉语方言语法材料的收集和整理	詹伯慧　黄家教	总136	1965年	3期	211页
汉语方言调查和语文教学	薛生民	总141	1966年	2期	105页

* * *

关于编纂汉语方言词典的几个问题	贺巍	总97	1960年	10期	331页
编写广东方言词典的几个问题	饶秉才　李新魁	总134	1965年	1期	51页
关于编纂北京方言词典的几个问题	陈刚	总167	1982年	2期	100页
关于编写方言词典的若干问题	饶秉才	总170	1982年	5期	365页
方言词典说略	李荣	总230	1992年	5期	321页
方言和词典编纂	贺巍	总231	1992年	6期	423页

北 方 话 方 言

北京官话溯源	林焘	总198	1987年	3期	161页
北方话词汇的初步考察	陈章太	总239	1994年	2期	86页
汉语官话方言入声消失的成因	贺巍	总246	1995年	3期	195页
再论汉语北方话的分区	刘勋宁	总249	1995年	6期	447页
中原官话与北方官话的区别及《中原音韵》的语言基础	刘勋宁	总267	1998年	6期	463页
驻防旗人和方言的儿化韵	俞敏	总200	1987年	5期	346页
北方官话里表示可能的动词词尾"了"	柯理思	总247	1995年	4期	267页
释"餪馕"及其他	周磊	总281	2001年	2期	185页

* * *

北京话的音节	寒	总1	1952年	1期	34页
北京话里的一个嵌入音-li-	力山	总1	1952年	1期	37页
北京话里用四声区别同音词问题的实际考察	刘泽先	总8	1953年	2期	4页
北京话的音位和拼音字母	傅懋勣	总47	1956年	5期	3页
北京话里轻声的功用	张洵如	总47	1956年	5期	30页

标题	作者	总期	年份	期	页
北京话里究竟有多少音节？——一个初步的调查统计	刘泽先	总56	1957年	2期	1页
北京话里究竟有多少音节？——一个初步的调查统计（续完）	刘泽先	总57	1957年	3期	17页
北京话音位问题商榷	史存直	总56	1957年	2期	9页
谈北京话的音位	张静	总56	1957年	2期	13页
北京话里的土词和土音	徐世荣	总57	1957年	3期	24页
对《北京话里的土词和土音》的意见	刘凯鸣	总66	1957年	12期	48页
试论北京语音的"声调音位"	徐世荣	总60	1957年	6期	23页
北京音究竟有多少音节？	吴春明 问 公士 答	总70	1958年	4期	153页
北京话里的两类特殊变调	徐世荣	总92	1960年	2期	73页
北京话 i 和 ɿ(ʅ) 的音位问题	罗季光	总100	1961年	1期	33页
北京话韵母的几个问题	王辅世	总123	1963年	2期	115页
评哈忒门和霍凯特对北京语音的分析	宋元嘉	总136	1965年	3期	169页
北京话去声连读变调新探	林焘	总185	1985年	2期	99页
北京话正常话语里的轻声	巴维尔	总200	1987年	5期	330页
北京话合口呼零声母的语音分歧	沈炯	总200	1987年	5期	352页
北京东郊阴阳平调值的转化	林焘	总220	1991年	1期	21页
北京话的语气和语调	劲松	总227	1992年	2期	113页
北京话的轻声去化及其影响	王旭东	总227	1992年	2期	124页
移民北京使北京音韵情况复杂化举例	张清常	总229	1992年	4期	268页
从"油票"的儿化说起（语文笔记）	倪寄予	总50	1956年	8期	20页
关于北京话里儿化的来原	陈治文	总138	1965年	5期	369页
《关于北京话里儿化的来原》小议	尚静	总140	1966年	1期	67页
儿化	鲁一民	总163	1981年	4期	297页
谈北京话"二"的读音	江澄	总175	1983年	4期	289页
坷儿坎儿麻杂儿	采珠	总185	1985年	6期	446页
北京话"漫儿"的读音——从"仨漫儿油俩漫儿醋"说起	采珠	总191	1986年	2期	151页
也谈北京话的"漫儿"	李荫瑞	总207	1988年	6期	178页
说"抠搜"	贾采珠	总276	2000年	3期	285页
几个儿化动词	丁工	总195	1986年	6期	476页
带"小"的儿化现象	毛修敬	总211	1989年	4期	285页
北京话的轻声儿化韵	贾采珠	总226	1992年	1期	39页
北京话多音词发展的趋势和速度——从三部小说的抽查中的一个测验	陈文彬	总70	1958年	4期	197页
北京话里的"我"及其变体	陈刚	总181	1984年	4期	261页
早期北京话的"直"字及其来源	詹开第	总198	1987年	3期	201页

高鹗的语言比曹雪芹更像北京话	俞敏	总229	1992年	4期 265页

* * *

所字别义	周定一	总152	1979年	5期 321页
北京口语漫谈	陈建民	总166	1982年	1期 24页
北京口语的语体	劲松	总212	1989年	5期 341页
北京口语里的同义重复现象	陈建民	总218	1990年	5期 355页
北京口语儿化轻读辨义	贾采珠	总223	1991年	4期 281页
北京话中的"一+名"	杜永道	总233	1993年	2期 142页
"苛刻""衙署""达官"并非"满汉融合词"	肖丹	总237	1993年	6期 468页
关于北京话中的满语词(一)(二)	周一民　朱建颂	总240	1994年	3期 201页
北京方言亲属称谓中的特殊现象——"爹、娘儿"与"叔、姑"	骆增秀	总275	2000年	2期 153页
北京话一种儿化变调的成因	平山久雄	总278	2000年	5期 410页
北京话庄组字分化现象试析	高晓虹	总288	2002年	3期 234页
北京音系里文白异读的新旧层次	陈重瑜	总291	2002年	6期 550页

* * *

说天津话的人怎样学习普通话	李世瑜	总46	1956年	4期 24页
对《说天津话的人怎样学习普通话》一文的意见	侯精一　巴桑　殿福	总52	1956年	10期 51页
天津方言的连读变调	李行健　刘思训	总184	1985年	1期 76页
也谈天津方言的连读变调	谭馥	总195	1986年	6期 447页
试论天津话的声调及其变化——现代语音学笔记	石锋	总206	1988年	5期 351页
天津话的语流音变	崔建新　黎意	总244	1995年	1期 36页
优选论和天津话连读变调及轻声	王嘉龄	总289	2002年	4期 363页
昌黎话的几个语法特点——从《昌黎方言志》中摘出的一段	河北省昌黎县县志编纂委员会　中国科学院语言研究所方言组	总88	1959年	10期 493页
河北昌黎方言双音形容词的重叠方式	宋玉柱	总192	1986年	3期 203页
昌黎方言中的"起去"	玉柱	总217	1990年	4期 283页
藁城方言里的"们"	杨耐思　沈士英	总72	1958年	6期 278页
滦南话杂谈	王辅世	总213	1989年	6期 461页
河北方言中的古词语——兼谈方言词在训诂方面的作用	李行健	总150	1979年	3期 227页
河北定县七堡村呼母作"婆"考	宋均芬	总241	1994年	4期 253页
河北定县方言词语随笔二则	宋均芬	总272	1999年	5期 379页
河北任丘方言的一种特殊程度补语"多多"	刘金表	总245	1995年	2期 104页
正定话的介词"着"	宋文辉	总276	2000年	3期 220页

大河北方言中的[uau]韵母	刘淑学		总 278	2000 年	5 期 418 页
河北省冀州方言"拿不了走"一类的格式	柯理思 刘淑学		总 284	2001 年	5 期 428 页

* * *

辽宁语音说略	辽宁大学中国语言文学系语言教研室(宋学执笔)		总 123	1963 年	2 期 104 页

* * *

山东寿光方言里的一些语音、语法现象	董遵章		总 59	1957 年	5 期 封 4
寿光方言的指示代词	张树铮		总 209	1989 年	2 期 156 页
文登、荣城方言中古全浊平声字的读音	钱曾怡		总 163	1981 年	4 期 294 页
山东诸城、五莲方言的声韵特点	钱曾怡 罗福腾 曹志赟		总 180	1984 年	3 期 186 页
山东诸城方言的语法特点	钱曾怡 罗福腾 曹志耘		总 226	1992 年	1 期 52 页
山东金乡话儿化对声母的影响	马凤如		总 181	1984 年	4 期 278 页
阳谷方言的儿化	董绍克		总 187	1985 年	4 期 273 页
山东临淄话单音形容词的重叠用法	史冠新		总 191	1986 年	2 期 128 页
临淄话中的语气词"吧"	史冠新		总 208	1989 年	1 期 44 页
山东安丘方言里可用"的的"	赵光智		总 217	1990 年	4 期 263 页
山东临朐话的时间助词"着"	王晖		总 221	1991 年	2 期 103 页
多音节词的语音换位一例	张树铮		总 222	1991 年	3 期 221 页
山东方言比较句的类型及其分布	罗福腾		总 228	1992 年	3 期 201 页
山东青州北城满族所保留的北京官话方言岛记略	张树铮		总 244	1995 年	1 期 30 页
山东方言比较句式溯源简说	徐复岭		总 245	1995 年	2 期 130 页
山东潍坊方言的比较句	冯荣昌		总 253	1996 年	4 期 259 页
山东惠民话中的"伯、叔"	津化		总 265	1998 年	4 期 261 页
聊斋俚曲的一些方言词音问题	冯春田		总 282	2001 年	3 期 251 页
山东地区的龙山文化与山东方言分区	钱曾怡 蔡凤书		总 287	2002 年	2 期 142 页
山东淄博方言的重叠式	孟庆泰		总 287	2002 年	2 期 151 页

* * *

洛阳方言中的一些语法现象	赵月朋		总 73	1958 年	7 期 342 页
中和方言中的"吥""骨""圪"	贺巍		总 84	1959 年	6 期 272 页
中和方言的代词	贺巍		总 111	1962 年	1 期 50 页
获嘉方言韵母变化的功用举例	贺巍		总 137	1965 年	4 期 299 页
获嘉方言的代词	贺巍		总 202	1988 年	1 期 56 页
获嘉方言的疑问句——兼论反复问句两种句型的关系	贺巍		总 224	1991 年	5 期 333 页
郑州荥阳(广武)方言的变韵	王森		总 265	1998 年	4 期 275 页

标题	作者	期号	年份	期	页
太原人学习普通话应该注意的几个问题	王立达	总50	1956年	8期	35页
太原方言中的"文白异读"现象	王立达	总67	1958年	1期	29页
太原方言词汇的几个特点和若干虚词的用法	王立达	总101	1961年	2期	26页
晋东南方言中的"圪 kəʔ"	王迅	总81	1959年	3期	130页
运城话的人称代词	田希诚	总118	1962年	8期	411页
运城话中的一种"把"字句	王雪樵	总193	1986年	4期	271页
晋中话"嵌1词"汇释	赵秉璇	总153	1979年	6期	455页
"嵌1词"探源	张崇	总234	1993年	3期	217页
榆次方言的文白异读	李守秀	总157	1980年	4期	270页
山西临猗方言的人称代词	张延华	总159	1980年	6期	426页
临猗方言的文白异读	田希诚 吕枕甲	总176	1983年	5期	337页
晋语孙吉话的"姐夫"	成志刚	总253	1996年	4期	305页
山西平定方言的"儿化"和晋中的所谓"嵌1词"	徐通锵	总165	1981年	6期	408页
晋中祁县方言里的[m]尾	潘家懿	总168	1982年	3期	221页
大同方言的"来"字音	马文忠	总174	1983年	3期	176页
大同方言的动趋式	马文忠	总195	1986年	6期	478页
大同方言的"动词+顿儿"	马文忠	总197	1987年	2期	117页
大同方言变音别义三例	马文忠	总212	1989年	5期	399页
不止是大同方言说"动+顿儿"	武继山	总215	1990年	2期	159页
大同方言语助词"着"	马文忠	总226	1992年	1期	76页
普通话轻声字在大同方言的读音	马文忠	总236	1993年	5期	377页
山西文水话的自感动词结构"V+人"	胡双宝	总181	1984年	4期	275页
亲属称谓词的变读	米青	总182	1984年	5期	329页
《亲属称谓词的变读》补例	津化	总218	1990年	5期	394页
《亲属称谓词的变读》再补	汪维辉	总225	1991年	6期	410页
晋东南地区的子变韵母	侯精一	总185	1985年	2期	130页
指示代词三分法说补例	米青	总190	1986年	1期	37页
内蒙古晋语记略	侯精一	总191	1986年	2期	116页
试论山西晋语的入声	温端政	总191	1986年	2期	124页
关于"谁们"的说法	米青	总194	1986年	5期	361页
山西和顺方言的子变韵母	田希诚	总194	1986年	5期	371页
山西闻喜方言的白读层与宋西北方音	王洪君	总196	1987年	1期	24页
垣曲方言用变调表示"子"尾	米青	总205	1988年	4期	301页
丰富的语言	郭诚	总219	1990年	6期	462页
《长治方言志》重叠式副词补例	石巨文	总224	1991年	5期	389页

山西西部方言白读的元音高化	陈庆延		总225	1991年	6期 439页
山西方言的"V+将+来/去"结构	乔全生		总226	1992年	1期 56页
山西方言的文白异读	侯精一	杨平	总232	1993年	1期 1页
"白登"之"登"应该读去声	孙继善		总241	1994年	4期 308页
山西方言人称代词的几个特点	乔全生		总250	1996年	1期 27页
晋语入声韵母的区别性特征与晋语区的分立	侯精一		总269	1999年	2期 103页
晋南、关中的"全浊送气"与唐宋西北方音	李如龙	辛世彪	总270	1999年	3期 197页
山西临县方言亲属领格代词"哛"的复数性	李小平		总271	1999年	4期 278页
山西方言韵母一二等的区别	沈明		总273	1999年	6期 428页
说"我咱"和"你咱"	邢向东		总275	2000年	2期 151页
山西方言"圪"头词的结构类型	王临惠		总280	2001年	1期 80页
晋语词汇双音化的一种方式:加"圪"	刘育林		总280	2001年	1期 83页
"挣"字小考	吴云霞		总283	2001年	4期 379页
山西南部方言称"树"为[po]考	乔全生		总286	2002年	1期 66页

*　　　　*　　　　*

西安方言的一些特殊语法现象	许树声		总75	1958年	9期 432页
西安方言的变调	孙福全		总100	1961年	1期 28页
商县方言的人称代词	张成材		总69	1958年	3期 127页
商县方言动词完成体的内部屈折	张成材		总72	1958年	6期 279页
吴堡话"来"的特殊用法	薛生民		总158	1980年	5期 350页
也谈吴堡话"来"的特殊用法	张崇		总167	1982年	2期 136页
陕北清涧方言的文白异读	刘勋宁		总172	1983年	1期 40页
中古合口三等韵字在岐山方言中逢知组、照组、日母读开口	张成材		总175	1983年	4期 272页
渭南话"把字句的几种特殊现象"	杜永道		总209	1989年	2期 123页
华县话反复问句的几种特殊形式	杜永道		总216	1990年	3期 186页
神木话的"尝试补语"和"短时补语"	邢向东		总233	1993年	2期 140页
神木话的结构助词"得来/来"	邢向东		总240	1004年	3期 208页
陕北神木话的助词"着"	邢向东		总259	1997年	4期 295页
陕北神木话的助词"得"	邢向东		总284	2001年	5期 445页
陕西澄城方言心母逢洪音读[t]声母	孙立新		总242	1994年	5期 392页
陕南方言亲属称谓词的异读别称	孙立新		总252	1996年	3期 228页
陕北话果假摄字读鼻尾韵例	黑维强		总259	1997年	4期 267页
西部语言资源重要性例议	张政飚		总274	2000年	1期 42页

*　　　　*　　　　*

青海口语语法散论	程祥徽		总155	1980年	2期 142页
关于青海口语语法的几个问题	王培基	吴新华	总160	1981年	1期 50页

标题	作者	总期	年份	期/页
临夏话中的"名+哈"结构	马树钧	总166	1982年	1期 72页
甘肃临夏方言的疑问句	谢晓安 张淑敏	总219	1990年	6期 433页
甘肃临夏话作补语的"下"	王森	总236	1993年	5期 374页
甘肃临夏一带方言的后置词"哈""啦"	李炜	总237	1993年	6期 435页
甘肃临夏汉语方言语法中的安多藏语现象	谢晓安 华侃 张淑敏	总253	1996年	4期 273页
兰州方言里的"给给"	公望	总192	1986年	3期 190页
关于《兰州方言里的"给给"》	乔全生	总206	1988年	5期 399页
兰州话量词的用法	张淑敏	总257	1997年	2期 128页
兰州话中的吸气音	张淑敏	总271	1999年	4期 275页
甘肃话中的吸气音	王森	总281	2001年	2期 184页
东干话的语序	王森	总282	2001年	3期 225页

* * *

标题	作者	总期	年份	期/页
南京话中的"A里AB"	蒋明	总64	1957年	10期 47页
六十年来南京方音向普通话靠拢情况的考察	鲍明炜	总157	1980年	4期 241页
泰州话里的文白异读	俞扬	总104	1961年	5期 41页
泰州方言的两种述补组合	俞扬	总223	1991年	4期 279页
泰兴方言中动词的后附成分	李人鉴	总59	1957年	5期 16页
泰兴方言里的拿字句	李人鉴	总118	1962年	8期 399页
通泰方言韵母研究——共时分布及历史溯源	顾黔	总258	1997年	3期 192页
赣榆方言的人称代词	蒋希文	总62	1957年	8期 27页
赣榆方言的声母	蒋希文	总108	1961年	9期 25页
赣榆话儿化词的特殊作用	蒋希文	总116	1962年	6期 276页
扬州方言里的程度副词"蛮"和"稀"	刘培伦	总67	1958年	1期 25页
扬州话里有"讨喜"	刘培伦	总77	1958年	11期 535页
再谈"讨喜"	刘琳	总84	1959年	6期 271页
扬州话里两种反复问句共存	王世华	总189	1985年	6期 415页
扬州话单音动词的生动重叠	朱景松	总234	1993年	3期 196页
徐州方言的词缀	李申	总161	1981年	2期 115页
九江话里的"着"	张林林	总224	1991年	5期 347页
江苏如东(掘港)方言古通摄阳声韵收-m尾	季明珠	总235	1993年	4期 280页

* * *

标题	作者	总期	年份	期/页
安徽寿县方言中几个"急读"和"缓读"的词	黄家忠	总96	1960年	6期 259页
芜湖县方村话记音	方进	总141	1966年	2期 137页
黄山话的 tɬ tɬʻ tɬ 及探源	孟庆惠	总160	1981年	1期 46页

徽州绩溪方言中"子"字的一个特殊意义	汪树福	总190	1986年	1期 19页
绩溪方言的"过"和"看"	赵日新	总287	2002年	2期 149页
安徽桐城方言入声的特点	杨自翔	总212	1989年	5期 361页
桐城方言里的"外后朝"	严加胜	总258	1997年	3期 240页
安徽霍邱方言中动词的一种重叠用法	赵怀印	总237	1993年	6期 474页
合肥话的"这"、"那"和"什么"	孟庆惠	总259	1997年	4期 297页
古清声母上声字徽语今读短促调之考察	赵日新	总273	1999年	6期 424页

*　　　　*　　　　*

浠水话动词"体"的表现方式	詹伯慧	总118	1962年	8期 409页
《广济方言词汇》的凡例和样稿	秦炯灵	总139	1965年	6期 483页
广济方言词本字考零拾	秦炯灵	总191	1986年	2期 112页
"钩口藕"等字在广济方言的读音	秦炯灵	总197	1987年	2期 100页
新洲方言里的形容词词尾	邹正利	总157	1980年	4期 301页
武汉的指示代词也是三分的	朱建颂	总195	1986年	6期 469页
武汉的指示代词不是三分的	朱庆仪	总206	1988年	5期 397页
湖北十堰市普通话与方言的使用情况	郭友鹏	总219	1990年	6期 427页
大冶金湖话的"的""个"和"的个"	汪国胜	总222	1991年	3期 211页
湖北大冶话的情意变调	汪国胜	总254	1996年	5期 355页
荆沙方言中的"不过"补语句	王群生	总233	1993年	2期 141页
湖北崇阳方言流、臻、曾开口一等字读细音	刘宝俊	总234	1993年	3期 224页
湖北宣恩话语法札记	屈哨兵	总237	1993年	6期 442页
黄冈方言的后加成分"和你"	刘晓然	总288	2002年	3期 277页

*　　　　*　　　　*

四川方言研究述评	崔荣昌	总243	1994年	6期 419页
四川邛崃话里的后加成分"儿"和"儿子"	李龄	总79	1959年	1期 35页
四川话的"阴嘟"	曹德明	总111	1962年	1期 49页
四川话流、蟹两摄读鼻音尾字的分析	李国正	总183	1984年	6期 441页
四川话儿化词问题初探	李国正	总194	1986年	5期 366页
论成都话"在"的趋向、位移用法——兼论普通话动词后"在"与"到"的性质	张清源	总261	1997年	6期 447页
重庆方言名词的重叠和儿化	范继淹	总121	1962年	12期 558页
重庆方言表动量的"下儿"和表时量的"下儿"	范继淹	总139	1965年	6期 494页
重庆方言既说"啥人"又说"哪个"	巴言	总183	1984年	6期 440页

*　　　　*　　　　*

贵阳方言中表示程度的"完勒"	杜乃庚	总148	1979年	1期 43页
贵阳方言中表示复数的"些"	涂光禄	总219	1990年	6期 438页

贵阳话的副词"把"	彭可君	总225	1991年	6期 445页
贵州都匀方言中的[V]声母	李璧生	总192	1986年	3期 231页
贵州毕节方言的文白异读	吴学宪	总197	1987年	2期 118页
《贵州毕节方言的文白异读》一文读后	汪平	总214	1990年	1期 47页
《贵州毕节方言的文白异读》及《读后》订补	李蓝	总222	1991年	3期 216页
遵义话中的"名+量"	胡光斌	总209	1989年	2期 124页
贵州铜仁话"臭死了的臭"式结构	肖黎明	总236	1993年	5期 388页
贵州大方话中的"ᶜ到"和"起"	李蓝	总263	1998年	2期 113页

* * *

云南鹤庆话里的一些语音、语法现象	彭国钧	总63	1957年	9期 30页
大理方言中与动词"给"相关的句式	丁崇明	总226	1992年	1期 60页
云南蒙自话的同形动补/形补式	孙占林	总237	1993年	6期 439页

* * *

桂林语音	杨焕典	总133	1964年	6期 454页
广西百色蔗园话影响两母区分的特点	郑作广	总221	1991年	2期 145页
广西玉林白话古阳声韵尾、入声韵尾脱落现象分析	陈晓锦	总268	1999年	1期 30页
临桂两江平话的"AA"式结构	梁金荣	总287	2002年	2期 150页

吴 方 言

谈南方人学习北京声调的问题	江成	总37	1955年	7期 7页
江苏人怎样学习北京语音	张拱贵	总48	1956年	6期 15页
对《江苏人怎样学习北京语音》的意见	高志用 徐铁生	总57	1957年	3期 23页
对高志用、徐铁生两同志的答复	张拱贵	总57	1957年	3期 48页
说"像煞有介事"	金有景	总132	1964年	5期 390页

* * *

吴语劄记居、污、解手、字相	张惠英	总159	1980年	6期 420页
吴语劄记(之二)回、便、杀、交关、行情行市、做十五	张惠英	总163	1981年	4期 286页
吴语劄记(之三)埭 通 墨 几化 多化 场化 来海	张惠英	总182	1984年	5期 348页
吴语"指示代词+量词"的省略式	杨剑桥	总205	1988年	4期 286页
吴语区人口的再统计	颜逸明	总205	1988年	4期 287页
关于吴语的人口	郑张尚芳	总205	1988年	4期 289页
吴方言词语与官话的差异	贺巍	总214	1990年	1期 38页
从历时观点论吴语变调和北京话轻声的关系	平山久雄	总229	1992年	4期 244页
吴语里的反复问句	游汝杰	总233	1993年	2期 93页

标题	作者	总期	年份	期·页
浙江吴方言里的儿尾	方松熹	总233	1993年	2期 134页
吴闽方言关系试论	张光宇	总234	1993年	3期 161页
吴语在历史上的扩散运动	张光宇	总243	1994年	6期 409页
历史音变和吴方言人称代词复数形式的来历	戴昭铭	总276	2000年	3期 247页
现代吴语和"支脂鱼虞,共为不韵"	梅祖麟	总280	2001年	1期 3页
吴徽语入声演变的方式	曹志耘	总290	2002年	5期 441页
早期吴语支脂之韵和鱼韵的历史层次	秋谷裕幸	总290	2002年	5期 447页
苏州、义乌数词的语音特点	金有景	总104	1961年	5期 33页
苏州方言的方位指示词	金有景	总114	1962年	4期 188页
苏州话里表疑问的"阿、𠲎、啊"	汪平	总182	1984年	5期 354页
苏州方言的发问词与"可VP"句式	刘丹青	总220	1991年	1期 27页
《苏州同音常用字彙》之文白异读	丁邦新	总290	2002年	5期 423页
海盐通园方言的代词	胡明扬	总60	1957年	6期 17页
海盐通园方言中变调群的语法意义	胡明扬	总80	1959年	8期 372页
海盐方言的存现句和静态句	胡明扬	总202	1988年	1期 52页
上海话一百年来的若干变化	胡明扬	总146	1978年	3期 199页
上海方音的共时差异	许宝华 汤珍珠 汤志祥	总169	1982年	4期 265页
自主音段音韵学理论与上海声调变读	徐云扬	总206	1988年	5期 331页
上海话ze的语义及逻辑特点	李行德 徐烈炯 魏元良	总211	1989年	4期 264页
上海南汇方言全浊上声的变异	陈忠敏	总216	1990年	3期 187页
西洋传教士著作所见上海话的塞音韵尾	游汝杰	总263	1998年	2期 108页
《类音字汇》与盐城方言	鲍明炜	总150	1979年	3期 221页
沙洲县常阴沙话数词"十"的读音	曹剑芬	总163	1981年	4期 297页
常阴沙话古全浊声母的发音特点——吴语清浊音辨析之一	曹剑芬	总169	1982年	4期 273页
常州方言的"佬"	史有为	总168	1982年	3期 208页
老派金山方言中的缩气塞音	游汝杰	总182	1984年	5期 357页
温岭话入声变调同语法的关系	曹广衢	总73	1958年	7期 340页
浙江温岭话"头"的用法研究	曹广衢	总80	1959年	2期 78页
温岭方言语音分析	李荣	总140	1966年	1期 1页
温岭方言的变音	李荣	总145	1978年	2期 96页
温州方言的形容词重叠	傅佐之	总113	1962年	3期 128页
温州音系	郑张尚芳	总128	1964年	1期 28页
温州方言的连读变调	郑张尚芳	总129	1964年	2期 106页
义乌话里咸山两摄三四等字的分别	金有景	总128	1964年	1期 61页
《义乌话里咸山两摄三四等字的分别》一文的补正	金有景	总158	1980年	5期 352页
浙江义乌方言里的"n"化韵	方松熹	总195	1986年	6期 442页

义乌方言量词前指示词与数词的省略	陈兴伟	总228	1992年	3期 206页
武义话里的一些语音、语法现象	傅国通	总108	1961年	9期 30页
宁波方言量词的重叠式	朱彰年	总162	1981年	3期 238页
宁波方言的"鸭"[ε]类词和"儿化"的残迹——从残存现象看语言的发展	徐通锵	总186	1985年	3期 161页
宁波方言声调变异	陈忠敏	总236	1993年	5期 367页
《金瓶梅》中杭州一带用语考	张惠英	总192	1986年	3期 217页
杭州话里有"动-将-趋"式	陈刚	总204	1988年	3期 235页
金华方言的句法特点	曹耘	总205	1988年	4期 281页
缙云话流通两摄读闭口韵尾字的分析	冯力	总212	1989年	5期 400页
吴语处衢方言里的东冬二韵——兼论处衢方言固有音韵层次的年代	秋谷裕幸	总278	2000年	5期 415页
这些"个"不是吴语成分	汪化云	总281	2001年	2期 155页

湘　方　言

湘方言中的舌面前塞音声母	钟隆林　胡正微　毛秉生	总177	1983年	6期 429页
临湘方言里的动词补足语	杨耐思	总63	1957年	9期 28页
浏阳方言中的 zi 尾	娄伯平	总76	1958年	10期 486页
中古开口一等韵字在浏阳方言有[i]介音	夏剑钦	总171	1982年	6期 464页
长沙方言去声字的文白异调	江灏	总161	1981年	2期 123页
再论湖南泸溪瓦乡话是汉语方言	王辅世	总186	1985年	3期 171页
湖南耒阳方言的三个古语词	钟隆林	总237	1993年	6期 473页
湖南安仁方言的句段关联助词	陈满华	总234	1993年	3期 207页
关于湖南安仁方言中句段关联助词的讨论	张伟然	总269	1999年	2期 126页

赣　方　言

《正字通》和十七世纪的赣方音	古屋昭弘	总230	1992年	5期 339页
江西广丰话效摄字的读音	金有景	总109	1961年	10期 97页
清江话和丰城话的程度副词"伤"	陈小荷	总212	1989年	5期 369页
南昌温岭娄底三处梗摄字的韵母	李荣	总213	1989年	6期 416页
江西上犹社溪方言的"子"尾	刘纶鑫	总221	1991年	2期 127页
江西铅山方言人称代词单数的"格"	陈昌仪	总244	1995年	1期 45页
赣语南城方言古全浊上声字今读的考察	张双庆　万波	总254	1996年	5期 345页
南昌县(蒋巷)方言的两个虚词"是"与"着"	谢留文	总263	1998年	2期 123页
江西于都话的小称变调	陈荣华	总265	1998年	4期 274页

客家方言

标题	作者	总期	年份	期页
龙南话里的一些语法现象（客家方言里的一些语法现象）	凌慈房	总65	1957年	11期 29页
客家话人称领属代词的用法（客家方言里的一些语法现象）	南台	总65	1957年	11期 31页
客家方言的代词	李作南	总136	1965年	3期 224页
一等韵在客家方言也有齐齿呼	日健	总242	1994年	5期 400页
客家方言古入声次浊声母字的分化	谢留文	总244	1995年	1期 49页
平远话的名词构词法（客家方言里的一些语法现象）	林雨新	总65	1957年	11期 31页
平远话里的一种特殊格式	林雨新	总76	1958年	10期 488页
梅县方言名词、代词、动词的一些构词特点（客家方言里的一些语法现象）	林运来	总65	1957年	11期 30页
梅县话的"动＋ae"和"形＋ae"	张维耿　伍华	总171	1982年	6期 460页
为什么把客家话当作少数民族语言？	因梦	总74	1958年	8期 封4
粤东桃源话的特殊变调规律	李富才	总86	1959年	8期 377页
光泽、邵武话里的古入声字	熊正辉	总97	1960年	10期 310页
邵武方言的入声	陈章太	总173	1983年	2期 109页
从宋代邵武文士用韵看历史上邵武方言的特点及其归属	刘晓南	总288	2002年	3期 222页
大埔客家话的后缀	何耿镛	总139	1965年	6期 492页
大埔客家话的性状词	何耿镛	总161	1981年	2期 111页
五华方言形容词的几种形态	李作南	总164	1981年	5期 363页
韶关方言新派老派的主要差异	黄家教　崔荣昌	总173	1983年	2期 99页
福建长汀（客家）方言的连读变调	饶长溶	总198	1987年	3期 191页
长汀方言的代词	饶长溶	总210	1989年	3期 193页
福建长汀方言动词的体貌	饶长溶	总255	1996年	6期 433页
江西石城话属客家方言质疑	陈荣华	总260	1997年	5期 344页
广东中山翠亨客家话方言岛记略	何科根	总262	1998年	1期 18页
从景宁畲话古全浊声母的今读看畲话的性质	傅根清	总282	2001年	3期 230页

闽方言

标题	作者	总期	年份	期页
福建汉语方言分区略说	潘茂鼎　李如龙　梁玉璋　张盛裕　陈章太	总127	1963年	6期 475页
闽方言古次浊声母的白读h-和s-	张光宇	总211	1989年	4期 300页
说"八"	李如龙	总252	1996年	3期 189页
福州话语音演变概说	李如龙　梁玉璋　陈天泉	总151	1979年	4期 287页

闽音斠疑——与李如龙等同志商榷	赵日和		总156	1980年	3期 161页
论闽方言的形成	张光宇		总250	1996年	1期 16页
闽方言在广东的分布及其音韵特征的异同	林伦伦		总239	1994年	2期 155页
福州话声母类化音变的再探讨——兼答赵日和同志	陈天泉	李如龙 梁玉璋	总162	1981年	3期 231页
福州方言单音动词重叠式	郑懿德		总172	1983年	1期 30页
福州方言重叠式名词	梁玉璋		总174	1983年	3期 177页
福州话的文白异读	梁玉璋		总183	1984年	6期 434页
明代末年福州话的声母系统	邵荣芬		总185	1985年	2期 121页
福州方言"口礼"的词性及其用法	郑懿德		总207	1988年	6期 450页
福州话的"给"字	梁玉璋		总217	1990年	4期 280页
福州话形容词重叠式的音变方式及其类型	陈亚川	郑懿德	总218	1990年	5期 362页
福州方言词"掏"的语法、语义功能	沙平		总276	2000年	3期 267页
十九世纪的福州音系	陈泽平		总290	2002年	5期 431页
福清方言的声母连读音变	高玉振		总147	1978年	4期 258页
福清话名词性后缀"囝"	冯爱珍		总225	1991年	6期 440页

* * *

闽南方言虚字眼"阿"和"仔"	黄丁华		总67	1958年	1期 21页
闽南方言的虚字眼"在、着、里"	黄丁华		总68	1958年	2期 81页
闽南方言里的常用否定词	黄丁华		总70	1958年	4期 189页
闽南话和普通话常用量词的比较	陈垂民		总78	1958年	12期 591页
闽南方言里的人称代词	黄丁华		总90	1959年	12期 571页
闽南方言里的指示代词	黄丁华		总110	1961年	12期 23页
闽南方言里的疑问代词	黄丁华		总125	1963年	4期 299页
闽南方言"彔"字小议	黄幼莲		总164	1981年	5期 371页
闽南方言的两种比较句	陈法今		总166	1982年	1期 62页
早期汉字改革运动与闽南方言	王尔康		总175	1983年	4期 290页
闽南方言的平比句	陈法今		总178	1984年	1期 71页
碗窑闽南方言岛二百多年间的变化	李如龙	陈章太	总170	1982年	5期 354页
从闽南话到日本汉字音	严棉		总239	1994年	2期 92页
闽南方言的形成及其源与流	林华东		总284	2001年	5期 446页
厦门话文白异读构词的两种形式	周长楫		总164	1981年	5期 368页
厦门话的常用词尾	林宝卿		总168	1982年	3期 215页
厦门话文白异读的类型(上)	周长楫		总176	1983年	5期 330页
厦门话文白异读的类型(下)	周长楫		总177	1983年	6期 430页
永春话单音形容词表程度的几种形式	林连通		总169	1982年	4期 279页
永春话物量词的主要特点	林连通		总186	1985年	3期 204页

福建永春方言的"仔"尾	林连通	总203	1988年	2期 121页
福建永春方言词汇概说	林连通	总222	1991年	3期 201页
福建惠安话的动态助词"者、晬、咧"	陈法今	总224	1991年	5期 363页
福建永春方言的述补式	林连通	总249	1995年	6期 455页
闽语仙游话的变调规律	戴庆厦	总76	1958年	10期 485页
闽语仙游话的音变规律	吴启禄 戴庆厦	总100	1961年	1期 25页
闽语仙游话的文白异读	戴庆厦 吴启禄	总118	1962年	8期 393页
莆田话的名词词尾"子"	林文金	总66	1957年	12期 35页
莆田话的两字连读音变	黄景湖	总120	1962年	11期 510页
莆田话的物量词	林文金	总153	1979年	6期 445页
莆仙方言第一人称代词的本字应是"我"——与田富同志商榷	林宝卿	总221	1991年	2期 131页
漳州方言的重叠式研究	马重奇	总245	1995年	2期 123页
说"蜀"字音	林宝卿	总261	1997年	6期 462页

* * *

潮州话的一些语法特点	詹伯慧	总71	1958年	5期 218页
潮州方言的数量词	李新魁	总71	1958年	5期 221页
关于数量词(潮州方言一些语法特点的讨论)	白星	总79	1959年	1期 36页
关于被动式(潮州方言一些语法特点的讨论)	苏贤辉	总79	1959年	1期 37页
"甲伊"和"分伊"(潮州方言一些语法特点的讨论)	林泽熙	总79	1959年	1期 37页
处置式及其他(潮州方言一些语法特点的讨论)	俞圭	总79	1959年	1期 38页
潮阳方言的重叠式	张盛裕	总149	1979年	2期 106页
潮阳方言的范围副词	张盛裕	总202	1988年	1期 44页
汕头话的一种形容词	林伦伦	总214	1990年	1期 46页
汕头方言的反复问句	施其生	总216	1990年	3期 182页

* * *

海南方言中同义字的"训读"现象	詹伯慧	总60	1957年	6期 封4
海南方言中喉塞音	梁猷刚	总133	1964年	6期 463页
海南话形容词AAB式的结构特点	梁明江	总208	1989年	1期 43页
海南岛海口方言中的吸气音	梁猷刚	总67	1958年	1期 27页
海口方言的指示代词和疑问代词	陈鸿迈	总220	1991年	1期 34页
古阳声韵入声韵海南府城今读阴声韵初探	梁猷刚	总174	1983年	3期 185页
海南岛的迈话——一种混合型方言	黄谷甘 李如龙	总199	1987年	4期 268页
浙南闽语里形容词程度的表示方法	温端政	总66	1957年	12期 36页

浙南闽语里的"仔""子"和"崽"	温端政	总71	1958年	5期 222页
粤方言地区中的一个闽方言岛中山隆都话	黄家教	总189	1985年	6期 417页
粤东粤西闽方言词汇的同与异	林伦伦	总235	1993年	4期 288页

* * *

台湾的汉语方言	陈文彬	总28	1954年	10期 43页
台湾话研究的进展和现状	张振兴	总207	1988年	6期 431页
台湾话动词重叠式的语义和语法特点	郑良伟	总207	1988年	6期 439页
台湾闽南语的介音	钟荣富	总259	1997年	4期 289页

* * *

闽西北方言"来"母字读 s- 的研究	李如龙	总175	1983年	4期 264页
一点意见——读《闽西北方言"来"母字读 s-的研究》	曹广衢	总182	1984年	5期 359页
闽北方言的第三套清塞音和清塞擦音	罗杰瑞	总190	1986年	1期 38页
闽北方言弱化声母和"第九调"之我见	王福堂	总243	1994年	6期 430页
福建建瓯方言的古语词举隅	詹鄞鑫	总195	1986年	6期 451页
建瓯话的声调	李如龙	总215	1990年	2期 117页
建瓯话中的衍音现象	潘渭水	总240	1994年	3期 206页
福建政和话的支脂之三韵	罗杰瑞	总202	1988年	1期 40页
永安话的-m尾问题	周长楫	总214	1990年	1期 43页

粤 方 言

从广东方言中体察语言的交流和发展	岑麒祥	总10	1953年	4期 9页
粤方言中的虚词"亲、住、翻、埋、添"	詹伯慧	总69	1958年	3期 119页
广东粤方言人称代词的单复数形式	甘于恩	总260	1997年	5期 351页
语言变异——香港粤语与广州粤语比较研究	郑定欧	总262	1998年	1期 56页
广州话补语宾语的词序	黄伯荣	总84	1959年	6期 275页
广州方言词汇探源	罗正平	总93	1960年	3期 129页
广州话量词的语法特点	张炼强	总100	1961年	1期 30页
关于广州话阴平调的分化问题	宗福邦	总132	1964年	5期 376页
谈谈广州话的形容词	陈慧英	总153	1979年	6期 451页
广州方言的一些动词	陈慧英	总166	1982年	1期 66页
广州方言表示动态的方式	陈慧英	总215	1990年	2期 127页
近代广州话"私、师、诗"三组字音的演变	陈万成 莫慧娴	总245	1995年	2期 118页
广东阳江话物量词的语法特点	黄伯荣	总81	1959年	3期 128页
阳江话的几种句式	黄伯荣	总142	1966年	3期 215页
台山方言特殊变调初探	陈锡梧	总140	1966年	1期 34页

化州话的 d	梁猷刚	总 152	1979 年	5 期	354 页
横县方言单音形容词的 AxA 重叠式	闭克朝	总 152	1979 年	5 期	348 页
横县方言中的-ək 尾词	闭克朝	总 161	1981 年	2 期	119 页
桂南粤语说略	梁振仕	总 180	1984 年	3 期	179 页
信宜话数词、代词、副词的变音——对《信宜方言的变音》一文的补充	罗康宁	总 192	1986 年	3 期	185 页
广东莞城话"变入"初析	陈晓锦	总 196	1987 年	1 期	34 页
近百年来澳门话语音的发展变化	林柏松	总 205	1988 年	5 期	274 页
沙头话古非敷奉母字今读重唇音	彭小川	总 210	1989 年	3 期	201 页
南海沙头话古云、以母字今读初析	彭小川	总 249	1995 年	6 期	461 页
广东开平方言的中性问句	余霭芹	总 229	1992 年	4 期	279 页
广东开平方言的"的"字结构——从"者""之"分工谈到语法类型分布	余霭芹	总 247	1995 年	4 期	289 页
宝安沙井话入声舒化现象——对粤方言入声现状的再探讨	陈晓锦	总 235	1993 年	4 期	292 页
从"按揭"说到"揭"与"借"	苏杰	总 276	2000 年	3 期	256 页

书 刊 评 介

介绍《广东人学习国语法》(王了一)	王均		总 2	1952 年	2 期	33 页
《汉语共同语和标准音》(中国语文杂志社)			总 49	1956 年	7 期	49 页
《文学语言的基本特征》(宋振华)《东北师大科学集刊》(1956 年第 2 期)			总 49	1956 年	7 期	51 页
《汉民族共同语和基础方言的关系》(洪笃仁)《厦门大学学报》(1956 年第 1 期)			总 49	1956 年	7 期	51 页
《现代汉语规范问题学术会议文件汇编》(现代汉语规范问题学术会议秘书处)	铿		总 51	1956 年	9 期	47 页
《谈谈汉语规范化》(王了一)	实		总 55	1957 年	1 期	45 页
《谈谈现代汉语词汇规范化》(王松茂)	元直		总 55	1957 年	1 期	47 页
《汉语》(彭楚南)	超秉		总 56	1957 年	2 期	45 页
《现代汉语》第一册(杨欣安)	木它	杨长礼	总 56	1957 年	2 期	44 页
《现代汉语》第二册(杨欣安)	沈士英	史式	总 61	1957 年	7 期	47 页
《现代汉语》第三册(杨欣安等)	方芸		总 67	1958 年	1 期	44 页
《现代汉语简论》(傅铭第)	雍庸	柳明	总 69	1958 年	3 期	146 页
对张涤华《现代汉语》一书的意见	杨长礼 胡振荣 李子云		总 81	1959 年	3 期	137 页
《汉语讲义(初稿)》(北京师范大学中国	黄浩森		总 82	1959 年	4 期	192 页

语言文学系)					
读《汉语讲义》后的几点意见(北京师范大学中国语言文学系)	陈克农	总84	1959年	6期	289页
评《五四以来汉语书面语言的变迁和发展》(北京师范学院中文系汉语教研组)	章信华	总101	1961年	2期	41页
新编《现代汉语》简介(北京大学中文系汉语教研室)	进明	总117	1962年	7期	349页
海外通讯(评吕叔湘《语文常谈》)	杨联陞	总171	1982年	6期	465页
评介新出高校教材《现代汉语》(钱乃荣主编)	施关淦　吕叔湘	总221	1991年	2期	149页
《语言文化社会新探》评介	王建华	总235	1993年	4期	315页

*　　　　*　　　　*

介绍两本指导普通话学习的书(《广东人怎样学习普通话》(王力)《江浙人怎样学习普通话》(王力))	詹伯慧	总46	1956年	4期	43页
《福州人怎样学习普通话》(高名凯、林焘)		总49	1956年	7期	49页
《闽音研究》(陶燠民)		总49	1956年	7期	50页
《四川人怎样学习普通话》(李运益、苏运中)		总49	1956年	7期	50页
《推广普通话运动中的方言调查工作》(殷焕先)《文史哲》(1956年1期)		总49	1956年	7期	50页
《普通话浅说》(仓凯纳、郭冰)	铿	总51	1956年	9期	47页
《怎样学习普通话》(朱星)	精一	总52	1956年	10期	48页
《普通话问题解说》(杜松寿)	劳宁	总52	1956年	10期	48页
《为什么要推广普通话》(张周)	寄予	总52	1956年	10期	49页
《语言调查常识》(马学良)	因梦	总55	1957年	1期	48页
《方言调查方法》(岑麒祥)	何育　温端政	总56	1957年	2期	44页
《汉语方言调查字音整理卡片》(中国科学院语言研究所)	玄常	总56	1957年	2期	45页
《方言校笺及通检》(周祖谟校　吴晓铃编)	张其华	总57	1957年	3期	47页
《怎样教学普通话》(乐嗣炳)	何秋辉	总57	1957年	3期	47页
《普通话词义》(何蔼人)	许令芳	总58	1957年	4期	40页
《北京语音学习》(黄伯荣)	沈锡人　杨长礼	总58	1957年	4期	41页
《广州话浅说》(王力)	力山	总62	1957年	8期	44页
《普通话入门(西北适用)》(杜松寿)	徐征	总63	1957年	9期	43页
《方言词例释》(傅朝阳)	灰　毛西旁　一丁	总65	1957年	11期	47页

《客家人怎样学习普通话》(饶秉才)	许令芳		总67	1958年	1期 45页
《潮州方言》(李永明著)	倪寄予		总84	1959年	6期 288页
评《汉语方言概要》(袁家骅)	方青		总94	1960年	4期 190页
《昌黎方言志》读后感(河北省昌黎方言志编纂委员会、中国科学院语言研究所)	王福堂		总99	1960年	12期 447页
读《江苏省和上海市方言概况》(江苏省和上海市方言调查指导组)	沈子平		总106	1961年	7期 38页
评《汉语方音字汇》(北京大学语言学教研室)	施文涛		总123	1963年	2期 176页
书周祖谟《方言校笺》后	胡芷藩		总126	1963年	5期 428页
评《汉语方言词汇》(北京大学中文系语言学教研室)	许宝华		总134	1965年	1期 59页
《苏州方言地图集》评介(叶祥苓)	许宝华	汤珍珠	总173	1983年	2期 155页
评介《广州话方言词典》(饶秉才 欧阳觉亚 周无忌)	詹伯慧		总174	1983年	3期 228页
评村上嘉英《现代闽南语辞典》	张振兴		总174	1983年	3期 233页
评介《台湾闽南方言记略》(张振兴)	周长楫		总186	1985年	3期 230页
评《苍南方言志》(温端政)	颜逸明		总226	1992年	1期 72页
读《四川方言音系》(四川大学方言调查工作组)	沈子平		总108	1961年	9期 44页
苏州、崇明、厦门、长沙、娄底五部方言词典读后	缪咏禾		总240	1994年	3期 236页
读《山东方言志丛书》六种	岩田礼		总252	1996年	3期 236页
粤语方言的历史研究——读《麦仕治广州俗话〈书经〉解义》	余霭芹		总279	2000年	6期 497页

汉 语 语 音

古代和近代语音

谈谈语音构造和语音演变的规律	丁声树	总1	1952年	1期 15页
怎样根据北京音辨别古音的声母	昌厚	总121	1962年	12期 548页
怎样根据北京音辨别古音的韵母	昌厚	总123	1963年	2期 125页
怎样根据北京音辨别古音的韵母(续)	昌厚	总124	1963年	3期 246页
关于汉语韵研究的几个问题——与陆志韦先生商榷	施文涛	总128	1964年	1期 1页

标题	作者	总期	年份	期/页
语音演变规律的例外	李荣	总135	1965年	2期 116页
四声别义中的时间层次	梅祖麟	总159	1980年	6期 427页
声韵结合的问题	李方桂 张惠英 整理	总178	1984年	1期 38页
古汉语单音假设连词之间的音韵关系	韩陈其	总194	1986年	5期 383页
汉语古有小舌音	李永燧	总216	1990年	3期 209页
浊音清化溯源及相关问题	周长楫	总223	1991年	4期 283页
怎样才算是古音学上的审音派	陈新雄	总248	1995年	5期 345页
全浊上声字是否均变为去声	那宗训	总244	1995年	1期 61页
试论重纽的语音	竺家宁	总247	1995年	4期 298页
重建汉语中古音系的一些想法	丁邦新	总249	1995年	6期 414页
说"韵"和"韵部"	杨亦鸣 王为民	总288	2002年	3期 243页
怎样研究梵汉翻译和对音	周达甫	总58	1957年	4期 27页
尖团音问题与朝鲜文献的对音	金基石	总281	2001年	2期 159页
四十年来的汉语音韵研究	李新魁	总232	1993年	1期 16页
台湾四十年来的音韵学研究	竺家宁	总232	1993年	1期 23页

*　　　　*　　　　*

标题	作者	总期	年份	期/页
上古汉语里的双音词问题	亚努士·赫迈莱夫斯基	总52	1956年	10期 23页
《胡笳十八拍》的用韵(读书札记之一)	杨道经	总90	1959年	12期 封4
钱玄同先生与黎锦熙先生论"古无舌上、轻唇声纽"问题书	钱玄同	总108	1961年	9期 32页
《钱玄同先生与黎锦熙先生论"古无舌上、轻唇声纽"问题书》读后记	魏建功	总108	1961年	9期 33页
郭璞训释中的"轻重""声转、语转"	董志翘	总159	1980年	6期 456页
再说郭注中的"轻重"	唐莉	总253	1996年	4期 封3
从《说文》中的谐声字看上古汉语声类	管燮初	总166	1982年	1期 34页
古韵鱼侯两部在后汉时期的演变	邵荣芬	总171	1982年	6期 410页
再论日母的音值,兼论普通话声母表	王力	总172	1983年	1期 20页
论《离骚》等篇的用韵和韵例,兼论其作者	王显	总178	1984年	1期 42页
上古音	李方桂 张惠英 译	总179	1984年	2期 136页
关于上古汉语的鼻音韵尾问题	杨焕典	总181	1984年	4期 290页
《诗经》中"日居月诸"的连读音变	黄典诚	总181	1984年	4期 277页
《诗经韵读》答疑	王力	总184	1985年	1期 29页
《诗经》用韵的两大方言韵系——上古方音初探	王健庵	总228	1992年	3期 207页
上古押韵字的条件异读	曾明路	总196	1987年	1期 68页
"鸟"字古音试论	单周尧	总229	1992年	4期 294页

隋韵谱(果、假、遇、蟹、效、流六摄)	昌厚	总109	1961年	10-11期 47页
隋韵谱(止、咸、深、山四摄)	昌厚	总111	1962年	1期 38页
隋韵谱(臻、江、宕、梗、曾、通六摄)	昌厚	总112	1962年	2期 70页
隋韵谱(总说)	昌厚	总114	1962年	4期 162页
隋代诗文用韵与《广韵》的又音	昌厚	总118	1962年	8-9期 374页
《切韵》的命名和《切韵》的性质	王显	总103	1961年	4期 16页
《切韵》音系的性质和它在汉语语音史上的地位	邵荣芬	总103	1961年	4期 26页
《切韵》音系的性质及其他——与王显、邵荣芬同志商榷	何九盈	总108	1961年	9期 10页
关于《切韵》音系基础的问题——与王显、邵荣芬两位同志讨论	黄淬伯	总112	1962年	2期 85页
再谈《切韵》音系的性质——与何九盈、黄淬伯两位同志讨论	王显	总121	1962年	12期 540页
从《切韵·序》论《切韵》	赵振铎	总119	1962年	10期 467页
《切韵》纯四等韵的主要元音	马学良 罗季光	总121	1962年	12期 533页
论李涪对《切韵》的批评及其相关问题	李荣	总184	1985年	1期 1页
《切韵》侯韵明母字在现代汉语方言中的演变	张琨	总248	1995年	5期 353页
关于《广韵》的几个问题	余行达	总108	1961年	9期 1页
对《关于〈广韵〉的几个问题》的补正	余行达	总114	1962年	4期 189页
《广韵》的反切和今音	昌厚	总129	1964年	2期 89页
《广韵》札记一则("犄"字的反切)	余明象	总158	1980年	5期 347页
《〈广韵〉札记一则》补	余明象	总182	1984年	5期 358页
《〈广韵〉札记一则补》释	余明象	总191	1986年	2期 160页
也说"犄"字的反切	张崇	总199	1987年	4期 303页
张氏泽存堂本《广韵》异读字形讹举例	葛信益	总181	1984年	4期 295页
《广韵》异读字有两体皆声者	葛信益	总188	1985年	5期 375页
《广韵》"独用"、"同用"使用年代考——以唐代科举考试诗赋用韵为例	王兆鹏	总263	1998年	2期 144页
《五经文字》的直音和反切	邵荣芬	总130	1964年	3期 214页
中古方音差别问题	章璐	总64	1957年	10期 封4
对《汉魏六朝散文选》的注音的意见	唐君力	总93	1960年	3期 148页
敦煌俗文学中的别字异文和唐代西北方音	邵荣芬	总127	1963年	3期 193页
从现代方言论古群母有一、二、四等	李荣	总138	1965年	5期 337页
《水经注》中语音史料点滴	张永言	总173	1983年	2期 131页
从初唐"协韵"看当时实际韵部	张文轩	总174	1983年	3期 191页
中古开口一等韵字今有[i]介音补例	张加良	总192	1986年	3期 191页

标题	作者	总期	年份	期/页
中古开口一等韵字今有[i]介音再补（一）（二）	沈文玉　陈妹金	总216	1990年	3期 218页
中古开口一等韵字在今武山方言也有[i]介音	一虚	总226	1992年	1期 25页
欧阳修诗词用韵研究	程朝晖	总193	1986年	4期 303页
《讳辩》"浊上变去"例补证	刘保明	总199	1987年	4期 308页
论"我"字例外音变的原因	平山久雄	总201	1987年	6期 409页
《经典释文》音切的性质	蒋希文	总210	1989年	3期 216页
《经典释文》的重音音切	邵荣芬	总213	1989年	6期 440页
魏晋时期的方音	周祖谟	总213	1989年	6期 437页
从"花"字的产生看"平分阴阳"开始的时代	朱声琦	总226	1992年	1期 69页
关于"平分阴阳"起始时代的质疑	杨剑桥	总232	1993年	1期 48页
中古音之前入声舒化的路线	陈重瑜	总230	1992年	5期 352页
古全浊声母清化规则补议	麦耘	总223	1991年	4期 289页
吴棫《韵补》和宋代闽北建瓯方音	邵荣芬	总248	1995年	5期 321页
中古汉语鱼韵的音值——兼论人称代词"你"的来源	平山久雄	总248	1995年	5期 336页
打字与朕字	李荣	总252	1996年	3期 161页
蒋骥古韵学述评	谢纪锋	总252	1996年	3期 214页
浊上变去见于南宋考	刘纶鑫	总256	1997年	1期 63页
古全浊上声字今仍读上声的问题	沈建民	总257	1997年	2期 156页
舌尖前元音产生于晚唐五代说质疑	蒋冀骋	总260	1997年	5期 384页
李善音系与公孙罗音系声母的比较	张洁	总273	1999年	6期 460页
曾运乾之古音学	陈新雄	总278	2000年	5期 399页
黄侃的古音学	陈新雄	总237	1993年	6期 445页
《史记》三家注之开合现象	黄坤尧	总239	1994年	2期 121页
《集韵》重纽的特点	张渭毅	总282	2001年	3期 236页
从殷墟卜辞的"王占曰"说到上古汉语的宵谈对转	裘锡圭	总286	2002年	1期 70页

*　　*　　*

标题	作者	总期	年份	期/页
论龙果夫的《八思巴字和古官话》	罗常培	总90	1959年	12期 575页
八思巴字对音——读龙果夫《八思巴字与古官话》后	杨耐思	总90	1959年	12期 582页
《中原音韵》音系的基础和"入派三声"的性质	赵遐秋　曾庆瑞	总117	1962年	7期 312页
关于《中原音韵》音系的基础和"入派三声"的性质——与赵遐秋、曾庆瑞同志商榷	李新魁	总125	1963年	4期 275页
《中原音韵》二十五声母集说	忌浮	总132	1964年	5期 337页

题目	作者	总期	年份	期 页
《中原音韵》新著录的一些异读	张清常	总172	1983年	1期 51页
《中原音韵》清入声作上声没有失误	黎新第	总217	1990年	4期 284页
儿化现象一例	鲁允中	总185	1985年	6期 416页
《老乞大谚解》和《朴通事谚解》中所见的汉语、朝鲜语对音	胡明扬	总124	1963年	3期 185页
关汉卿戏曲的用韵	廖珣英	总125	1963年	4期 267页
诸宫调的用韵	廖珣英	总128	1964年	1期 19页
《正音捃言》的韵母系统	唐作藩	总154	1980年	1期 69页
"彫"可读来母补证	蔡正发	总191	1986年	2期 142页
《金瓶梅》的方音特点	张鸿魁	总197	1987年	2期 125页
旧小说里的轻音字例释	李荣	总201	1987年	6期 415页
本悟《韵略易通》之"重×韵"	龙庄伟	总204	1988年	3期 227页
也谈本悟《韵略易通》之"重×韵"	沈建民　杨信川	总244	1995年	1期 65页
曲尾及曲尾上的古入声字——周德清"入派三声"验证	忌浮	总205	1988年	4期 292页
《建州八音》的声调	张琨	总207	1988年	6期 454页
《红楼梦》词汇中的标音问题	周定一	总213	1989年	6期 454页
《青郊杂著》音系简析	耿振生	总224	1991年	5期 374页
元明以来韵书中的入声问题	张玉来	总224	1991年	5期 380页
近代汉语"人"的读音	马思周	总227	1992年	2期 147页
《等韵精要》声母系统的特点	宋珉映	总257	1997年	2期 150页
近代汉语共同语入声字的演变	李启文	总250	1996年	1期 50页
"前有浮声,后须切响"别解	赵小刚	总250	1996年	1期 65页
南宋崇安二刘诗文用韵与闽北方言	刘晓南	总264	1998年	3期 195页
《宾退录》射字诗的音韵分析	将邑剑平　平山久雄	总271	1999年	4期 295页
蒲松龄《聊斋俚曲集》中的儿化现象	李焱	总288	2002年	3期 239页
《金瓶梅词话》字音商榷一则	侯利民	总236	1993年	5期 400页
元曲"说"读"佛"例	董绍克	总250	1996年	1期 44页
明代的上声连读变调现象	喻卫平	总260	1997年	4期 378页
试证元曲的儿化音	董绍克	总264	1998年	3期 218页
南宋孙奕俗读"清入作去"考	李无未	总265	1998年	4期 294页
清代鸿胪寺正音考	平田昌司	总279	2000年	6期 537页

* * *

反切释例	殷焕先	总118	1962年	8期 384页
古反切是怎样构造的	陆志韦	总126	1963年	5期 349页
反切比较法例说	陈亚川	总191	1986年	2期 143页
反切行为与反切原则	潘悟云	总281	2001年	2期 99页
《方言》郭璞注的反切上字	陈亚川	总161	1981年	2期 125页
《方言》郭璞注的反切下字	陈亚川	总177	1983年	6期 451页

徐邈反切声类	蒋希文	总180	1984年	3期	216页
徐邈反切系统中特殊音切举例	蒋希文	总240	1994年	3期	210页

* * *

古籍中的"破音异读"问题	吕冀平 陈欣向	总132	1964年	5期	368页
关于"读破"的问题	洪心衡	总134	1965年	1期	37页
《古籍中的"破音异读"问题》补义	任铭善	总134	1965年	1期	44页
从教学实践谈破读问题	魏膺高	总138	1965年	5期	397页
从语文教学看文言文中的破读问题	宗渊	总138	1965年	5期	398页

现 代 语 音

谈语音对应关系	张拱贵	总55	1957年	1期	12页
希望统一语音学术语	杨长礼	总58	1957年	4期	37页
关于普通话音位	程祥徽	总60	1957年	6期	25页
汉语普通话的音节结构	A. A. 龙果夫 E. H. 龙果娃 高祖舜 译	总77	1958年	11期	513页
从《矛盾论》来看汉语语音的发展	张世禄	总96	1960年	6期	268页
现代汉语语音分析中的几个问题	王力	总151	1979年	4期	281页
试论普通话语音的"区别特征"及其相互关系	吴宗济	总158	1980年	5期	321页
论普通话的音位系统	游汝杰 钱乃荣 高钲夏	总158	1980年	5期	328页
普通话音位研究述评	李延瑞	总181	1984年	4期	254页
语音切分与汉语拼音教学	查·理德 张韵斐 聂鸿音 丁宝庆	总199	1987年	4期	276页
补听缺斋语音杂记	吴宗济	总213	1989年	6期	430页

* * *

汉语弱读音节和轻声的实验研究	T. П. 扎多延柯 金有景 译	总78	1958年	12期	581页
普通话二字词变调的实验研究	林茂灿 林联合 夏光荣 曹雨生	总154	1980年	1期	74页
北京话复合元音的实验研究	曹剑芬 杨顺安	总183	1984年	6期	426页
浊声源动态特性对合成音质的影响	杨顺安	总193	1986年	3期	173页
普通话音联的声学语音学特性	许毅	总194	1986年	5期	353页
普通话声调的声学特性和知觉征兆	林茂灿	总204	1988年	3期	182页
普通话多音节词音节时长分布模式	王晶 王理嘉	总233	1993年	2期	112页
普通话音段协同发音研究	陈肖霞	总260	1997年	5期	345页
论汉语的大音节结构	石毓智	总246	1995年	3期	230页
汉语声调与语调的关系	曹剑芬	总288	2002年	3期	195页
汉语语音词的韵律类型	王洪君	总252	1996年	3期	167页
论汉语的"自然音步"	冯胜利	总262	1998年	1期	40页

普通话对话中韵律特征的声学表现	李爱军	总291	2002年	6期	525页
注音字母声母的音值和名称	李学鲁	总17	1953年	11期	19页
试论尖团音的分合	李涛	总37	1955年	7期	10页
尖音系统不应该恢复——驳《论尖团音》	李涛	总60	1957年	6期	29页
送气和不送气是不是音变造词的方法？	李葆瑞	总91	1960年	1期	29页
论清浊与带音不带音的关系	曹剑芬	总197	1987年	2期	101页
普通话单元音分类的生理解释	鲍怀翘	总179	1984年	2期	117页
关于儿母	宇文长工	总19	1954年	1期	33页
对《关于儿母》的意见	傅懋勣	总19	1954年	1期	33页
再谈儿母	宇文长工	总26	1954年	8期	12页
对《再谈儿母》的意见	周殿福	总28	1954年	10期	42页
普通话儿化音节规则合成的初步研究	杨顺安	总221	1991年	2期	89页
儿化韵研究中的几个问题——与李思敬先生商榷	王理嘉 王海丹	总221	1991年	2期	96页
北京话儿化韵的语音分歧	林焘 沈炯	总246	1995年	3期	170页
儿化韵的特征架构	王志洁	总256	1997年	1期	2页

*　　*　　*

中国字音的构造	李学鲁	总15	1953年	9期	28页
什么叫做"押韵"	舒黛 问　陆志韦 答	总66	1957年	12期	41页
汉语语词结构的音乐性	徐世荣	总80	1959年	2期	73页
"平仄"也能算汉语语词结构的"音乐性"吗？	元丁　施波	总82	1959年	4期	182页
汉语节奏的周期及层次——节奏规律研究之一	吴洁敏	总227	1992年	2期	129页

字调和语调

声调和声调教学	殷焕先	总27	1954年	9期	23页
汉语的字调、停顿与语调的交互关系	齐声乔	总52	1956年	10期	10页
汉语的声调在音位系统中的地位	尹仲贤	总60	1957年	6期	27页
从音位学看汉语的字调（声调）	史存直	总63	1957年	9期	15页
普通话"一"字声调的读法	金有景	总152	1979年	5期	356页
普通话语句中的声调变化	吴宗济	总171	1982年	6期	439页
双音缀词的重音规律	徐世荣	总44	1956年	2期	35页
复音词的轻重音的整理问题	江成	总47	1956年	5期	28页
现代汉语音节重音的声学本质	H. A. 斯茔式涅夫 金有景 译	总79	1959年	1期	28页
意群重音和语法的关系	徐世荣	总104	1961年	5期	27页
汉语轻音的历史探讨	陈国	总93	1960年	3期	137页
试论轻声和重音	厉为民	总160	1981年	1期	35页

标题	作者	总期	年份	期/页
关于普通话双音常用词轻重音的初步考察	殷作炎	总168	1982年	3期168页
"也、又、都、就、还"的轻重读音	鲁一民	总173	1983年	2期119页
北京话上声连读的调型组合和节奏形式	沈炯	总241	1994年	4期274页
连读变调与轻重对立	曹剑芬	总247	1995年	4期312页
"调素"论及普通话连读变调	林华	总262	1998年	1期31页
单音节形容词叠音后缀读55调辨	李小梅	总275	2000年	2期137页
重音理论和汉语的词长选择	端木三	总271	1999年	4期246页
"了、呢、的"变韵说——兼论语气助词、叹词、象声词的强弱两套发音类型	郭小武	总277	2000年	4期349页

语音规范

标题	作者	总期	年份	期/页
轻声标调的困扰	颜德厚	总194	1986年	5期400页
为了语音的规范化,必须纠正随便类推的现象	余生蓉	总40	1955年	10期9页
普通话的正音问题	周祖谟	总47	1956年	5期24页
关于汉字正音的几点意见	赵瑞生	总51	1956年	9期50页
关于《语音规范化和汉字正音的问题》的补充说明——答赵瑞生先生	高名凯 刘正埮	总53	1956年	11期38页
谈歌曲演唱怎样掌握标准音问题	刘明纲	总55	1957年	1期24页
古籍笺注中的注音问题	张喆生	总135	1965年	2期147页
《辞源》注音审读记略	邵荣芬	总188	1985年	5期378页

* * *

标题	作者	总期	年份	期/页
普通话异读词审音表初稿和本国地名审音表初稿	普通话审音委员会	总64	1957年	10期20页
对《普通话异读词审音表初稿和本国地名审音表初稿》的意见	方明 郑光仪 肖家林 马连祺	总66	1957年	12期10页
普通话异读词审音表初稿(续)	普通话审音委员会	总85	1959年	7期317页
对《普通话异读词审音表》初稿的几点意见	炳生	总104	1961年	5期44页
关于普通话异读词的审音原则	梁振仕	总104	1961年	5期46页
普通话异读词三次审音总表初稿	普通话审音委员会	总122	1963年	1期29页
对《审音表》的体会	周定一	总135	1965年	2期127页
《审音表》使用一得	徐世荣	总135	1965年	2期134页
论审音原则	王力	总139	1965年	6期439页
普通话异读词审音	曹先擢	总286	2002年	1期82页
"塑"字的念法	陈铁卿	总80	1959年	2期84页
谈"轧"字的读音	陈铁卿	总81	1959年	3期118页

说"匼"字音	丁声树	总114	1962年	4期 151页
"邳"应音 pī	张喆生	总126	1963年	5期 385页
如何处理文言文中的异读	王克仲	总138	1965年	5期 395页
现代汉字中的多音字问题	周有光	总153	1979年	6期 401页
"一"的新读法	江澄	总194	1986年	5期 352页
"额娘"怎么读？	江纯	总203	1988年	2期 155页
台湾的异名及其读音	李熙泰	总199	1987年	4期 306页
说"戊"字的读音	张健	总233	1993年	2期 111页
关于"戊"字的读音	沈建民	总260	1997年	4期 338页
从"涌"和"蠔"字说到地名字的读音	朱永锴	总270	1999年	3期 204页

书 刊 评 介

《汉语音韵学导论》（罗常培）		总49	1956年	7期 49页
《语音规范化和正音问题》（高名凯、刘正埮）《新建设》（1956年3月号）		总49	1956年	7期 51页
《李登声类和"五音之家"的关系》（张清常）《南开大学学报》（1956年第1期）		总49	1956年	7期 51页
《汉字读音辨正摘要》（张雪庵）	寄予	总51	1956年	9期 47页
《普通话发音读本》（张拱贵）	寄予	总54	1956年	12期 49页
《普通话难字正音表》（湖北省教育厅普通话推广处）	刘禾　端华	总58	1957年	4期 41页
《北京语音常识》（王勤）	茅开	总60	1957年	6期 45页
《四声五音九弄反纽图简释》（殷孟伦）《山东大学学报（人文科学）》（1957年第1期）	李学鲁	总60	1957年	6期 45页
《现代汉语语音》（李葆瑞）	米青　猷田	总61	1957年	7期 47页
《普通话语音基本知识》（吴朗）	王士襄	总62	1957年	8期 43页
《反切释例》（王祖佑）	米青	总66	1957年	12期 46页
《北京话轻声词汇》（张洵如）	倪寄予	总66	1957年	12期 47页
《四声究竟是什么东西》（陈家康）	杨道经	总67	1958年	1期 43页
《汉语音韵学常识》（唐作藩）	沈士英	总92	1960年	2期 封4
评《普通话正音字表》（普通话语音研究班）	殷默	总93	1960年	3期 146页
读《瀛涯敦煌韵辑》（姜亮夫）	赵振铎	总112	1962年	2期 91页
读王力先生的《诗经韵读》	李葆瑞	总181	1984年	4期 313页
《北京语音实验录》评介（林焘、王理嘉等）	林茂灿	总197	1987年	2期 149页
《诸神的起源》声韵训诂错误举例（何新）	张猛	总208	1989年	1期 64页

《汉语等韵学》读后记(李新魁)	耿振生	总212	1989年	5期	385页
李方桂先生《上古音研究》的几点质疑	陈新雄	总231	1992年	6期	410页
《声韵语源字典》读后记	何九盈	总266	1998年	5期	391页
《李新魁音韵学论集》评介	林伦伦	总266	1998年	5期	392页
《语音学和音系学词典》(中译本)评介	刘现强	总283	2001年	4期	380页

汉 语 词 汇

汉语词汇史随笔(一)汉语、语法	郑奠	总84	1959年	6期	265页
汉语词汇史随笔(二)"活"和"生活";"睡"、"眠"和"睡觉"	郑奠	总85	1959年	7期	329页
汉语词汇史随笔(三)"鸡卵""鸡子"和"鸡蛋";"狗彘"、"豚犬"、"猪狗"	郑奠	总86	1959年	8期	380页
汉语词汇史随笔(四)天空气～空气;火轮船～轮船;远镜～望远镜;火轮车～火车;铁车路～铁路;电气线～电线;翻译官～翻译	郑奠	总87	1959年	9期	436页
汉语词汇史随笔(五)虚字	郑奠	总89	1959年	11期	546页
汉语词汇史随笔(六)修辞	郑奠	总90	1959年	12期	599页
汉语词汇史随笔(七)觉悟	郑奠	总93	1960年	3期	135页
汉语词汇史随笔(八)譬、比、喻、譬喻、比喻	郑奠	总102	1961年	3期	38页
汉语词汇史随笔(九)屦、履、鞋、皮鞋	郑奠	总103	1961年	4期	33页
汉语词汇史随笔(十)农、农夫、农民、农人	郑奠	总105	1961年	6期	37页
词义演变二例(闻、仅·汉语词汇史杂记)	张永言	总91	1960年	1期	33页
文言词是不是现代语的词?	张世禄	总109	1961年	10-11期	91页
究竟什么是文言词?	卢绪元	总102	1961年	3期	3页
语词的形象色彩及其功能	刘叔新	总155	1980年	2期	150页
语汇重要,语汇难	张志公	总202	1988年	1期	36页
关于汉语词汇系统及其发展变化的几点想法	蒋绍愚	总208	1989年	1期	45页
关于汉语词汇史研究的一点思考	张永言 汪维辉	总249	1995年	6期	401页
"大数冠小数"约数表示法源流略考	骆晓平	总254	1996年	5期	369页
关于"大数冠小数"约数表示法的几点补正	二川	总260	1997年	5期	388页

*　　　*　　　*

谈一谈训诂学	陆宗达	总58	1957年	4期	24页
训诂学上的一些问题	王力	总111	1962年	1期	7页

传注训诂例述略	蒋礼鸿		总95	1960年	5期 243页
"四人帮"利用训诂进行反党活动	经本植 李崇智		总147	1978年	4期 276页
谈互文见义	张永鑫		总151	1979年	4期 305页
训诂杂议	洪诚		总152	1979年	5期 363页
反训探原	徐世荣		总157	1980年	4期 272页
美恶同辞例释	孙德宣		总173	1983年	2期 112页
论同步引申	许嘉璐		总196	1987年	1期 50页
施受同辞说补释	孙德宣		总236	1993年	5期 386页
说声训	黄丽丽		总244	1995年	1期 58页
论意域项的赘举、偏举与复举	李运富		总263	1998年	6期 126页

* * *

关于汉语的基本词汇	李向真		总10	1953年	4期 3页
字汇和词汇(答李向真先生)	李荣		总11	1953年	5期 17页
李荣、李向真两位先生关于基本词汇的论文读后感	伯韩		总13	1953年	7期 14页
从一种统计看汉语词汇	林曦		总22	1954年	4期 15页
汉语基本词汇中的几个问题	林焘		总25	1954年	7期 4页
"词汇"是什么?	金湘泽		总36	1955年	6期 34页
从字的组合谈基本词汇	李作南		总54	1956年	12期 14页

汉 语 词 典

必须编辑一部《普通话辞典》	刘永平		总9	1953年	3期 35页
字典应该有计划地出版	杨宇庥		总22	1954年	4期 35页
关于词典的选词工作	孙崇义		总42	1955年	12期 28页
对实用的字典词典的迫切要求	韩镕石		总45	1956年	3期 40页
略谈词典编纂工作如何处理词汇的问题	宁榘		总45	1956年	3期 42页
中型现代汉语词典编纂法(初稿)(上)	郑奠 孙德宣 傅婧 邵荣芬 麦梅翘		总49	1956年	7期 31页
中型现代汉语词典编纂法(初稿)(中)	郑奠 孙德宣 傅婧 邵荣芬 麦梅翘		总50	1956年	8期 39页
中型现代汉语词典编纂法(初稿)(下)	郑奠 孙德宣 傅婧 邵荣芬 麦梅翘		总51	1956年	9期 31页
对《中型现代汉语词典编纂法》的意见	王士襄		总57	1957年	3期 49页
关于汉语词典的编辑工作	吕叔湘		总102	1961年	3期 8页
参加辞书编辑和古籍整理工作的体会	魏建功		总102	1961年	3期 9页
词义注释里的语法问题	李临定		总140	1966年	1期 53页
谈语文词典的释义	吴崇康		总146	1978年	3期 220页
汉语字典词典注音中的几个问题	詹伯慧		总148	1979年	1期 72页
大型汉语字典中的异体字、通假字问题	刘又辛		总151	1979年	4期 253页
同义词词典编纂法的几个问题	张志毅		总158	1980年	5期 353页

标题	作者	总期	年份	期/页
辞书编写与研究工作要有一个更大的发展	语言研究所词典编辑室	总169	1982年	4期 257页
语文词典中百科词汇的注释问题	文大生	总171	1982年	6期 451页
试论双序列结构的民族语-汉语词典	胡增益	总147	1978年	4期 260页
反义词词典收的应是词的最佳反义类聚	张志毅 张庆云	总211	1989年	4期 273页
略论规范型词典的特点——兼论《现代汉语大词典》的收词原则	晁继周	总228	1992年	3期 195页
魏晋南北朝词汇研究与词书的编纂	王小莘	总259	1997年	4期 305页
语文规范标准与规范型字词典的编写	晁继周	总268	1999年	1期 71页
规范型语文辞书的理论思考	李建国	总268	1999年	1期 74页
新语境与新思路——关于新的语言环境与编纂辞书新思路的若干断想	陈原	总269	1999年	2期 146页
语文词典的词性标注问题	郭锐	总269	1999年	2期 150页
汉语辞书中词性标注引发的相关问题	程荣	总270	1999年	3期 218页
汉语词语的表达色彩与语文辞书的释义规范	胡中文	总270	1999年	3期 225页
双字组合与词典收条	周荐	总271	1999年	4期 304页
现代语文性辞书的整体观	张志毅 张庆云	总271	1999年	4期 310页
词的意义、结构的意义与词典释义	谭景春	总274	2000年	1期 69页
规范型辞书与规范标准	苏培成	总276	2000年	3期 276页
汉语辞书中古今关系的处理问题	程荣 毛永波	总280	2001年	1期 66页
单语词典释义的性质与训诂释义方式的继承	王宁	总289	2002年	4期 310页
辞典翻检札记	林昭德	总209	1989年	2期 153页
汉语方言词典收词小议	詹伯慧	总285	2001年	6期 547页
《新华字典》出版三十年	刘庆隆	总178	1984年	1期 35页
在《现代汉语词典》出版二十周年学术研讨会上的发言	胡绳	总235	1993年	4期 241页
在《现代汉语词典》出版二十周年学术研讨会上的讲话(书面发言)	吕叔湘	总235	1993年	4期 243页
《现代汉语词典》审订委员会2002年第一次全体(扩大)会议侧记	寸木	总287	2002年	2期 179页

*　　　　*　　　　*

标题	作者	总期	年份	期/页
词典里如何表现思想性	何梅岑 莫衡 吴崇康	总99	1960年	12期 401页
批判"四人帮"扼杀《现代汉语词典》的罪行	中国社会科学院语言研究所词典编辑室	总144	1978年	1期 37页
划清词典工作中的若干是非界限	陈原	总144	1978年	1期 42页
关于词书的思想性问题	曹先擢	总146	1978年	3期 210页

标题	作者	总期	年份	期/页
批判语文词典编纂工作中形而上学的谬论	谢自立	总146	1978年	3期 215页
*	*	*		
现代汉语词典凡例和样稿	中国科学院语言研究所词典编辑室	总75	1958年	9期 420页
读《辞海》语词条目	陶甫	总156	1980年	3期 228页
《汉语成语考实词典》选例	刘洁修	总165	1981年	6期 432页
《动词用例词典》样条	《动词用例词典》编写组	总179	1984年	2期 89页
《现代汉语形容词用法词典》样条	郑怀德 孟庆海	总222	1991年	3期 175页
*	*	*		
《辞海》词语方面一些问题商榷	张世华	总156	1980年	3期 234页
《辞源》(修订本)注音疑误举例	唐作藩	总183	1984年	6期 470页
《辞源》(修订本)罅漏拾补	颜洽茂	总204	1988年	3期 234页
《辞源》(修订本)补证	张喆生	总225	1991年	6期 460页
《辞源》订误四则	毛远明	总241	1994年	4期 309页
试谈《现代汉语词典》释义方面的一些问题	金天增	总172	1983年	1期 77页
关于《现代汉语词典》释义的几点意见	施建基	总182	1984年	5期 394页
评《现代汉语词典》对异体字的处理	陈抗	总241	1994年	4期 282页
关于"星期"的诠释	胡祖竹	总268	1999年	1期 78页
当代汉语变化与词义历时属性的释义原则——析《现代汉语词典》二、三版中的"旧词语"	苏新春	总275	2000年	2期 174页
"抢²"的释义有待完善	王森	总276	2000年	3期 227页
《现代汉语词典》中的待嵌格式	周荐	总285	2001年	6期 550页
《现代汉语词典》中同形多字词目分析	王楠	总288	2002年	3期 261页
《新华字典》修订本的收字及注音	孟庆海 贾采珠	总267	1998年	6期 425页
对《新华字典》"同"的几点质疑	王继洪	总272	1999年	5期 391页
《宋元语言词典》释义管窥(龙潜庵)	赵宗乙	总210	1989年	3期 232页
《佛学大辞典》罅漏例举	梁晓虹	总256	1996年	6期 471页
《现代汉语规范字典》的一个特点	谢自立	总272	1999年	5期 387页
《王力古汉语字典》及其特色	《王力古汉语字典》编写组	总270	2000年	5期 471页
读《汉语大字典》管见	毛远明	总261	1997年	6期 464页
虫部字释义修正四则	李海霞	总273	1999年	6期 467页
《汉语大字典》反切注音存在的问题	魏钢强	总282	2001年	3期 245页
从汉文佛典俗字看《汉语大字典》的缺漏	郑贤章	总288	2002年	3期 253页
《汉语大字典》引自《释名》的例证	李茂康	总288	2002年	3期 258页
语文辞书利用训诂材料应避免的问题——以《汉语大字典》、《汉语大词典》	王彦坤	总268	1999年	1期 64页

为例				
《汉语大词典》书证中的几个问题	毛远明	总274	2000年	1期 85页
《汉语大词典》一些条目释义续商	王锳	总288	2002年	3期 246页

古 代 词 汇

古汉语中字序对换的双音词	郑奠	总133	1964年	6期 445页
《史记》中字序对换的双音词	韩陈其	总174	1983年	3期 211页
《论衡》中联合式复音词的语义构成	程湘清	总176	1983年	5期 344页
《论衡》中联合式双音词在现代汉语中的变化	程湘清	总183	1984年	6期 457页
《孟子》与《孟子章句》复音词构词法比较	李智泽	总206	1988年	5期 386页
中古诗歌附加式双音词举例	王云路	总272	1999年	5期 370页
当今"联绵字":传统名称的"挪用"	陈瑞衡	总211	1989年	4期 308页
是误解不是"挪用"——兼谈古今联绵字观念上的差异	李运富	总224	1991年	5期 383页
试论叠韵连绵字的统谐规律	郭小武	总234	1993年	3期 209页
古汉语同义词及其辨析方法	洪成玉	总177	1983年	6期 457页
古汉语的词义渗透	孙雍长	总186	1985年	3期 207页
《古汉语的词义渗透》献疑	朱城	总224	1991年	5期 390页
古汉语表年龄的语词及其文化背景	王海棻 吴可颖	总242	1994年	5期 368页
对《古汉语表年龄的语词及其文化背景》的补充	薛晓平	总260	1997年	5期 387页
东汉语料与词汇史研究刍议	方一新	总251	1996年	2期 140页
《史记》已有"不听"	叶爱国	总257	1997年	2期 121页
"不听"作"不允许"解的始见年代及书证	谢质彬	总274	2000年	1期 67页
"不听"作"不允许"解的始见年代及书证	萧红	总282	2001年	3期 279页
汉魏六朝"年(岁)"、"月"、"日"的表达	刘百顺	总261	1997年	6期 459页
医用古籍通假字训诂举误	陈增岳	总262	1998年	1期 29页
同义连用辨析	谢质彬	总214	1990年	1期 59页

* * *

词义札记社稷之固也、释憾、淬杀鹅、少加孤露,母兄见骄、雾鬓风鬟	黄钺	总131	1964年	4期 319页
词义辨惑乍、平居、隐然、爪牙	何九盈	总134	1965年	1期 49页
古语文随笔	王泗原	总146	1978年	3期 189页
"下视其辙,登轼而望之"辩——与《古语文随笔》作者商榷	陈富槐 彭延铭	总148	1979年	1期 70页
古"登"字有凭义——兼谈"登轼而望之"	孙雍长	总259	1997年	4期 311页
古汉语词义札记包弹、驳弹;治鱼;信;仅;何	郭在贻	总149	1979年	2期 125页

标题	作者	总期	年份	期页
许;角;料理;尔尔				
古汉语语词札记辍、来、已来、从容、略	信应举	总157	1980年	4期 292页
读书杂记二则"堂堂国者"质疑、试说"其觫""有捄"与"俅俅"	杨建国	总160	1981年	1期 63页
词义琐记角、委、回、错、扑朔、黄鹏与青蝇、蛇号为鱼	张永言	总166	1982年	1期 28页
古汉语词义札记果、枭雄、坤维、庙堂	何九盈	总172	1983年	1期 57页
古汉语词义琐记何许 何所、方舟、烂漫	黄灵庚	总175	1983年	4期 284页
词义札记踌躇、从头、丁宁、端居、俀悷、落后、迤逦、咫尺	李崇兴	总176	1983年	5期 381页
词义札记颓然、不行、夏屋、天保	宋子然	总180	1984年	3期 232页
词义商榷赤子、幽人、商旅、恶、自今	何九盈	总197	1987年	2期 141页
语词札记鸣足、奖率、悖乱	万久富 戴建华 谢质彬 李文明	总210	1989年	3期 237页
语词札记龙断、介、砀、攲	尹黎云 李维琦	总211	1989年	4期 316页
语词札记慕、施从	顾久 连登岗	总223	1991年	4期 304页
语词札记废	马固钢	总224	1991年	5期 395页
《荀子·天论》语文札记三则如是者虽深、官人守天而自为守道也、地有常数矣	陈玄荣	总159	1980年	6期 448页
《论语》《孟子》中的"对曰"	王学勤	总162	1981年	3期 221页
读《战国策》小札	何建章	总164	1981年	5期 389页
读《三国志》(一)(二)自、然赞、迎、部	程远	总170	1982年	5期 394页
晋南北朝乐府民歌词语释波、纬、笼窗荡户、檐篙、注口、料 料理、坐见	樊维纲	总159	1980年	6期 461页
魏晋南北朝词语考释不用、拂 拂拭、空、亲、投掷 掷投 透掷、喜、写	蔡镜浩	总189	1985年	6期 442页
魏晋南北朝佛经翻译中的几个俗词语瞻瞻视、降、生、缘	蔡镜浩	总208	1989年	1期 75页
魏晋南北朝史书语词琐记了鸟、笼东、搜牢、老革、最差、讨差、差过、空空 容容、废居、塞 报塞、今段 此段 是段、回改 回革	郭在贻	总218	1990年	5期 371页
魏晋南北朝疑难词语辨析三则护前、剔嬲 摘娆 摘剔、杀 栅	王继如	总218	1990年	5期 376页
汉魏六朝俗语词杂释谐偶、谐耦、标位、小行 大行、讹、形调 形笑 形皆、宕、戬、言念言、评详、逮、代	方一新	总226	1992年	1期 64页
魏晋南北朝语词零札:指授、指取	黄征	总234	1993年	3期 231页
中古汉语词汇通释两则儿客、校饰	何亚南	总261	1997年	6期 454页
中古汉语词汇考释三则要、卧出、光饰	何亚南	总282	2001年	3期 258页

标题	作者	总期	年份	期/页
同形反义之"下"字	王柯	总275	2000年	2期171页
佛经翻译与中古汉语词汇二题	朱庆之	总215	1990年	2期151页
试论佛典翻译对中古汉语词汇发展的若干影响	朱庆之	总229	1992年	4期297页
先唐佛经词语札记六则 便转、出息、勤苦、生藏 熟藏、问、拎	汪维辉	总257	1997年	2期147页
读逯注《陶渊明集》札记	蒋宗许	总198	1987年	3期208页
杜诗与唐代口语	杜仲陵	总165	1981年	6期458页
《杜诗与唐代口语》读后	刘钧杰	总170	1982年	5期381页
关于《杜诗与唐代口语》的几点说明 ——答刘钧杰同志提出的三点意见	杜仲陵	总174	1983年	3期227页
再说《杜诗与唐代口语》	刘钧杰	总178	1984年	1期 69页
唐宋诗词语零札烂漫、差池	王锳	总166	1982年	1期 61页
唐诗词语拾零次、腾腾、科	曾仲珊	总175	1983年	4期306页
唐代白话诗释词蛆姞、蛆儜、浑浑、时对、波吒、解邋、膊擔、惭贺、椅 撟、伕	郭在贻	总177	1983年	6期443页
唐诗语词札记战胜、著莫、时、老头、丫头	马国强	总208	1989年	1期 73页
对《唐诗词语札记(二)》的一点补充	崔山佳	总210	1989年	3期175页
读《经传释词》志疑	刘如瑛	总180	1984年	3期234页
读《读书杂志》札记耳目、行十余日、当贤	管锡华	总181	1984年	4期308页
读《读书杂志》札记成名况乎、不正爵禄、民不探、备追、可得料也、内總其德、重其子此疢于隊、出死断亡而愉、为友	王云路	总190	1986年	1期 70页
读王力《汉语词汇史》札记稍、泪、饿 饥、走	罗正坚	总234	1993年	3期235页

* * *

标题	作者	总期	年份	期/页
谈"何物"	田树生	总71	1958年	5期239页
"闻"的转义用法时代还要早	孟伦	总95	1960年	5期216页
再谈"闻"的词义问题	张永言	总115	1962年	5期229页
关于"闻"的词义	傅东华	总119	1962年	10期480页
"闻"的词义问题	殷孟伦	总120	1962年	11期496页
"几多"是什么时候出现的？	张永言	总97	1960年	10期326页
"错"字在唐代以前就有了"错误"义	张永言	总100	1961年	1期 6页
"错"的"错误"义不始于唐	赵新德	总198	1987年	3期233页
"错"有"错误"义不晚于汉末	吴金华	总209	1989年	2期148页
"八哥"这个词的来历	陆琛	总100	1961年	1期 15页
"风格"考原	张须	总109	1961年	10期 95页
"信"的"书信"义不始于唐代	张永言	总114	1962年	4期166页
信的书信义究竟起于何时	郭在贻	总181	1984年	4期307页
信的书信义的更早例证	李文明	总192	1986年	3期239页

《信的书信义的更早例证》质疑	谢质彬	总195	1986年	6期452页
"不廷""不庭"说	杨伯峻	总125	1963年	4期282页
释十二、三十六、七十二	朱祖延	总147	1978年	4期248页
再说"十二"	叶九如	总152	1979年	5期381页
"练实"就是"楝实"	艾白薇	总151	1979年	4期313页
"可"作"何"用——语文质疑录之二	杨伯峻	总151	1979年	4期306页
《诗·衡门》中"可"作"何"用质疑	杨仲瑜	总154	1980年	1期68页
"有教无类"的"有"字	黄六平	总151	1979年	4期308页
"参差"词义辨补	洪静渊	总152	1979年	5期387页
说"骹"	刘又辛	总155	1980年	2期112页
"行李"词义的商榷	马锡鉴 周梦江	总156	1980年	3期194页
向日葵不向日（释"葵藿"）	野夫	总158	1980年	5期400页
释"平居"	王依民	总159	1980年	6期466页
古国、族名前的"有"字新解	黄奇逸	总160	1981年	1期54页
释"匆匆""无赖"	郭在贻	总160	1981年	1期64页
"三二京,四三都"解	陈涛	总160	1981年	1期71页
"四三王、六五霸"非约数	叶爱国	总263	1998年	2期160页
"去来"释义商榷	黄灵庚	总162	1981年	3期223页
"白日"与"红日"	陈白夜	总163	1981年	4期304页
"红日"一词产生于初唐	张荣国 黄维	总169	1982年	4期278页
关于"颖脱而出"	陈秉新	总163	1981年	4期317页
"颖脱"新解	王继如	总167	1982年	2期132页
关于"颖脱而出"的训释	陈秉新	总172	1983年	1期66页
"颖脱"是否一个词	许庄叔	总172	1983年	1期70页
释"方将"	楚永安	总163	1981年	4期318页
"面缚"新解	黄金贵	总163	1981年	4期320页
"不论"释义质疑	张涌泉	总166	1982年	1期6页
"地"的"分辨"古义试证	祝注先	总166	1982年	1期55页
释"努力"	郭在贻	总166	1982年	1期60页
"努力"释义商榷	刘百顺	总183	1984年	6期461页
"仿"字新解	吴琦幸	总166	1982年	1期65页
释"要"	吴裕衡	总170	1982年	5期383页
"乐岁终身饱"的"身"	张归璧	总170	1982年	5期391页
也谈"乐岁终身饱"	朱城	总207	1988年	6期458页
再谈"乐岁终身饱"的"身"	张归璧	总221	1991年	2期144页
"太阳"变为"日"的别名的时代	吴金华	总171	1982年	6期450页
"轶"字考述	李新魁	总172	1983年	1期61页
治鱼	潘荣生	总173	1983年	2期125页
屠宰牲畜曰"治"	潘荣生	总188	1985年	5期373页

篇名	作者		总期	年份	期/页
也说"治"	董志翘		总198	1987年	3期 212页
"治鱼"补说	刘坚		总201	1987年	6期 419页
对《"治鱼"补说》的一点补充	吴海		总206	1988年	5期 395页
"屋"字义释	孙克东		总174	1983年	3期 221页
"固时俗之工巧兮"的"工巧"	易祖洛		总174	1983年	3期 223页
"耳提面命"常解商兑	王克仲		总174	1983年	3期 216页
《"耳提面命"常解商兑》质疑(一)(二)	许庄叔	艾萌	总179	1984年	2期 154页
"耳提面命"常解	吕长仲		总183	1984年	6期 467页
说"燧"	文安朗		总175	1983年	4期 280页
孤、寡人、不穀新诠	夏渌		总175	1983年	4期 288页
《论语》"自行束脩以上吾未尝无诲焉"正义	姜可瑜		总176	1983年	5期 351页
"停烛"本义	杨柳桥		总176	1983年	5期 363页
论凷	夏延章		总176	1983年	5期 364页
《上林赋》注一例质疑	毕庶春		总176	1983年	5期 384页
"雩"的语源记疑	蒋礼鸿		总177	1983年	6期 475页
也说"烂漫"	黄金贵		总178	1984年	1期 64页
关于"烂漫"	郭小武	叶青	总183	1984年	6期 464页
再说"烂漫"	黄灵庚		总183	1984年	6期 465页
"仓颉独传者壹也"的"壹"	宇文斌		总179	1984年	2期 封3
"眉寿"释义商榷	夏渌		总181	1984年	4期 306页
释"眉寿"	杨柳桥		总188	1985年	5期 388页
"眉寿"释义的再商榷	夏渌		总206	1988年	5期 350页
"然疑"辨义	董志翘		总181	1984年	4期 312页
格外	边吉		总182	1984年	5期 337页
"卑之毋甚高论"新诠	钱剑夫		总182	1984年	5期 391页
《"卑之毋甚高论"新诠》商榷	谢质彬		总205	1988年	4期 314页
"二、两、双、再"用法比较	周生亚		总183	1984年	6期 445页
"寤生"解	邱鸣皋		总183	1984年	6期 466页
《尚书·洪范》"土爰稼穑"解	俞敏		总184	1985年	1期 21页
"言,讼也"考	甄尚灵		总185	1985年	2期 115页
释"良"	何金松		总186	1985年	3期 220页
也谈古国名前的"有"字	秦建明	张懋镕	总187	1985年	4期 286页
"脚"有"足"义始于何时?	董志翘		总188	1985年	5期 372页
"脚"有"足"义始于汉末	吴金华		总193	1986年	4期 276页
"履舄交错"释义辨正	任远		总188	1985年	5期 374页
释《诗经》"将子无怒"之"怒"	宋永培	苏宝荣	总189	1985年	6期 445页
也谈"将子无怒"之"怒"	雷庆翼		总193	1986年	4期 313页
"谁何"解	胡从曾		总190	1986年	1期 61页

标题	作者	总期	年份	期页
"谁何"解惑	张家英	总197	1987年	2期146页
也谈"谁何"	谢鸣雄	总197	1987年	2期148页
"卒暴""部"义辨	吴金华	总191	1986年	2期115页
古汉语的"望"和"相望"	麦梅翘	总192	1986年	3期234页
"相望"释义商兑	张斯忠	总205	1988年	4期313页
"赍以姜枣"辨释	张耕夫	总193	1986年	4期312页
释"杯"	蔡镜浩	总193	1986年	4期314页
"小子"释义辨正	夏渌	总193	1986年	4期316页
"日居月诸"训释刍议	王克仲	总195	1986年	6期470页
"日居月诸"故训析疑	孙德宣	总207	1988年	6期472页
说"饫"	姚振武	总195	1986年	6期472页
关于"寥寥"	劼岫	总195	1986年	6期475页
《诗经》已说到"日"的颜色	曾钢城	总196	1987年	1期 12页
《〈诗经〉已说到"日"的颜色》质疑	周绍恒	总211	1989年	4期242页
释"悖乱"	何中冬	总197	1987年	2期143页
"新发于硎"解	谢质彬	总198	1987年	3期232页
"胝"字考	冯士文	总199	1987年	4期281页
说"屯(纯)、镇、衡"	朱德熙	总204	1988年	3期161页
"赤子"为"尺子"说质疑	郭锦华	总204	1988年	3期232页
"赤子"商榷	朱城	总204	1988年	3期233页
誓辞"有如"注解质疑	钱宗武	总205	1988年	4期311页
"三岁食贫"中的"食贫"释义商兑	曾钢城	总206	1988年	5期396页
关于"外后日"的说法	杨发兴 王志勇	总207	1988年	6期438页
"外后日"补例	吴辛丑	总219	1990年	6期432页
关于"按图索骥"出处中的两句引文	劼岫	总207	1988年	6期476页
"护前"商榷	龙潜庵	总208	1989年	1期 63页
说"用"的"才能"义	骆晓平	总208	1989年	1期 79页
"狼狈"用"急速"义	邵则遂	总209	1989年	2期152页
《诗》"言既遂矣,至于暴矣"解	罗英凤	总209	1989年	2期155页
屦、履考	张标	总212	1989年	5期383页
《诗经》的"薄""言"和"薄言"	陈士林	总213	1989年	6期472页
卜辞中"暨"的用法	张玉金	总214	1990年	1期 49页
《辞源》"辟纑"释义辨正	张家英	总215	1990年	2期116页
论"醋、酢"互易	李新魁	总215	1990年	2期145页
"匍匐"是叠韵,还是双声?	张耕夫	总215	1990年	2期160页
其、厥考辨	唐钰明	总217	1990年	4期293页
"为报"并非"只能理解为'替我告诉'"	崔山佳	总220	1991年	1期 9页
"诸将行道亡者"之"行"当读作"行路"之"行"	梁玉民	总220	1991年	1期 33页

标题	作者	总期	年份	期/页
"东"的"外方"义	艾荫范	总220	1991年	1期 73页
释"军实""侵官"	赵丕杰	总220	1991年	1期 75页
"方将"有"将要"义	廖振佑	总221	1991年	2期 126页
《〈诗·新台〉鸿字说》辨	马承玉	总221	1991年	2期 143页
释童蒙、四海	刘钧杰	总223	1991年	4期 296页
"阿母"最早见于《史记》	王卯根	总224	1991年	5期 387页
释"故"	蒋宗许	总224	1991年	5期 399页
《诗经》"木"字说	邢公畹	总225	1991年	6期 449页
释"还归细柳营"中的"还"	郭征宇	总227	1992年	2期 108页
也释"废"	肖旭	总227	1992年	2期 135页
释"妓""婓"	郑红	总228	1992年	3期 205页
"和"非錞于	谢芳庆	总228	1992年	3期 237页
《山海经》中的"原"	王宗祥	总242	1994年	5期 398页
"椴树"应作"椵树"——《说文段注》失误一例	孙文采	总242	1994年	5期 封3
释"八"	胡渐逵	总244	1995年	1期 75页
"八"表虚数	陈中发	总244	1995年	1期 76页
"十八变"本为实指	党怀兴	总260	1997年	5期 383页
《庄子·逍遥游》"六月息"新解	史佩信	总245	1995年	2期 143页
"郑伯克段于鄢"的"鄢"	荆贵生	总245	1995年	2期 145页
论"識""幟"两字的音义分化	黄坤尧	总249	1995年	6期 442页
释"搜牢"	蒋宗许	总250	1996年	1期 49页
也释"搜牢"	肖旭	总259	1997年	4期 276页
"搜牢"考	叶爱国	总264	1998年	3期 180页
"搜牢"索解	何亚南	总264	1998年	3期 238页
"搜牢"小议	杜清军	总264	1998年	3期 239页
再谈"搜牢"	袁津琥	总264	1998年	3期 240页
《方言》无"阿"	叶爱国	总250	1996年	1期 58页
"姑舅、姑嫜、公婆"浅释	殷寄明	总250	1996年	1期 63页
银雀山汉简考释三则	陈伟武	总250	1996年	1期 68页
"绝苦俞根"新释	张悦	总260	1997年	5期 386页
"精采"探源	王云路	总252	1996年	3期 235页
"膑脚"考辨	邓明	总253	1996年	4期 295页
"双"、"两"释异	傅力	总254	1996年	5期 382页
"蔡蔡叔"辨诂	李国正	总258	1997年	3期 212页
"睡觉"古今音义漫议	杨守敬	总254	1996年	5期 389页
读《"睡觉"古今音义漫议》有感	曹剑芬	总258	1997年	3期 240页
关于"睡觉"成词的时代	王锳	总259	1997年	4期 315页
释"苛政"	郑涛	总259	1997年	4期 316页

标题	作者	总期	年份	期/页
俞樾《古书疑义举例》一失之我见	许威汉	总260	1997年	5期 382页
考古证实"坑杀"并非活埋	孙继民	总260	1997年	5期 392页
"儿女子"并非"妇人小子"	郭松柏 刘有志	总261	1997年	6期 458页
《尔雅·释亲》札记——论"姐"、"哥"词义的演变	张清常	总263	1998年	2期 137页
《尔雅》"拼、抨,使也；拼、抨,从也"考辨	郭鹏飞	总275	2000年	2期 164页
睡虎地秦简核诂	陈伟武	总263	1998年	2期 142页
《尚书》"祝降时丧"新释	张悦	总267	1998年	6期 470页
《吕氏春秋》中的"苦僞"	王志平	总268	1999年	1期 62页
"荆棘铜驼"何所喻	戴建华	总268	1999年	1期 63页
"蛙鸣"和"公私蛙鸣"	陈汝法	总269	1999年	2期 145页
对"滑稽"等连绵字的分析与认识	马麦贞	总270	1999年	3期 215页
东汉人已用"花"字	周俊勋	总271	1999年	4期 274页
"荼"与"茶"	蒋竹荪	总272	1999年	5期 359页
说"郎"	俞理明	总273	1999年	6期 445页
《诗·静女》"静"字解	熊焰	总273	1999年	6期 464页
"郑伯"之"伯"非伯爵	孙良明	总274	2000年	1期 65页
"聋""盲"同源	游顺钊	总277	2000年	4期 327页
吐鲁蕃出土随葬衣物疏的物量词例释	颜秀萍	总281	2001年	2期 188页
草马"探源"	曾良	总282	2001年	3期 283页
金文的"者"	赵诚	总282	2001年	3期 267页
《天问》"后帝不若"解诂	单周尧	总283	2001年	4期 370页
以秦墓竹简印证《说文》说解	魏德胜	总283	2001年	4期 373页
秦简字词考释四则	王贵元	总283	2001年	4期 377页
秦汉简帛补释	陈伟武	总286	2002年	1期 80页
"窈窕"考	刘毓庆	总287	2002年	2期 156页
"夷陵"与"彝陵"	郑铁生	总288	2002年	3期 283页

近代词汇

标题	作者	总期	年份	期/页
关于宋元话本俗语方言的整理	张永绵	总66	1957年	12期 封底
宋元语词札记 食次、打䫏殖、文字、当面、撮哺	龙潜庵	总152	1979年	5期 383页
近代汉语中字序对换的双音词	张永绵	总156	1980年	3期 177页
略谈唐宋以后一些词的新义	杜仲陵	总158	1980年	5期 368页
古方言俗语词零拾合下、荼、荼荼、兀剌赤、庵老、抬贴、拔白、梢、黄妳、偻罗、空头、戾家、埋梦、盐	卢润祥	总181	1984年	4期 310页
唐宋笔记语词释义不足、称首、分析 开析、何处、回 回换、计会 济会、冥寞、牛腰、使者、通、应	王锳	总196	1987年	1期 58页

唐五代文献词语考释五则得色得力、于博谚、贪祥、诣实 指实 的实 指的 指适(的的 适适)	董志翘	总275	2000年	2期 159页
俚语以"牧童"为"芒儿"小考	潘荣生	总235	1993年	4期 314页
"芒儿"义是"村民"	阚绪良	总241	1994年	4期 310页
《入唐求法巡禮行記》的词汇特点及其在中古汉语词汇史研究上的价值	董志翘	总269	1999年	2期 137页
佛教典籍与近代汉语口语	梁晓虹	总228	1992年	3期 225页
"其名自呼"的命名法	俞信芳	总234	1993年	3期 封3

　　　　　　　*　　　*　　　*

谈《西厢记》的词语解释演撒、即即世世、梅红罗软帘、闲磕牙、不良	张心逸	总82	1959年	4期 185页
敦煌变文词语研究	徐复	总107	1961年	8期 29页
敦煌变文中的双音连词	胡竹安	总109	1961年	10期 41页
读《敦煌变文字义通释》偶记阿郎、手力、共事、委、知委、委知、为当、为复、为是	张永言	总130	1964年	3期 238页
《敦煌资料》（第一辑）词释椊薗、苊籬、不在、东西、东西不在、不在有东西、不平善、东西不善、东西不平善、道上不平善、路上般次不善、东西逃避、迁变、大例、大例、大礼、不喜、不意、不计喜、死生、着积、行巷、蹭蹬、床、漏併、偏併、剎仗、月抽钱、伯师、犃牛、自牛、寒盗、寒道、枯枠、枯觜、分枝、然则、加谤、觉、又准能、因缘、牵犨、犟夺、拽、活业、家活产业、驱驱、抛敲、抛涤	蒋礼鸿	总145	1978年	2期 110页
敦煌变文词语校释拾遗撻、於、途步、屑角、楔水蓬飞、琮、懷協、胶胶、鞘鞯、熠、勃籠、鞭恥、忘空便额、醾酾、册、舁、申、髎、赤、呕喘、说公白健、退颖、掇、惑、璞璞、渣、帐、觚、闼、恻、填、冞、结周、廷、济齒、斧侧、唷、犵、分、菨、乘、筋吒、辟牒、胧、喚喚、皎皎、曾、崖柴、夏泰、亂、朦脬、敢昭、酸屑、橄、撒、解、鞭鞻、囧、搐	陈治文	总167	1982年	2期 119页
敦煌变文里的"熠没"和"冞(举)"字	梅祖麟	总172	1983年	1期 44页
敦煌变文语词校释商兑贪俗、拾较、发业、不辞、有命、尚来、寒豪、绁马、掉举、间	项楚	总187	1985年	4期 312页
敦煌变文词义商榷琮、剧、排谐、功课、济虚	董希谦 马国强	总225	1991年	6期 467页
敦煌文书疑难词语辨释四则逗遛 逗留、诣实、觅、弔	张涌泉	总250	1996年	1期 59页
关于《刘知远诸宫调》残卷词语的校释	刘坚	总130	1964年	3期 231页

补《关于金刻〈刘知远诸宫调〉的校注》	张星逸		总138	1965年	5期 389页
读《刘知远诸宫调》	蒋礼鸿		总139	1965年	6期 480页
《刘知远诸宫调》校读	陈治文		总142	1966年	3期 219页
《刘知远诸宫调》词语选释冲席(席)、弟一、笃磨、酒务、务、老母、論、姊妹	廖珣英	蓝立蓂	总154	1980年	1期 50页
广陵刻印校补本《成化新编刘知远还乡白兔记》补正	胡竹安		总181	1984年	4期 301页
诗词曲语辞举例边、不论、参差、处、当、贵、还、将谓、空、想	王锳		总146	1978年	3期 193页
诗词曲词语杂释	林昭德		总156	1980年	3期 184页
诗词曲语辞义补假、属、作、骎骎、拍、注意、盘礴、倚阁	王锳		总173	1983年	2期 141页
诗词曲语辞释义续补闹、谩、时节、是、无处所、惜	王锳		总180	1984年	3期 226页
诗词曲词义析疑三则颠答 低答、闹篮劳蓝、抹搭	段观宋		总220	1991年	1期 70页
诗词曲语词考释六则朝廷、赤瑅糶、哆侈哆咥、笃耨、应、学	段观宋		总237	1993年	6期 462页
古典戏剧口语词释疑七则赖秀、漏面贼、黑阁落、恶水、四百四病、正法、落解粥	王永炳		总260	1997年	5期 379页
《太平广记》里的俗语词考释乖角、乖觉、蓝捳、靓旬、行滥、发动、真、不调、却、却还、却返、却归、却迴、却退、却后、还却归、归却还、校	郭在贻		总154	1980年	1期 46页
元代杂剧中的若干译语	蔡美彪		总55	1957年	1期 34页
元人杂剧语词释义嚷、一陌、玉兔胡(鹘)、五裂篾迭、两头白面、毬楼亮槅、半籁箕头钱扑个复纯	温公翊		总156	1980年	3期 186页
元曲通假字、俗语词考辨去秋、间谍、只、撚、渗、併	王锳		总169	1982年	4期 310页
元曲词语札记了达、刁搔、歹事头、机见、动静、过遣、承头、阿那忽、挡拾、参差、板搭、罗惹、浪包娄、追陪、捞笼、推称、惶恐、谿落	宋商		总171	1982年	6期 423页
《永乐大典戏文三种校注》《元本琵琶记校注》斠补	胡竹安		总176	1983年	5期 375页
元曲词语今证搦、母儿、剔、抹搭	李申		总176	1983年	5期 385页
关于《戏曲词语汇释》的几点异议庄科、荘科、脱坯、助财、拿粗挟细、拏粗挟细、挟细拿	李之亮		总176	1983年	5期 388页

粗、支刺、朝冶				
《戏曲词语汇释》注释商榷助财、掟、诘调、乾支刺、三板儿、上台盘、分茶、消得、咱人、嗓磕、捆就、吊腰撒跨、黑阁落、碌都、艳、一抄、剔腾、踢腾、浑纯、无常、嗛、余滥、砂子地里放屁、伯、翅趄	刘凯鸣	总177	1983年	6期 447页
《元曲释词》商补叉手、辰勾、点汤	王迈	总192	1986年	3期 232页
元曲词语释义九则商补尧婆、妨杀、毒、眼扎毛、回和、剪、扯叶儿、稍瓜、筛酒	董绍克	总217	1990年	4期 304页
《儿女英雄传》语汇释一纳头、一乖乖、一冲性儿、一家不成,两家现在、人轮子、三分匠人,七分主人、下场门、干了、口划、小不起、小车豁子儿、扎上口袋嘴儿、不咱、不象、不防头、不搁当儿、不要命喝粥了、不用澄了、连汤儿吃、五供、风火事儿、打游飞、打自得儿、东西两庙、玉兔金、金丝哈、世街上、左缝眼儿活、叫短了、四鬓刀裁、白、白出身、扫脑儿、扫地出门、红货铺、红姑娘儿、老妈妈论儿、老天隔不了一层纸、百吗儿似的、吃白斋、守、守着钱粮儿过、齐全人、诈关儿、里外发烧、投、抖积伶儿、足、伴宿、没溜儿、武不善作、卖嚷儿、拍花、抱、呸!我们死鬼、官板儿、背住扣子、拾、挖单、看坟的打抽丰、怎吗儿、亮合子摇、丝丝拉拉、迷了攒儿、首七、架桩、倒座儿、海里奔、哝噜串儿、晃瓢了、温毛了、黏裹、黏筏子、盐从那么咸,醋打那么酸、盘头大闺女、黄金入柜、掉歪、痒痒筋儿、铜镟子、救月儿、搁着你、傲怄儿、逼扣、填馅、填还人、靴掖儿、渗、滞碾、溜扫、漂了、撒酥儿、疑相、龆旧、撒和、撬猪的一大嘟噜、噶点儿、脞调、鹜宝、整脸儿、踹落踹落、翻梢、矗矗	弥松颐	总164	1981年	5期 351页
校注本《儿女英雄传》注商略巴棍子、白蜡杆子、不当家花拉的、抄着手、抖积伶儿、留着祭灶、稿、浇裹、看坟的打抽丰、克食、抡圆里、盘儿、皮子、坛子胡同、挖单、伏地扣子、漂了、话白儿、镑张	隋文昭	总195	1986年	6期 463页
《小说词语汇释》误释举例子马、打龊、串打、心影、迷了攒儿、都都摸摸、摙溜子、头信、麻虮叮腿、二不破妈妈头主子、失花儿、盆吊、乌鸦闪蛋、挂钩子、绰经、	白维国	总165	1981年	6期 452页

瞎炒蛋、蹓狗尾儿、两头白面、天鹅倒大、海青倒小、弔喉、老气、毬脸弹子、累捎、作头、丢搭、燥不搭、乐得、一扎头、一蹅头、一揽包收、唧唧呱呱、搭、著紧、搅脚、一窝子、一搅果、没张置、见经识经、见精识精、偏倍、偏陪、看看、别扭、榔杭、狼犺、扎筏子、折登、折蹬、掉歪、调歪、梯己、体己、脱滑儿、躲滑儿、不荤不素、多应、没理论、放死放活				
《小说词语汇释》拾误喃、撒摔、逼脸、发送、离了眼、一嘟噜、挂幌子、站干岸儿、胡弄局、苦绷苦拽、捻手捻脚、打破头屑、蝎蝎螫螫、涎脸涎皮、杀鸡抹脖儿、一年大二年小	黄佩文	总198	1987年	3期213页
《张协状元》词语选释塔鼓、哩哂啰哂、盘街、搬、酒库	赵日和	总168	1982年	3期181页
《祖堂集》词语试释不审、唱、承闻、承、第一、方便、个、好、决定、可笑、你、他后、谓言、直得、直下	蒋绍愚	总185	1985年	2期142页
《义府续貂》献疑嗎、称、麈诈	刘凯鸣	总186	1985年	3期217页
小说词语释义辨误带肚子、含脸、挂钩子、胡二巴越、二不稜登、讨愧、外好里枒槎、怪树怪丫叉、意意思思、猎古调、和剌、偏倍、偏陪、皮松肉紧	张鹤泉	总188	1985年	5期369页
王梵志诗校注辨正	刘瑞明	总189	1985年	6期456页
王梵志诗释词查郎、躺儿、绢筐、呼唤、颉颃、解须、楷赤、便贷、穷查、老头、去、追曲、五郡、隐	项楚	总193	1986年	4期281页
王梵志诗校释拾补土角触、虹骅、兀雷、例头、闻、料、较些子、角眼、蛆蛄、蛆伫、光常空	郭在贻	总196	1987年	1期 71页
《王梵志诗校辑》注商榷却活、却、趁却、饶、参差、较些子	信应举	总196	1987年	1期 75页
王梵志诗"脆风坏"考	朱庆之	总285	2001年	6期565页
《五灯会元》词语释义振(振)触、指注、良久、荐、一上、著精彩、宛然、特地	袁宾	总194	1986年	5期377页
《五灯会元》语词考释指注、趣越、赤骨力、触器、触衣、巴鼻、踔跳、签、顶颡、茶糊、赚	董志翘	总214	1990年	1期 64页
《红楼梦》"白"字来源探疑	钟兆华	总196	1987年	1期 63页
八卷本《搜神记》语言的时代	江蓝生	总199	1987年	4期295页
《水浒传》双音动词的"等义并行"现象	郭齐	总203	1988年	2期146页
《醒世姻缘传》词语注释商榷灯草拐、漫、赖象嗑瓜子、长嗓黄、礓磰子、游湖、桶下、臭声、头正、寡骨面、麻蚍丁腿、穷的嗤骡子气、	隋文昭	总205	1988年	4期302页

标题	作者		总期	年份	期/页
擦头皮儿来、紧仔、紧则你爷甚么、胎孩、猱了头、掠掇、二不棱登					
《醒世姻缘传》注释匡议号、大大法法、投到、头、打拦头雷、插、撩、不待家、尖尖、络越子、箍子、薄屎劳、长嗓黄	刘凯鸣		总205	1988年	4期 308页
关于《金瓶梅》中数条语词的诠释	李之亮		总210	1989年	3期 223页
《金瓶梅词典》释义商补乌眼鸡、双火同儿、拔步床、定油、细疾、栈、臭烟、流星门、疾厄宫、金定娄金狗	王迈		总222	1991年	3期 235页
《金瓶梅》某些词语释义和字形问题	张鸿魁		总233	1993年	2期 153页
《金瓶梅》语词短札符儿、凄、皮子、插、擦、北羊	张喆生		总233	1993年	2期 157页
《金瓶梅》歇后语七则解诂	隋文昭		总268	1999年	1期 54页
"搞"字的发明权及其他——读《金瓶梅语词溯源》	孟昭连		总268	1999年	1期 58页
《金瓶梅》"扛"字音义及字形讹变——近代汉语词语训释方法探讨	张鸿魁		总240	1994年	3期 221页
《金瓶梅》中"扛"字音义再议	何亚南		总259	1997年	4期 313页
车王府曲本语词札记五七、我朕、所、从、往、行	陈伟武		总216	1990年	3期 207页
《世说新语》词义散记俭、喜踊、道、损、商略、晦	方一新		总219	1990年	6期 454页
《世说新语》语词小札阿瓜、何物、淘、愒、将肘、挺动、解	王建设		总219	1990年	6期 457页
《世说新语》释词琐记为、与、看、射、输、报、浑天 转、出西、要当	刘尚慈		总252	1996年	3期 229页
《世说新语》词语考辨弥日、绵慑、服膺、风领毛骨、扇障面、款杂	汪维辉		总275	2000年	2期 154页
朱子语类词语杂释管 以管窥天、大拍头、樸子 樸素子、后手	姚振武		总237	1993年	6期 465页
南朝人撰三种《观世音应验记》词义琐记六则踊、称、至到、人骑、拟、倚	方一新		总281	2001年	2期 156页
《一切经音义》与词语探源腿、喝、塔、搭、末香、铧锹、笪、团头	姚永铭		总281	2001年	2期 166页
语词杂说包弹、治、肮脏、寻常、只	刘坚		总145	1978年	2期 115页
语词琐记参差、词头、淡泞、荡、将、女真、手力、同情、委屈、以来	孙德宣		总149	1979年	2期 128页
词语释义商兑生色、挡搜、影响、颠扑不破	乐东甫		总178	1984年	1期 58页
语词札记食堂、乡进士、力夫 力者 走使者、挂幌子、评论	梁晓虹 曾华强	梁赞宏 曹澂明	李廷安	总209 1989年	2期 157页

标题	作者	总期	年份	期页
语词札记十米九糠 一上	马恒军 张美兰	总210	1989年	3期237页
俗语探源波浪、惭愧、官不容针、合作、将谓连台拗倒、劣、磨旗	王锳	总210	1989年	3期220页
语词札记七青八黄、三六九、喃、忙、多嗜	刘瑞明 望元 关德仁 李文明	总211	1989年	4期315页
语词札记休打谩评跋、下老实	曹澂明	总223	1991年	4期305页
语词札记剑界 煨 追	龙庄伟 张生汉 侯兰笙	总224	1991年	5期393页

* * *

标题	作者	总期	年份	期页
早期白话"须"字例释	运班	总53	1956年	11期31页
曲词里的"撇窨"和"迭噷"	张卫经	总69	1958年	3期140页
"乳口"和"钩窗"(《西厢记诸宫调》词汇研究之一)	米列娜·维林格罗娃 伊尔 译	总82	1959年	4期184页
《"乳口"和"钩窗"》和《谈"西厢记"的词语解释》读后	吴晓铃	总82	1959年	4期187页
也谈"不当家花拉的"(附俞平伯《不当家花拉的》)	吴晓铃	总87	1959年	9期438页
关于"不当家花拉的"	杨欣安 朱永锴 钟声 杨振铎 褚毓槐 郭守全	总90	1959年	12期602页
"不当家花拉的"来龙去脉	金振	总178	1984年	1期23页
"班门弄斧"考	刘敬东	总147	1978年	4期265页
抹 蒲合 每	张喆生	总151	1979年	4期310页
试说"抹"的本字	蒋礼鸿	总156	1980年	3期193页
说"兀"	杨天戈	总158	1980年	5期363页
"当"字释例质疑(一)(二)	费秉勋 吴振国	总159	1980年	6期464页
《水浒传》"却"的词义初探	李法白 刘镜芙	总160	1981年	1期66页
试释元明时之"亲"	星灿	总162	1981年	3期224页
"浑埚自扑"校释	陈治文	总163	1981年	4期298页
《儒林外史》中副词"竟"的引申义	袁宾	总165	1981年	6期464页
曹雪芹与高鹗语言的比较	晁继周	总234	1993年	3期225页
《红楼梦》姨类称谓的语义类型研究	刘丹青	总259	1997年	4期268页
《红楼梦》中的王夫人并非"居幼为妹"	杜永道	总261	1997年	6期477页
《红楼梦》词汇与现代汉语词汇的词形异同研究	王绍新	总281	2001年	2期141页
辨"眼辨"	乐东甫	总165	1981年	6期465页
说"身起""身已"	蒋礼鸿	总167	1982年	2期131页
谈"去"和"向"的"在"义	方福仁	总167	1982年	2期135页
释"纠首"	侯精一	总168	1982年	3期188页
"对付"义释	边新灿 计伟强	总168	1982年	3期198页
释"什么"	张惠英	总169	1982年	4期302页

标题	作者	总期	年份	期/页
《释"什么"》商榷	孙锡信	总186	1985年	3期214页
也谈"按"字新义	林昭德	总170	1982年	5期384页
释"结果"	吕叔湘	总171	1982年	6期422页
"望空便额"别解	江蓝生	总173	1983年	2期144页
两点质疑(《"望空便额"别解》《古代语词义札记》质疑)	吴庆锋	总178	1984年	1期 57页
答《两点质疑》	何九盈	总181	1984年	4期274页
"望空"补证	刘瑞明	总192	1986年	3期227页
再谈"望空便额"里的"望空"	陈治文	总197	1987年	2期138页
"望空"补略	郭芹纳	总210	1989年	3期 封3
说"屙"和"恶"	张惠英 梅祖麟	总174	1983年	3期219页
对《说"屙"和"恶"》的一点正补	华学诚	总176	1983年	5期397页
"所由"本义	叔湘	总178	1984年	1期 27页
"兀那"的"兀"并非词头	秦炯灵	总180	1984年	3期165页
释"弹"	王学奇	总182	1984年	5期392页
"影响"释义	江蓝生	总185	1985年	2期148页
"脑子""闹子"小议	张秦	总187	1985年	4期272页
不以为然	江澄	总188	1985年	5期366页
释"抠、邸"	李时人	总189	1985年	6期458页
说"抠"	任均泽	总193	1986年	4期317页
"有着"小志	江澄	总191	1986年	2期123页
"生前"和"身后"	叔湘	总192	1986年	3期238页
"身前"也有词例	刘瑞明 崔山佳	总205	1988年	4期291页
"生缘"试释	刘瑞明	总193	1986年	4期310页
释"一头拾来"	米青	总195	1986年	6期450页
"一头拾来"的"拾"本字为"射"考	史秀菊	总286	2002年	1期 77页
释"步戏"	隋文昭	总197	1987年	2期124页
"'敢'犹可也"补例	梁洁	总198	1987年	3期169页
释"臊皮"	王恺	总199	1987年	4期304页
"珍重"小议	潘荣生	总199	1987年	4期318页
释"剑界"	王雪樵	总204	1988年	3期238页
"疾"字别解	王雪樵	总208	1989年	1期 74页
释"不作兴"和"连跑是跑"	邵霭吉	总212	1989年	5期325页
释"丁香"	隋文昭	总214	1990年	1期 68页
宋元时"事"的特指义	胡竹安	总214	1990年	1期 77页
"绰"字补释	郭骏	总218	1990年	5期354页
"撅摔"释义辨正	徐复岭	总220	1991年	1期 72页
释"含脸"	李景泉	总222	1991年	3期174页
第二人称"贤、仁、恁、您"语源试探	张惠英	总222	1991年	3期226页

紧县、望县	蒋宗许	总225	1991年	6期 478页
"白纳"解	郭良夫	总226	1992年	1期 62页
"大惊小怪"别义	侯兰笙	总235	1993年	4期 319页
说"收族"	张家英	总237	1993年	6期 475页
说"旋"、"旋子"	蒋礼鸿	总240	1994年	3期 200页
试说"旋"的本字	冯玉涛	总245	1995年	2期 155页
也说"旋"、"旋子"	龙仁	总245	1995年	2期 155页
与蒋说商榷	谢质彬	总245	1995年	2期 156页
释"马包"和"马勃"	卢甲文	总241	1994年	4期 317页
"狮子心"与"豹子胆"	崔山佳	总242	1994年	5期 399页
说"打嘎"	郭芹纳	总244	1994年	1期 75页
释"陈桥鞋儿"	潘荣生	总245	1995年	2期 117页
释"别变"	侯兰笙	总245	1995年	2期 157页
"臊皮、燥脾(胃)"辨析	李蓝　张赪	总245	1995年	2期 150页
说"麽"与"们"同源	江蓝生	总246	1995年	3期 180页
"稍瓜"、"丝瓜"辨	张永奋	总252	1996年	3期 166页
"漫地里栽桑……"小考	葛占岭	总253	1996年	4期 272页
《"漫地里栽桑……"小考》补议	李申　罗立新	总265	1998年	4期 312页
"伊余"非词说	古敬恒	总254	1996年	5期 386页
试说"冰矜"	王云路	总255	1996年	6期 465页
"修养"的一种特殊意义	王文晖	总257	1997年	2期 153页
释"助"和"助喜"	朱庆之	总258	1997年	3期 202页
释《太平经》之"贤儒"、"善儒"、"乙密"	连登岗	总264	1998年	3期 222页
释"隐"	蒋宗福	总264	1998年	3期 224页
"岚风"小考	曾良	总264	1998年	3期 226页
释"岚"	何亚南	总271	1999年	4期 317页
也考"岚风"	陈秀兰	总271	1999年	4期 319页
"什么"语源的方言补证	方环海	总265	1998年	4期 268页
"娄罗之辩"与梵语四流音	李小荣	总267	1998年	6期 451页
释"布甀"	潘荣生	总267	1998年	6期 462页
"帮扶"不是新词	郭芹纳	总271	1999年	4期 309页
"听九斤",还是"听四两"?	周志锋	总271	1999年	4期 279页
试说"承"有"闻"义	王锳	总280	2001年	1期 38页
关于"语法"一词出现的年代	马国强	总275	2000年	2期 188页
"三刀"考索	叶贵良	总285	2001年	6期 567页
"赔"字究竟始用于何时?	谭耀炬	总288	2002年	3期 278页
满语的bai和早期白话作品"白"的词义研究	胡增益	总212	1989年	5期 388页

现 代 词 汇

词儿的数目	刘泽先		总 23	1954 年	5 期 9 页
单字在词里出现的频率	马思周		总 54	1956 年	12 期 15 页
比喻型词语的类型及释义	应雨田		总 235	1993 年	4 期 295 页
异名同实词语研究	周荐		总 259	1997 年	4 期 277 页
大跃进中汉语词汇的新发展	黎运汉	程达明	总 77	1958 年	11 期 531 页
五四以来汉语词汇的一些变化	伍民		总 82	1959 年	4 期 170 页
十年来我国农村语言的变化和发展	朱兴华	金连城	总 84	1959 年	6 期 251 页
十年来汉语词汇的发展和演变——迎接伟大的中华人民共和国建国十周年	武占坤	王勤 程垂成	总 85	1959 年	7 期 301 页
白话文运动初期的一些新词	戴考		总 196	1987 年	1 期 74 页
词的使用率和字的分化	王凤阳		总 182	1984 年	5 期 383 页
穗港新词试析	王健伦	梁道洁	总 227	1992 年	2 期 136 页
汉语常用字词的统计与分级	刘英林	宋绍周	总 228	1992 年	3 期 174 页
从早期外汉词典看现代汉语词汇的发展	仇志群		总 255	1996 年	6 期 422 页
今词古用	倪宝元		总 276	2000 年	3 期 273 页

* * *

我也谈词句解释	小舟	总 14	1953 年	8 期 32 页
试论汉语一词多义的内部联系	高庆赐	总 146	1978 年	3 期 184 页
有"大"无"小"	邵乃强	总 160	1981 年	1 期 11 页
中性词与褒贬义	耿非	总 176	1983 年	5 期 396 页
"味儿"的贬义	一川	总 188	1985 年	5 期 377 页
谈"味儿"的褒义和贬义	王志武	总 193	1986 年	4 期 280 页
"不要白不要,要了白要"	程工	总 186	1985 年	3 期 234 页
"不要白不要,要了白要"可以成立	杨一兵	总 185	1985 年	6 期 475 页
鸡肋和奖金	田京	总 185	1985 年	6 期 475 页
"老北京"及其他	温瑜	总 187	1985 年	4 期 250 页
关于"妈虎子"及其近音词	陈刚	总 194	1986 年	5 期 362 页
关于"妈虎子"的一点异证	王大新	总 203	1988 年	2 期 145 页
汉语的时间词"礼拜""星期"	张清常	总 237	1993 年	6 期 420 页
关于"七曜"的排列	符达维	总 243	1994 年	6 期 474 页
"心"族词语的语义、语用考察	史锡尧	总 240	1994 年	3 期 194 页
常用词语寻源:按揭 大班 干邑 提子 腰果 开心果 留学 周日 阑尾	俞忠鑫	总 261	1997 年	6 期 443 页

同义词、反义词

反义词及其在构词上和修辞上的作用	张拱贵	总62	1957年	8期 32页
关于反义词	王崇德	总97	1960年	10期 336页
并列式同素异序同义词	曹先擢	总153	1979年	6期 406页
否定词的反义词	扬之舟	总161	1981年	2期 143页
反义形容词	耿非	总164	1981年	5期 362页
反义动词	耿非	总165	1981年	6期 415页
论词内反义对立	郑远汉	总260	1997年	5期 339页
同义词研究的几个问题	符淮青	总276	2000年	3期 221页

特 殊 词 汇

成语、谚语、歇后语、惯用语

成语的基本形式及其组织规律的特点	朱剑芒	总32	1955年	2期 32页
论成语	昌煊 全基	总76	1958年	10期 471页
成语的特性	欣向	总76	1958年	10期 474页
成语的定型和规范化	马国凡	总76	1958年	10期 477页
成语做谓语的句法功能	黄再春	总76	1958年	10期 478页
成语性谓语新例	赵生明	总82	1959年	4期 194页
从性质和特点看成语的范围	林文金	总80	1959年	2期 76页
试谈成语的新发展	吴剑扬	总80	1959年	2期 77页
成语还是不能随便换字	蓝仲文	总82	1959年	4期 188页
等义成语四题	倪宝元 姚鹏慈	总244	1995年	1期 23页
成语的划界、定型和释义问题	徐耀民	总256	1997年	1期 11页
关于"熟语"	云生	总85	1959年	7期 349页
熟语和成语的种属关系	唐松波	总98	1960年	11期 375页
熟语的语形问题	刘广和	总253	1996年	4期 288页
成语的"套用"现象	倪宝元	总98	1960年	11期 372页
从"罄竹难书"说起	谢质彬	总90	1959年	12期 568页
"天翻地覆"和"翻天覆地"	林有壬	总99	1960年	12期 432页
成语和谚语的区别	杨欣安	总102	1961年	3期 31页
成语的运用	振甫	总139	1965年	6期 463页
成语与民族自然环境、文化传统、语言特点的关系	向光忠	总149	1979年	2期 135页

成语中数词所表示的抽象义	黄岳洲	总159	1980年	6期 416页
从"打草惊蛇"的出典谈起	陈增杰	总167	1982年	2期 134页
典故的形成	叔湘	总187	1985年	4期 320页

* * *

谚语的特点	马国凡	总98	1960年	11期 377页
谚语的语义	温端政	总181	1984年	4期 268页

* * *

歇后语是"语言游戏"吗？	朱伯石	总23	1954年	5期 7页
歇后语是不是文学语言？	张寿康	总23	1954年	5期 8页
关于歇后语问题的几点意见	王天石 张鸣春	总31	1955年	1期 41页
歇后语的语义	温端政	总165	1981年	6期 424页
惯用语的划界和释义问题	吕冀平 戴昭铭 张家骅	总201	1987年	6期 468页

外 来 语

行业语和外来语的规范化	周达甫	总51	1956年	9期 18页
汉语不能容纳外来语吗？	刘泽先	总59	1957年	5期 40页
意译不是外来语	刘喜印	总72	1958年	6期 295页
"音译词"和"意译词"的消长	周定一	总119	1962年	10期 459页

* * *

现代汉语中从日语借来的词汇	王立达	总68	1958年	2期 90页
谈现代汉语中的"日语词汇"	郑奠	总68	1958年	2期 95页
现代汉语中能有这么多日语借词吗？	张应德	总72	1958年	6期 299页
从构词法上辨别不了日语借词——和张应德同志商讨汉语里日语借词问题	王立达	总75	1958年	9期 442页
漫谈汉语中的蒙语借词	张清常	总146	1978年	3期 196页
关于"胡阑"和"曲连"——《漫谈汉语中的蒙语借词》读后	李葆瑞	总152	1979年	5期 385页
"博士"是怎样指称手艺人的	刘敏芝	总273	1999年	6期 454页
香港广州话英语音译借词的声调规律	张日昇	总190	1986年	1期 42页
直用原文——现代汉语外来语运用中的一个新趋势	杨挺	总271	1999年	4期 263页
大马哈鱼一词的语源	胡增益	总272	1999年	5期 377页
"WTO"不能单独使用	仲伟民	总285	2001年	6期 554页

科 学 名 词

科学名词中的造字问题	曾昭抡	总14	1953年	8期 3页
从化学物质的命名看方块字的缺点	袁翰青	总10	1953年	4期 16页
化学名词门外谈	伯韩	总14	1953年	8期 5页

从科学新名词的翻译看汉字的缺点	刘泽先	总14	1953年	8期	9页
外来学术名词应在什么原则上统一起来？	钟兆琥	总14	1953年	8期	19页
汉译语言学术语的规范化	周达甫	总54	1956年	12期	33页
关于"语言学"和"语史学"的译名	劳宁	总54	1956年	12期	51页
不要混淆"属"和"种"两个概念	张永言	总103	1961年	4期	6页
"种"和"属"的译名问题	王维贤	总109	1961年	10期	93页
关于"种"和"属"	李世繁	总109	1961年	10期	94页
国际上关于科学技术术语的工作	H. K. 苏贺夫 刘雄翔 译	总55	1957年	1期	38页
略论我国的术语工作	刘涌泉	总178	1984年	1期	16页

人名、地名

"哈利逊"跟"海立胜"	ㄐㄐㄎㄌ	总14	1953年	8期	13页
外国语人地名译音统一问题	陆志韦	总14	1953年	8期	14页
统一译名的迫切需要	王仲闻	总14	1953年	8期	20页
注音字母译音字的读法	ㄅㄛㄏㄢ	总18	1953年	12期	10页
ㄐㄩ还是ㄗㄝ？	周仁	总19	1954年	1期	9页
关于人名译音问题的商榷	邹国统	总46	1956年	4期	13页
几个地名的规范译法	薛甡生	总56	1957年	2期	24页
译音汉字带来的麻烦	钱腾蛟	总56	1957年	2期	41页
对译名不统一的意见	陈国魁 熊尧祥 魏展英	总58	1957年	4期	47页
汉语拼音方案是统一译名的基础	刘泽先	总66	1957年	12期	9页
Дополнение 的译名问题	定国	总67	1958年	1期	47页
为地名翻译的规范化和革新而欢呼	曾世英	总90	1959年	12期	563页
学术刊物必须正确拼译我国人名	金有景	总90	1959年	12期	597页
地名词的特点和规范	李如龙	总156	1980年	3期	206页

个 别 词 语（包括实词和虚词，按音序排列）

A

名词前缀"阿"探源	杨天戈	总222	1991年	3期	233页
（挨）谈"受"、"挨"、"遭"和"由"	赵恩柱	总53	1956年	11期	48页

B

"把"和"以"	刘世儒	总94	1960年	4期	172页
"把"字用法二例	吴蒙	总171	1982年	6期	434页
（败）说"胜"和"败"	吕叔湘	总196	1987年	1期	1页
（半）再说"来"，以及"多"和"半"	吕叔湘	总63	1957年	9期	24页
词头"被"和词尾"了"	余健萍	总51	1956年	9期	30页

比 的(底、地) 过 起码 一直 再 在——《现代汉语八百词》选例(1)	《现代汉语八百词》编写组	总150	1979年	3期 191页
(便)论"就、便、才"类型的词形态特征问题	郭俊儒 龙鲁扬 译	总84	1959年	6期 269页
"不"能和名词联合吗？	吴鲁	总29	1954年	11期 34页
"不"字的否定范围和否定中心的探索	沈开木	总183	1984年	6期 404页
否定载体"不"的语义—语法考察	钱敏汝	总214	1990年	1期 30页
"不管"后边不能跟上并列成分吗？	竹安	总85	1959年	7期 334页
(不论)关于"无论、不论"的用法	陆俭明 侯学超	总104	1961年	5期 14页
谈表提醒的"不是"	郭继懋	总197	1987年	2期 110页
(不知道)叠用"是"和"不知道"	叔湘	总193	1986年	4期 320页
表反问的"不是"	史金生	总256	1997年	1期 25页

C

(才)论"就、便、才"类型的词的形态特征问题	郭俊儒 龙鲁扬 译	总84	1959年	6期 269页
(才)现代汉语中"就"和"才"的语义分析	白梅丽	总200	1987年	5期 390页
"差不多"和"差点儿"	沈家煊	总201	1987年	6期 442页
(差点儿)"差不多"和"差点儿"	沈家煊	总201	1987年	6期 442页
说"差一点"	朱德熙	总87	1959年	9期 435页
说"除非"	黄诚一	总55	1957年	1期 11页
次 大 倒 个 看 了(liǎo) 了(·le) 品 前后——《现代汉语八百词》选例(3)	《现代汉语八百词》编写组	总152	1979年	5期 328页
说"从而"	杨君璠	总77	1958年	12期 590页

D

(大)次 大 倒 个 看 了(liǎo) 了(·le) 品 前后——《现代汉语八百词》选例(3)	《现代汉语八百词》编写组	总152	1979年	5期 328页
"大"的区别词用法	宋玉柱	总243	1994年	6期 447页
"但"类词对几种复句的转化作用	邢福义	总174	1983年	3期 167页
关于"当…之前"和"当…之后"的讨论	杨义春 朱林清 雍庸	总97	1960年	10期 337页
(倒)次 大 倒 个 看 了(liǎo) 了(·le) 品 前后——《现代汉语八百词》选例(3)	《现代汉语八百词》编写组	总152	1979年	5期 328页
(得)应该重视"的"和"得"的分工	华景年	总98	1960年	11期 371页
(-得-)"能"和"-得-"	叔湘	总179	1984年	2期 156页
"的"字是不是词尾？	史存直	总22	1954年	4期 9页
谈带"的"尾名词	君方	总29	1954年	11期 12页
谈"的"字的分化	李子木	总38	1955年	8期 22页
修饰语和名词之间的"的"字的研究	陈琼瓒	总40	1955年	10期 22页
名词性词组中"的"字的作用	肃父	总45	1956年	3期 23页
关于动词作定语带"的"字的问题	温永禄	总62	1957年	8期 25页

动词作定语要带"的"字	邢福义	总 62	1957 年	8 期	26 页
形名组合间"的"字的语法作用	范继淹	总 71	1958 年	5 期	213 页
应该重视"的"和"得"的分工	华景年	总 98	1960 年	11 期	371 页
(的)比 的(底、地)过 起码 一直 再 在——《现代汉语八百词》选例(1)	《现代汉语八百词》编写组	总 150	1979 年	3 期	191 页
关于动词后缀"的"	言一兵	总 139	1965 年	6 期	475 页
关于时间助词"的"和"来着"	宋玉柱	总 163	1981 年	4 期	271 页
无独有偶(的)	谭达人	总 170	1982 年	5 期	380 页
两个"的"融合为一个	龙万火	总 176	1983 年	5 期	387 页
"等"和"等等"	建民 沙金	总 140	1966 年	1 期	51 页
结构助词"地"的用法规律	胡竹安	总 63	1957 年	9 期	20 页
关于动词作状语和"地"的问题——对《结构助词"地"的用法规律》一文的商榷	汪惠迪	总 71	1958 年	5 期	225 页
"都"的指向目标及相关问题	董秀芳	总 291	2002 年	6 期	495 页
"对"和"对于"的用法	马忠	总 98	1960 年	11 期	384 页
关于"对"和"对于"的用法	李子云	总 123	1963 年	2 期	183 页
(对于)"对"和"对于"的用法	马忠	总 98	1960 年	11 期	384 页
(对于)关于"对"和"对于"的用法	李子云	总 123	1963 年	2 期	183 页
(多)再说"来",以及"多"和"半"	吕叔湘	总 63	1957 年	9 期	24 页
"多"和"少"作定语	陆俭明	总 184	1985 年	1 期	71 页
"多"与"少"语法功能上的差异	裘荣棠	总 273	1999 年	6 期	421 页
(多多少少)"多少多少"和"多多少少"	于细良	总 139	1965 年	6 期	466 页
"多少多少"和"多多少少"	于细良	总 139	1965 年	6 期	466 页

F

说"反而"	马真	总 174	1983 年	3 期	172 页

G

时间词"刚刚"的多角度考察	邢福义 丁力 汪国胜 张邱林	总 214	1990 年	1 期	15 页
略说动词"搞"	龚千炎 胡治农	总 148	1979 年	1 期	37 页
(个)次 大 倒 个 看 了(liǎo) 了(·lo) 品 前后——《现代汉语八百词》选例(3)	《现代汉语八百词》编写组	总 152	1979 年	5 期	328 页
关于"给"的词性	向若	总 92	1960 年	2 期	64 页
说"给"	杨欣安	总 92	1960 年	2 期	66 页
动词后的"给"的词性和双宾语问题	胡竹安	总 95	1960 年	5 期	222 页
关于"给给"	邢福义	总 182	1984 年	5 期	347 页
说"给"和"乞"	张惠英	总 212	1989 年	5 期	378 页
(跟)"和、跟、同、与"的用法和分工	贾崇柏	总 77	1958 年	11 期	533 页
(跟)"和、跟、同、与"有必要分工	蒋荫枏	总 77	1958 年	11 期	535 页

标题	作者	总期	年份	期 页
(过)比 的(底、地) 过 起码 一直 再 在 ——《现代汉语八百词》选例(1)	《现代汉语八百词》编写组	总150	1979年	3期 191页
关于动态助词"过₁"和"过₂"	孔令达	总193	1986年	4期 272页

H

标题	作者	总期	年份	期 页
关于表示程度浅的副词"还"	马真	总180	1984年	3期 166页
(还)"再"与"还"重复义的比较研究	蒋琪 金立鑫	总258	1997年	3期 187页
好不	卢钦	总161	1981年	2期 131页
"好不"不对称用法的语义和语用解释	沈家煊	总241	1994年	4期 262页
关于"好机会"	吴蒙	总69	1958年	3期 148页
"好容易"的功能和意义	孔令达	总252	1996年	3期 封3
关于"和"的用法	王年一	总98	1960年	11期 382页
对《关于"和"的用法》的一些意见	陆俭明 侯学超	总101	1961年	2期 49页
"和、跟、同、与"的用法和分工	贾崇柏	总77	1958年	11期 533页
"和、跟、同、与"有必要分工	蒋荫栩	总77	1958年	11期 535页
"和(与)"字的位置	吕云九	总225	1991年	6期 416页
"蝴蝶"考	刘萍	总273	1999年	6期 450页
《"蝴蝶"考》献疑	沈怀兴	总287	2002年	2期 152页
也谈"蝴蝶"命名的理据	严修鸿	总287	2002年	2期 153页
"怀疑"的意义和宾语的类型	李兴亚	总197	1987年	2期 114页
也谈"怀疑"的意义	李运熹	总203	1988年	2期 133页

J

标题	作者	总期	年份	期 页
"挤对"和"挤兑"	周定一	总181	1984年	4期 265页
(挤兑)"挤对"和"挤兑"	周定一	总181	1984年	4期 265页
说"加以"	陈迪明	总73	1958年	7期 338页
谈"加以"的语法特点	王阳畛	总89	1959年	11期 536页
对《谈"加以"的语法特点》一文的意见	华景年	总99	1960年	12期 446页
"加以""予以"等是没有生命的字眼么？	华景年	总89	1959年	11期 537页
论"加以"	龚千炎	总101	1961年	2期 19页
"骄气"和"娇气"	罗启华	总70	1958年	4期 171页
(娇气)"骄气"和"娇气"	罗启华	总70	1958年	4期 171页
说"进行"	王年一	总90	1959年	12期 569页
论"就、便、才"类型的词的形态特征问题	郭俊儒 龙鲁扬 译	总84	1959年	6期 269页
现代汉语中"就"和"才"的语义分析	白梅丽	总200	1987年	5期 390页

K

标题	作者	总期	年份	期 页
(看)次 大 倒 个 看 了(liǎo) 了(·le) 品 前后——《现代汉语八百词》选例(3)	《现代汉语八百词》编写组	总152	1979年	5期 328页
(看)对话中"说""想""看"的一种特殊用法	刘月华	总192	1986年	3期 168页
"亏"的"多亏""幸亏"等义及其出现的	甄尚灵	总167	1982年	2期 87页

句型

L

试说表概数的"来"	吕叔湘	总58	1957年	4期 18页
对《试说概数的"来"》的一点补充意见	刘凯鸣	总63	1957年	9期 47页
再说"来",以及"多"和"半"	吕叔湘	总63	1957年	9期 24页
概数词"来"的出现及其由来	胡竹安	总84	1959年	6期 267页
概数词"来"的历史考察	江蓝生	总179	1984年	2期 145页
对《概数词"来"的历史考察》一文的两点补充	刘利	总234	1993年	3期 233页
(来源)"取决"与"来源"小议	孙茂松	总267	1998年	6期 414页
(来着)关于时间助词"的"和"来着"	宋玉柱	总163	1981年	4期 271页
关于词尾"了"的连写问题	范继淹	总28	1954年	10期 37页
(了)词头"被"和词尾"了"	余健萍	总51	1956年	9期 30页
(le)北京话里 lou 和 le 的区别	陈刚	总66	1957年	12期 33页
[了(·le)]次 大 倒 个 看 了(liǎo) 了(·le) 品 前后——《现代汉语八百词》选例(3)	《现代汉语八百词》编写组	总152	1979年	5期 328页
现代汉语词尾"了"的语法意义	刘勋宁	总206	1988年	5期 321页
试说动态助词"了"的自由隐现	李兴亚	总212	1989年	5期 334页
再谈现代汉语词尾"了"的语法意义	王还	总216	1990年	3期 180页
"去世"后面不能带"了₁"	马文忠	总222	1991年	3期 215页
谈谈"了₁"和"了₂"的区别方法	卢英顺	总223	1991年	4期 275页
"了₁""了₂"区别方法的一点商榷	李铁根	总228	1992年	3期 239页
"黎明"的定义	吴蒙	总154	1980年	1期 73页
"黎明"补说	吴蒙	总157	1980年	4期 257页
谈"连"字	黄诚一	总52	1956年	10期 22页
"连"字是助词	张友建	总60	1957年	6期 26页
[了(liǎo)]次 大 倒 个 看 了(liǎo) 了(·le) 品 前后 《现代汉语八百词》选例(3)	《现代汉语八百词》编写组	总152	1979年	5期 328页
北京话里 lou 和 le 的区别	陈刚	总66	1957年	12期 33页

M

"满"可修饰"是"	顾志刚	总222	1991年	3期 240页
论"们"和"诸位"之类并用	邢福义	总96	1960年	6期 289页
再谈"们"和表数词语并用的现象	邢福义	总138	1965年	5期 365页
动物称"们"	申仲莱	总168	1982年	3期 185页
"们"的定指意义	童盛强	总288	2002年	3期 275页
"目的"和"为了"	王年一	总73	1958年	7期 339页
对《"目的"和"为了"》一文的意见	毛西旁	总77	1958年	11期 532页

N

对《"哪"和"那"》的一点意见	梁瑛	总 94	1960 年	4 期 173 页
(那)对《"哪"和"那"》的一点意见	梁瑛	总 94	1960 年	4 期 173 页
(那)浅谈这/那的不对称性	徐丹	总 203	1988 年	2 期 128 页
(那)"这"比"那"大	崔应贤	总 257	1997 年	2 期 126 页
(那个)"什么"和"那个"的特别用法	殷守仁	总 163	1981 年	4 期 270 页
"那么"的词类问题	金立鑫	总 203	1988 年	2 期 131 页
句首"那么"的词性	吴慧颖	总 224	1991 年	5 期 360 页
难 能 是 双 说 要 又 左右——《现代汉语八百词》选例(2)	《现代汉语八百词》编写组	总 151	1979 年	4 期 264 页
(能)难 能 是 双 说 要 又 左右——《现代汉语八百词》选例(2)	《现代汉语八百词》编写组	总 151	1979 年	4 期 264 页
"能"和"-得-"	叙湘	总 179	1984 年	2 期 156 页
说"宁可"	何宛屏	总 280	2001 年	1 期 76 页

P

片面与全面	李先耕	总 186	1985 年	3 期 201 页
(品)次 大 倒 个 看 了(liǎo) 了(·le) 品 前后——《现代汉语八百词》选例(3)	《现代汉语八百词》编写组	总 152	1979 年	5 期 328 页

Q

(其他)略谈"神志"和"神智","其他"和"其它"	金有景	总 140	1966 年	1 期 50 页
(其它)略谈"神志"和"神智","其他"和"其它"	金有景	总 140	1966 年	1 期 50 页
(起码)比 的(底、地) 过 起码 一直 再 在——《现代汉语八百词》选例(1)	《现代汉语八百词》编写组	总 150	1979 年	3 期 191 页
(乞)说"给"和"乞"	张惠英	总 212	1989 年	5 期 378 页
(气)"然"和"气"不是构词标志	林文金	总 68	1958 年	2 期 86 页
(前后)次 大 倒 个 看 了(liǎo)了(·le) 品 前后——《现代汉语八百词》选例(3)	《现代汉语八百词》编写组	总 152	1979 年	5 期 328 页
"抢"的对象	赵守一	总 190	1986 年	1 期 23 页
"取决"与"来源"小议	孙茂松	总 267	1998 年	6 期 414 页
(全面)片面与全面	李先耕	总 186	1985 年	3 期 201 页

R

"然"和"气"不是构词标志	林文金	总 68	1958 年	2 期 86 页
"如果"新例	舟丹	总 71	1958 年	5 期 封 4

S

"上、下"等的趋向动词性	陈迪明	总 68	1958 年	2 期 87 页
(少)"多"和"少"作定语	陆俭明	总 184	1985 年	1 期 71 页
(少)"多"与"少"语法功能上的差异	裘荣棠	总 273	1999 年	6 期 421 页

略谈"神志"和"神智","其他"和"其它"	金有景	总140	1966年	1期	50页
(神智)略谈"神志"和"神智","其他"和"其它"	金有景	总140	1966年	1期	50页
"什么"和"那个"的特别用法	殷守仁	总163	1981年	4期	270页
说"胜"和"败"	吕叔湘	总196	1987年	1期	1页
"是、有、在"用法相通	邵君朴	总63	1957年	9期	27页
(是)难 能 是 双 说 要 又 左右——《现代汉语八百词》选例(2)	《现代汉语八百词》编写组	总151	1979年	4期	264页
是、算、象	吴蒙	总169	1982年	4期	301页
叠用"是"和"不知道"	叔湘	总193	1986年	4期	320页
(是了)"姓了"与"是了"	崔山佳	总223	1991年	4期	274页
北京话里有"是了"	李代祥	总285	2001年	6期	518页
(收时)"守时"、"收时"和"授时"	朱达	总54	1956年	12期	49页
"守时"、"收时"和"授时"	朱达	总54	1956年	12期	49页
(授时)"守时"、"收时"和"授时"	朱达	总54	1956年	12期	49页
谈"受"、"挨"、"遭"和"由"	赵恩柱	总53	1956年	11期	48页
(双)难 能 是 双 说 要 又 左右——《现代汉语八百词》选例(2)	《现代汉语八百词》编写组	总151	1979年	4期	264页
(说)难 能 是 双 说 要 又 左右——《现代汉语八百词》选例(2)	《现代汉语八百词》编写组	总151	1979年	4期	264页
对话中"说""想""看"的一种特殊用法	刘月华	总192	1986年	3期	168页
口语"说"字小集	孟琮	总170	1982年	5期	337页
(算)是、算、象	吴蒙	总169	1982年	4期	301页

T

"他(她)们"的格式应该取消	艾白芳	总47	1956年	5期	15页
他(她)们、她(他)们和他(它)们	黄传惕	总97	1960年	10期	342页
[她(他)们]他(她)们、她(他)们和他(它)们	黄传惕	总97	1960年	10期	342页
[他(它)们]他(她)们、她(他)们和他(它)们	黄传惕	总97	1960年	10期	342页
(同)"和、跟、同、与"的用法和分工	贾崇柏	总77	1958年	11期	533页
(同)"和、跟、同、与"有必要分工	蒋荫枬	总77	1958年	11期	535页

W

划清"为了"和"因为"的界限	车前	总72	1958年	6期	277页
(为了)"目的"和"为了"	王年一	总73	1958年	7期	339页
(无论)关于"无论、不论"的用法	陆俭明 侯学超	总104	1961年	5期	14页
谈"无可奈何"的"无"	辛征	总162	1981年	3期	168页

X

(下)"上、下"等的趋向动词性	陈迪明	总87	1958年	2期	87页

(想)对话中"说""想""看"的一种特殊用法	刘月华	总192	1986年	3期	168页
(象)是、算、象	吴蒙	总169	1982年	4期	301页
关于词尾的"性"	劳宁	总34	1955年	4期	27页
"姓了"与"是了"	崔山佳	总223	1991年	4期	274页

Y

(要)难能是双说要又左右——《现代汉语八百词》选例(2)	《现代汉语八百词》编写组	总151	1979年	4期	264页
"要"字两解	叔湘	总191	1986年	2期	87页
"要"字两解的答案	深泓	总198	1987年	3期	231页
说"也"	马真	总169	1982年	4期	283页
表示"异中有同"的"也"字独用的探索	沈开木	总172	1983年	1期	1页
一嗓子	丁三	总180	1984年	3期	199页
(一直)比的(底地)过起码一直再在——《现代汉语八百词》选例(1)	《现代汉语八百词》编写组	总150	1979年	3期	191页
(以)"把"和"以"	刘世儒	总94	1960年	4期	172页
"以上"和"以下"的含义问题	邹定中	总39	1955年	9期	5页
"以上"和"以下"的用法	陈寿颐	总50	1956年	8期	51页
(以下)"以上"和"以下"的含义问题	邹定中	总39	1955年	9期	5页
(以下)"以上"和"以下"的用法	陈寿颐	总50	1956年	8期	51页
(因此)"由于"和"因此"不能配合吗?	华景年	总61	1957年	7期	封4
(因为)划清"为了"和"因为"的界限	车前	总72	1958年	6期	277页
(由)谈"受"、"挨"、"遭"和"由"	赵恩柱	总53	1956年	11期	48页
(由于)"由于"和"因此"不能配合吗?	华景年	总61	1957年	7期	封底
(有)"是、有、在"用法相通	邵君朴	总63	1957年	9期	27页
谈谈"有着"	邹国统	总48	1956年	6期	39页
海外来信(有着)	杨联陞	总187	1985年	4期	316页
(又)难能是双说要又左右——《现代汉语八百词》选例(2)	《现代汉语八百词》编写组	总151	1979年	4期	264页
(与)"和、跟、同、与"的用法和分工	贾崇柏	总77	1958年	11期	533页
(与)"和、跟、同、与"有必要分工	蒋荫枒	总77	1958年	11期	535页
(予以)"加以""予以"等是没有生命的字眼么?	华景年	总89	1959年	11期	537页

Z

说"在"	王还	总56	1957年	2期	25页
(在)"是、有、在"用法相通	邵君朴	总63	1957年	9期	27页
也说"在"	潘汞	总93	1960年	3期	107页
(在)比的(底、地)过起码一直再在——《现代汉语八百词》选例(1)	《现代汉语八百词》编写组	总150	1979年	3期	191页

汉语里的"在"与"着(著)"	徐丹	总231	1992年	6期	453页
"再"与"还"重复义的比较研究	蒋琪 金立鑫	总258	1997年	3期	187页
(再)应该分清"最"、"再"的用法	任应培	总63	1957年	9期	封4
(再)比 的(底、地)过 起码 一直 再 在 ——《现代汉语八百词》选例(1)	《现代汉语八百词》编写组	总150	1979年	3期	191页
(遭)谈"受"、"挨"、"遭"和"由"	赵恩柱	总53	1956年	11期	48页
"着"字的两种用法	宋毓珂	总122	1963年	1期	26页
关于"着"的某些用法	孟琮	总127	1963年	3期	227页
[着(著)]汉语里的"在"与"着(著)"	徐丹	总231	1992年	6期	453页
"着(·zhe)"字补议	陆俭明	总272	1999年	5期	331页
谈"着呢"	孟琮	总115	1962年	5期	212页
浅谈这/那的不对称性	徐丹	总203	1988年	2期	128页
"这"比"那"大	崔应贤	总257	1997年	2期	126页
"这个"代替形容词	祁平	总166	1982年	1期	47页
(诸位)论"们"和"诸位"之类并用	邢福义	总96	1960年	6期	289页
关于"自己"以及由"自己"构成的结构	李人鉴	总179	1984年	2期	102页
(最)应该分清"最"、"再"的用法	任应培	总63	1957年	9期	封4
"最"义级层的多个体涵量	邢福义	总274	2000年	1期	16页
(左右)难 能 是 双 说 要 又 左右 ——《现代汉语八百词》选例(2)	《现代汉语八百词》编写组	总151	1979年	4期	264页

书 刊 评 介

评介《学文化字典》(北京师范大学中国 大辞典编纂处)	张建木	总2	1952年	2期	32页
《学文化词典》(中华书局辞海编辑所)	蔚	总79	1959年	1期	41页
介绍《诗词典语辞汇释》(张相)	仲颖	总17	1953年	11期	30页
古典诗歌"语辞"研究的几个问题 ——评张相著《诗词典语辞汇释》	张永言	总94	1960年	4期	193页
《新华字典》评介(新华辞书社)	周祖谟	总22	1954年	4期	31页
《现代汉语词典》(修订本)介绍	韩敬体	总255	1996年	6期	454页
《从上古汉语几组同义词的考察试探在 词汇方面古今分合现象的规律》(杨 伯峻)《北京大学学报(人文科学)》 (1956年第2期)		总49	1956年	7期	51页
《金元戏曲方言考》(徐嘉瑞)		总49	1956年	7期	49页
读《金元戏曲方言考》质疑(徐嘉瑞)	潘庚	总95	1960年	5期	244页
《北京话单音词词汇》(陆志韦)		总49	1956年	7期	50页
《新词用法例解》(王自强)	寄予	总51	1956年	9期	47页

篇名	作者	总期	年份	期	页
《元剧俗语方言例释》(朱居易)	葳	总54	1956年	12期	48页
《经词衍释》(清·吴昌莹)	郑梅	总55	1957年	1期	47页
《以"葡萄"一词为例论古代汉语的借词问题》([波]亚努士·赫迈莱夫斯基)《北京大学学报(人文科学)》(1957年第1期)	温端政	总61	1957年	7期	49页
《词汇教学讲话》(张静)	雍庸 舒市丙	总65	1957年	11期	46页
《汉语词汇》(孙常叙)	劳君方	总62	1957年	8期	43页
《汉语词汇》中几个问题的商榷(孙常叙)	孙良明	总74	1958年	8期	396页
《现代汉语词义讲话》(崔复爰)	刘凯鸣	总72	1958年	6期	291页
评《现代汉语外来词研究》(高名凯、刘正埮)	邵荣芬	总73	1958年	7期	347页
对《现代汉语外来词研究》的几点补充意见(高名凯、刘正埮)	胡双宝	总73	1958年	7期	348页
《现代汉语成语词典》(范方莲等)	郑梅基	总80	1959年	2期	93页
《常用词语例解》(燕天展)	劳宁	总84	1959年	6期	287页
一个座谈会对《学生字典》的意见(商务印书馆第四编辑室)	简正文	总91	1960年	1期	42页
评《学生字典》关于复词的处理(商务印书馆第四编辑室)	管燮初	总91	1960年	1期	42页
评《敦煌变文字义通释》(增订本)(蒋礼鸿)	徐复	总109	1961年	10-11期	88页
新版《敦煌变文字义通释》读后(蒋礼鸿)	吕叔湘	总168	1982年	3期	233页
评项楚《敦煌变文选注》	吕叔湘 江蓝生	总217	1990年	4期	307页
评《北京话语汇》(金受申)	司马川	总117	1962年	7期	346页
释义荒谬 用心险恶——批《"五恶"疏证》	罗立乾	总144	1978年	1期	52页
读《四角号码新词典》	海恒	总147	1978年	4期	310页
《汉语成语词典》读后记(甘肃师范大学中文系)	王克仲	总150	1979年	3期	232页
成语之释义与考订——读《汉语成语词典》小议(甘肃师范大学中文系)	梁之抑	总150	1979年	3期	236页
评《古汉语常用字字典》(古汉语常用字字典编写组)	邵欣伯	总157	1980年	4期	313页
简评修订本《辞源》(第一册)	艾荫范	总160	1981年	1期	72页
修订本《辞源》(第一、二册)综评	艾荫范 段秀芝 田忠侠 毅夫	总169	1982年	4期	312页
《简明同义词典》评介(张志毅)	卢润祥	总168	1982年	3期	237页
《近代汉语读本》补正(刘坚)	刘坚	总194	1986年	5期	381页
《孙子译注》商榷(郭化若)	刘唯力	总206	1988年	5期	398页

标题	作者	总期	年份	期/页
读江蓝生《魏晋南北朝小说词语汇释》	郭在贻	总210	1989年	3期 227页
探索源流 贯通古今——评刘洁修《汉语成语考释词典》	王伯熙	总217	1990年	4期 313页
评《春秋左传词典》（杨伯峻 徐提）	陈克炯	总221	1991年	2期 152页
《汉语大词典》一、二、三卷读后	汪维辉	总223	1991年	4期 307页
《汉语描写词汇学》读后（刘叔新）	周荐	总225	1991年	6期 474页
《港台语词词典》略评（黄丽丽 周澍民 钱莲琴）	董琨	总227	1992年	2期 152页
《世说新语辞典》（张永言）读后	方一新 王云路	总236	1993年	5期 393页
评《现代汉语大词典》和《新现代汉语词典》	韩敬体	总242	1994年	5期 388页
评《新现代汉语词典》中的英汉对译问题	李伯纯	总242	1994年	5期 393页
评《语言大典》	徐庆凯	总242	1994年	5期 396页
评《汉语词义引申导论》	严修	总260	1997年	5期 393页
《唐五代语言词典》读后	张永言 董志翘	总270	1999年	3期 232页
汉语史研究领域的新拓展——评汪维辉《东汉——隋常用词演变研究》	王云路 方一新	总287	2002年	2期 181页

汉语语法

标题	作者	总期	年份	期/页
汉语语法学的主要任务——发现并掌握汉语的结构规律	中山大学语言学系语法教研组	总16	1953年	10期 12页
形态变化和语法环境	俞敏	总28	1954年	10期 13页
汉语的句法和形态问题	亚努士·赫迈莱夫斯基 宁榘 译 吕叔湘 校	总30	1954年	12期 7页
关于赫迈莱夫斯基先生的《汉语的句法和形态问题》	陆志韦	总33	1955年	3期 22页
"他、她、它"不是汉语形态	山石	总31	1955年	1期 40页
略论叶斯丕森学说对汉语语法研究的影响	严修	总40	1955年	10期 16页
汉语的结构单位	A. A. 龙果夫 郑祖庆 译 黄振华 校	总83	1959年	5期 232页
对于汉语语法研究的几点意见（上）	曹伯韩	总16	1953年	10期 3页
对于汉语语法研究的几点意见（下）	曹伯韩	总17	1953年	11期 6页
对于语法讨论的意见和希望	颜景常	总21	1954年	3期 14页
对争论语法理论问题的意见	詹伯慧	总21	1954年	3期 33页
欢迎开展汉语语法的讨论	任学良	总21	1954年	3期 34页
语法和语言事实	刘雨人	总33	1956年	11期 27页

标题	作者	总期	年份	期/页
希望语言学家努力发掘汉语语言规律	俞燮标	总33	1955年	3期 42页
语法研究不要被汉字困住	孙帛生	总47	1956年	5期 23页
关于语感和常识	段其湘	总53	1956年	11期 49页
研究汉语语法、要多听"话"、多念"话"	陈建民	总92	1960年	2期 62页
说"的"	朱德熙	总110	1961年	12期 1页
读《说"的"》并论现代汉语语法研究的几个方法论问题	黄景欣	总118	1962年	8-9期 361页
区分"的"的同音语素问题——兼评朱德熙先生《说"的"》	言一兵	总137	1965年	4期 253页
谈《说"的"》	季永兴	总138	1965年	5期 363页
关于《说"的"》	朱德熙	总140	1966年	1期 37页
关于"语言单位的同一性"等等	吕叔湘	总120	1962年	11期 483页
《关于"语言单位的同一性"等等》订补	吕叔湘	总121	1962年	12期 582页
汉语语法场浅探	胡正微	总157	1980年	4期 258页
语法分析和语法体系	朱德熙	总166	1982年	1期 1页
事实和理论——对语法研究的两点建议	李临定	总167	1982年	2期 93页
汉语语序研究中的几个问题	文炼 胡附	总180	1984年	3期 161页
语用分析说略	范开泰	总189	1985年	6期 401页
变换分析中的平行性原则	朱德熙	总191	1986年	2期 81页
与语言符号有关的问题——兼论语法分析中的三个平面	文炼	总221	1991年	2期 83页
关于语法研究的三个平面	施关淦	总225	1991年	6期 411页
有关语法研究三个平面的几个问题	范晓 胡裕树	总229	1992年	4期 272页
语流语法分析模式	吴葆棠	总221	1991年	2期 104页
例外和错误	吕叔湘	总232	1993年	1期 78页
关于分类的依据和标准	文炼	总247	1995年	4期 256页
语序重要	吴为章	总249	1995年	6期 429页
汉语语义研究的空白地带	徐烈炯	总253	1996年	4期 255页
谈谈汉语语法结构的功能解释	文炼	总255	1996年	6期 401页
结构、语义、表达研究琐议——从相对义、绝对义谈起	马庆株	总264	1998年	3期 173页
多变的语序、统一的词组结构	李亚非	总280	2001年	1期 16页
评"暂拟汉语教学语法系统"	华萍	总161	1981年	2期 98页
对"暂拟汉语教学语法系统"的一些意见	沈开木	总161	1981年	2期 107页
《暂拟汉语教学语法系统》修订说明和修订要点		总165	1981年	6期 438页

* * *

| "语法"定名胜于"文法"("语法""文法" | 冯志伟 | 总101 | 1961年 | 2期 37页 |

定名的讨论）					
应该用"语法"（"语法""文法"定名的讨论）	王福庭　饶长溶	总101	1961年	2期	38页
一些看法（"语法""文法"定名的讨论）	许威汉	总101	1961年	2期	39页
赞同用文法作为文法学科的定名（"语法""文法"定名的讨论）	王仁道	总101	1961年	2期	40页

*　　　*　　　*

语法座谈会纪要	齐东	总51	1956年	9期	37页
语法研究上要求加强协作	中国科学院语言研究所现代汉语小组	总81	1959年	3期	142页
十年来汉语语法学的成就	陆仁	总88	1959年	10期	458页
"五四"以来汉语语法研究评述	徐通锵　叶蜚声	总150	1979年	3期	166页
记密云"语法学术报告会"	季方	总164	1981年	5期	358页
记全国语法和语法教学讨论会	田小琳　黄成稳　庄文中	总165	1981年	6期	443页
从基本流向综观现代汉语语法研究四十年	邢福义	总231	1992年	6期	439页
八十年代现代汉语语法研究概说	施关淦	总231	1992年	6期	462页
在第九次现代汉语语法学术讨论会上的讲话	吕冀平	总255	1996年	6期	419页

古 代 语 法

关于古代汉语表达情态的几种方式	马悦然	总167	1982年	2期	109页
古代汉语中的共用成分	谢质彬	总188	1985年	5期	354页
古汉语中之罕见语法现象	杨伯峻	总171	1982年	6期	401页
句型同而意义异例证	杨伯峻	总184	1985年	1期	32页
对《古汉语三种被淘汰的句型》再分析	徐仁甫	总160	1981年	1期	60页
关于古汉语三种被淘汰句型的讨论	黄智显　钱兴奇　栾锦秀　胡铁军　王林	总166	1982年	1期	51页
试论古代汉语句型转换	董治国	总241	1994年	4期	297页
古汉语语法研究中的"变换"问题	唐钰明	总246	1995年	3期	211页
汉语谓词性成分名词化的原因及规律	姚振武	总250	1996年	1期	31页
古汉语的范围问题	蒋宗许	总252	1996年	3期	212页
古汉语词类问题浅议	冯玉涛	总251	1996年	2期	147页
关于古代汉语词类的两个问题	陈霞村	总252	1996年	3期	209页
对古汉语语法研究中几个问题的看法	韩学重	总253	1996年	4期	300页
指称与陈述的兼容性与引申问题	姚振武	总279	2000年	6期	564页
先秦指称理论研究	周建设	总291	2002年	6期	567页
汉语史上疑问形式的类型学转变及其	石毓智　徐杰	总284	2001年	5期	454页

机制——焦点标记"是"的产生及其影响

* * *

关于建立古汉语教学语法系统的浅见	郭锡良	总245	1995年	2期 131页
关于建立古汉语教学语法体系的意见	孙良明	总245	1995年	2期 139页
古汉语教学语法系统刍议	王克仲 黄珊	总245	1995年	2期 134页
建立古代汉语教学语法系统的目的和相关问题	简启贤	总250	1996年	1期 75页
古代汉语教学语法体系刍议	向熹	总250	1996年	1期 70页
应尽快拟订古汉语教学语法体系	廖振佑	总250	1996年	1期 77页
建立统一的古汉语教学语法系统大可不必	杨琳	总250	1996年	1期 79页
古代汉语教学中的使动与活用	李佐丰	总251	1996年	2期 151页
建立语法系统,辅以其他设施	杨剑桥	总252	1996年	3期 206页
古汉语教学语法系统的一些具体问题	王开扬	总253	1996年	4期 297页
几点质疑	郑远汉	总253	1996年	4期 303页

* * *

对于古文"单数用女(汝),复数用尔"说的质疑	孙希橥	总63	1957年	9期 47页
汉语动量词的起源	刘世儒	总84	1959年	6期 263页
论魏晋南北朝的量词	刘世儒	总89	1959年	11期 528页
两汉时代的量词	黄盛璋	总107	1961年	8期 21页
魏晋南北朝个体量词的研究	刘世儒	总109	1961年	10期 26页
魏晋南北朝称量词研究	刘世儒	总113	1962年	3期 117页
魏晋南北朝动量词研究	刘世儒	总114	1962年	4期 154页
从甲文、金文量词的应用,考察汉语量词的起源与发展	黄载君	总133	1964年	6期 432页
关于动量词"匝"和"周"	傅铭第	总134	1965年	1期 27页
从认知角度探讨上古汉语名量词的起源	游顺钊	总206	1988年	5期 361页
量词"枚"的产生及其历史演变	张万起	总264	1998年	3期 208页
《世说新语》中的称数法	庄正容	总156	1980年	3期 188页
《世说新语中的称数法》一文的两点补充	丁根生	总158	1980年	5期 371页
"余"前置于数词的用法	郭文镐	总188	1985年	5期 367页
"余"前置于数词的用法见于汉代	陈贻庭	总193	1986年	4期 252页
古汉语的人身代词研究	黄盛璋	总127	1963年	6期 443页
上古无指代词"亡""罔""莫"	杨伯峻	总127	1963年	6期 473页
"莫"字词性质疑	周生亚	总131	1964年	4期 301页
"莫"字没有比较意义	徐志清	总137	1965年	4期 316页

论屈赋中人称代词的用法	廖序东	总132	1964年	5期 360页
近指指示词"这"的来源	陈治文	总133	1964年	6期 442页
关于"他"的上古用法	向熹	总136	1965年	3期 251页
论上古汉语人称代词繁复的原因	周生亚	总155	1980年	2期 127页
"之"作"其"用小议	马国栋	总158	1980年	5期 392页
谈谈与人称代词"其"有关的句式及对"其"的训释	姜宝琦	总168	1982年	3期 200页
"乃"能当"其"用	严修	总180	1984年	3期 206页
人称代词"其"的两种罕见用法	吴辛丑	总187	1985年	4期 288页
也谈人称代词"其"	杨琳	总214	1990年	1期 63页
"其"作宾语早于晋代	李功成	总235	1993年	4期 307页
先秦疑问代词"谁"与"孰"的比较	王海棻	总166	1982年	1期 42页
上古汉语疑问代词的发展与演变	贝罗贝 吴福祥	总277	2000年	4期 311页
从汉魏六朝佛经看代词"他"的变化	俞理明	总207	1988年	6期 469页
东汉时的"這"不是指示词	陈治文	总207	1988年	6期 475页
"子"在否定句中前置例	张标	总214	1990年	1期 37页
从佛经材料看六朝时代的几个三身称谓词(鄙、奴、身、尊、仁、卿、子)	俞理明	总215	1990年	2期 136页
先秦汉语的状态形容词	杨建国	总153	1979年	6期 426页
关于先秦汉语里名词的动词性问题	朱德熙	总203	1988年	2期 81页
论先秦汉语中"门"的谓词用法	张猛	总285	2001年	6期 538页
古汉语中动词的使动用法	曾仲珊	总157	1980年	4期 295页
古汉语心理动词所带的宾语	李启文	总189	1985年	6期 447页
先秦的不及物动词和及物动词	李佐丰	总241	1994年	4期 287页
唐诗中的动词重叠	王锳	总252	1996年	3期 233页
先秦汉语名词、动词、形容词的发展	郭锡良	总276	2000年	3期 195页
先秦"负面心理动词"的述谓功能析微	陈克炯	总276	2000年	3期 205页
《训世评话》中的授予动词"给"	张美兰	总288	2002年	3期 281页

*　　　　　*　　　　　*

说"所以"	刘冠群	总55	1957年	1期 9页
论"所以"的上古用法——驳《说"所以"》	杨伯峻	总57	1957年	3期 16页
答《再说"所以"的上古用法》和其他	杨伯峻	总60	1957年	6期 16页
再说"所以"的上古用法——兼商榷"从汉语史的角度来鉴定中国古籍的写作年代"的可靠性	刘冠群	总60	1957年	6期 14页
论先秦以"所以"为连词的因果叙述句	刘冠群	总159	1980年	6期 444页
所以	吴兆吉	总162	1981年	3期 215页
连词"所以"产生于晋代	潘荣生	总168	1982年	3期 173页
"所以"的过渡阶段	操观静	总181	1984年	4期 267页

标题	作者	总期	年份	期 页
古代汉语"所"字的指代作用和"所"字词组的分析	马汉麟	总119	1962年	10期 477页
"所以+主谓"式已见于《黄帝内经》	王锳	总234	1993年	3期 232页
《"所以+主谓"式已见于〈黄帝内经〉》补疑	王魁伟	总237	1993年	6期 476页
秦汉间的系词"是"	赵立哲	总56	1957年	2期 27页
略论魏晋南北朝系动词"是"字的用法	刘世儒	总66	1957年	12期 19页
《孟子》里的"是"字研究	洪心衡	总131	1964年	4期 285页
系词"是"发展成熟的时代	汪维辉	总263	1998年	2期 133页
《诗经》中成对关联词的格式	竹安	总81	1959年	3期 131页
略谈文言虚字中的复词	胡行之	总92	1960年	2期 69页
"爰"字上古作"焉"字用例证	杨伯峻	总112	1962年	2期 67页
甲骨文金文中"唯"字用法的分析	管燮初	总116	1962年	6期 243页
《诗经》中"维"字的意义和用法	谢纪锋	总180	1984年	3期 222页
论古代汉语主语和谓语之间的"之"字	宋祚胤	总131	1964年	4期 295页
论《离骚》里的主语谓语之间插"之"字的问题	洪心衡	总139	1965年	6期 477页
略谈古汉语里用"之"充当补语	李人鉴	总160	1981年	1期 57页
论前置宾语后的"是""之"的词性	丁贞棻	总173	1983年	2期 120页
辞赋中"其""之"的连缀作用	陈鸿迈	总183	1984年	6期 452页
先秦"动·之·名"双宾式中的"之"是否等于"其"？	何乐士	总157	1980年	4期 283页
也谈"动·之·名"结构中的"之"	刘百顺	总164	1981年	5期 384页
古汉语语法札记一则——"动·之·名"与"动·其·名"	何九盈	总234	1993年	3期 223页
"以为"在古籍中的用法	何一寰	总140	1966年	1期 25页
关于疑问句尾的"为"	朱运申	总153	1979年	6期 443页
也谈疑问句尾"为"	廖振佑	总158	1980年	5期 377页
句末的"为"应该是语气词	洪成玉 廖祖桂	总158	1980年	5期 379页
略说疑问句尾"为"字的词性	王克仲	总158	1980年	5期 383页
"何以…为"试析	徐福汀	总158	1980年	5期 386页
也说疑问句尾"为"	张儒	总275	2000年	2期 168页
先秦汉语语气词连用现象的历时演变	赵长才	总244	1995年	1期 51页
先秦汉语句尾语气词的组合及组合层次	朱承平	总265	1998年	4期 299页
"而已者也"不可连读	叶爱国	总272	1999年	5期 390页
也说"而已者也"不可连读	杨永龙	总282	2001年	3期 278页
《楚辞》中形容词副词的后缀	薛恭穆	总159	1980年	6期 451页
《楚辞》中词的后缀问题	孙雍长	总168	1982年	3期 205页
甚词演变的一种趋势	李露蕾	总195	1986年	6期 460页

关于敬词、谦词、应答之词等问题	李春玲	总252	1996年	3期 213页
古汉语副词的来源	黄珊	总252	1996年	3期 220页
先秦汉语的复音副词"不过"	刘利	总256	1997年	1期 67页
上古汉语"亦"的疑问副词用法及其来源	赵长才	总262	1998年	1期 23页
"已经"的初见时代及成词过程	杨永龙	总286	2002年	1期 41页
古汉语中的"与"和"及"	徐萧斧	总164	1981年	5期 374页
并列连词"与、及"用法辨析	周生亚	总209	1989年	2期 137页
《并列连词"与、及"用法辨析》质疑	蒋宗许	总215	1990年	2期 141页
《世说新语》里"都"字的用法	刘凯鸣	总170	1982年	5期 386页
《左传》中介词"以"的前置宾语	麦梅翘	总176	1983年	5期 360页
《诗经》中动词前之"于"字	张归璧	总182	1984年	5期 378页
介词"于"的起源和发展	郭锡良	总257	1997年	2期 131页
古代诗文中"就"的介词用法	王锳	总228	1992年	3期 235页
汉语牵涉介词试论	钟兆华	总287	2002年	2期 137页
《史记》虚词同义连用初探	吴国忠	总198	1987年	3期 224页
"然而"表顺接	荫范	总209	1989年	2期 104页
"然而"表顺接质疑	谢质彬	总233	1993年	2期 159页
关于古汉语中"然而"表顺接问题的讨论（一）（二）（三）（四）	谢质彬 李先耕 史佩信 朱城	总240	1994年	3期 231页
中古汉语的连词"被"	蔡镜浩	总245	1995年	2期 154页
连词"则"的起源和发展	李杰群	总285	2001年	6期 525页
意合法对假设义类词形成的作用	王克仲	总219	1990年	6期 439页
关于假设义类词的一些问题	赵京战	总241	1994年	4期 305页
《世说新语》中的词尾"自"和"复"	刘瑞明	总210	1989年	3期 211页
也谈词尾"复"	蒋宗许	总217	1990年	4期 298页
关于中古汉语的"自"和"复"	姚振武	总233	1993年	2期 143页
关于"自"的再讨论	刘瑞明	总243	1994年	6期 458页
再说词尾"自"和"复"	蒋宗许	总243	1994年	6期 460页
再谈中古汉语的"自"和"复"及相关问题——答刘瑞明、蒋宗许先生	姚振武	总256	1997年	1期 55页
编者按（关于词尾复的讨论）		总265	1998年	4期 314页
关于词尾"复"的一些具体问题	蒋宗许	总265	1998年	4期 314页
"自"非词尾说驳议	刘瑞明	总265	1998年	4期 316页
"自"和"复"非词尾说质疑	高云海	总265	1998年	4期 317页
也谈"自"和"复"	肖旭	总265	1998年	4期 319页
再论助词"着"的用法及其来源	孙朝奋	总257	1997年	2期 139页
从郭璞注看名词"子"尾的产生	萧黎明	总259	1997年	4期 314页
试论结构助词"底（的）"的一些问题	冯春田	总219	1990年	6期 448页

衬音助词再论	白兆麟	总 221	1991 年	2 期 139 页

*　　　　*　　　　*

古汉语中的"省文"	麦梅翘	总 105	1961 年	6 期 33 页
关于古汉语被动句基本形式的几个疑问	方光焘	总 109	1961 年	10-11 期 18 页
论先秦汉语被动式的发展	唐钰明　周锡馥	总 187	1985 年	4 期 281 页
汉魏六朝被动式略论	唐钰明	总 198	1987 年	3 期 216 页
唐至清的"被"字句	唐钰明	总 207	1988 年	6 期 459 页
汉魏六朝佛经"被"字句的随机统计	唐钰明	总 223	1991 年	4 期 28 页
汉语被动式的历史·区域发展	桥本万太郎	总 196	1987 年	1 期 36 页
两周金文里的被动式和使动式	周清海	总 231	1992 年	6 期 418 页
古汉语中的"为之 b"结构	颜景常	总 158	1980 年	5 期 394 页
试论"名·之所·动"可作定语	陈朋	总 158	1980 年	5 期 388 页
所见＝所	吴金华	总 164	1981 年	5 期 391 页
略谈"所"字结构和有关的一些问题	李人鉴	总 171	1982 年	6 期 416 页
试论"R 为 A 所见 V"式	吴金华	总 174	1983 年	3 期 207 页
《试论"R 为 A 所见 V"式》补正	吴金华	总 178	1984 年	1 期 51 页
不用"所"字的所字结构	罗英风	总 235	1993 年	4 期 310 页
"为……所见"和"'香''臭'对举"出现时代的商榷	张永言	总 178	1984 年	1 期 62 页
"香""臭"对举最早见于《淮南子》	唐钰明	总 194	1986 年	5 期 387 页
中世汉语中的三类特殊句式	董志翘	总 195	1986 年	6 期 453 页
失去指代作用的"见"字	唐钰明	总 204	1988 年	3 期 237 页
古汉语"见 V"结构再研究	姚振武	总 203	1988 年	2 期 134 页
"为……见"式两例商兑	吴金华	总 208	1989 年	1 期 52 页
《诗经》句法偶谈	杨伯峻	总 144	1978 年	1 期 34 页
汉语动补结构的发展	潘允中	总 154	1980 年	1 期 53 页
试论"分系式"	谢质彬	总 157	1980 年	4 期 278 页
略论《诗经》"有……其……"式	杨合鸣	总 166	1982 年	1 期 48 页
关于"唯……是……"式句	许嘉璐	总 173	1983 年	2 期 126 页
早期处置式略论	陈初生	总 174	1983 年	3 期 201 页
唐宋处置式的来源	梅祖麟	总 216	1990 年	3 期 191 页
中古译经中的处置式	曹广顺　遇笑容	总 279	2000 年	6 期 555 页
略论先秦时期"O/是/V"句式的演变	敖镜浩	总 176	1983 年	5 期 355 页
"载""再"通假与"载 A 载 B"句式	王克仲	总 178	1984 年	1 期 52 页
"载""再"本意与通假	赵京战	总 183	1984 年	6 期 462 页
《睡虎地秦墓竹简》某些语法现象研究	冯春田	总 181	1984 年	4 期 283 页
《左传》"贰于×"解	秦礼军	总 182	1984 年	5 期 390 页
"顿"为"非主谓词组"辨	沈锡伦	总 186	1985 年	3 期 203 页

标题	作者	总期	年份	期/页
杜甫诗中也有"VP不VP"句式	崔山佳	总185	1985年	6期 478页
古汉语动宾语义关系的制约因素	王克仲	总190	1986年	1期 51页
《左传》主题句研究	申小龙	总191	1986年	2期 130页
双宾语结构从汉代至唐代的历史发展	贝罗贝	总192	1986年	3期 204页
殷墟甲骨刻辞中的双宾语问题	管燮初	总194	1986年	5期 374页
《论语》里的"必也,P"句式	李运富	总198	1987年	3期 230页
古代汉语"兼语式"的结构分析	张之强	总199	1987年	4期 310页
中古(魏晋南北朝)汉语的特殊疑问形式	太田辰夫 江蓝生 译	总201	1987年	6期 404页
关于殷墟卜辞的命辞是否问句的考察	裘锡圭	总202	1988年	1期 1页
《楚辞》里的三字语	陈鸿迈	总203	1988年	2期 143页
古汉语的"NV"结构	王克仲	总204	1988年	3期 219页
试说"孰与"的形成	张国光	总209	1989年	2期 149页
从《诗经》毛传、郑笺谈宾语前置句式的变化	孙良明	总210	1989年	3期 205页
"以……称"句式解	任远	总210	1989年	3期 225页
关于"以……称"句式	谢质彬	总223	1991年	4期 301页
先秦"有如N"句式考察	方平权	总216	1990年	3期 189页
论上古汉语动词多对象语的表示法	陈初生	总221	1991年	2期 133页
六朝以后汉语叠架现象举例	王海棻	总224	1991年	5期 366页
上古判断句的变换考察	唐钰明	总224	1991年	5期 388页
《上古判断句的变换考察》补正	唐钰明	总227	1992年	2期 151页
中古"是"字判断句述要	唐钰明	总230	1992年	5期 394页
从古汉语看"N所V之处,P"句式	王克仲	总232	1993年	1期 44页
关于"名(代)+所+动"结构的切分	宋绍年	总251	1996年	2期 155页
比字句溯源	史佩信	总237	1993年	6期 456页
上古汉语的大名冠小名语序	孟蓬生	总235	1993年	4期 301页
古汉语"动+之+名"结构的变换分析	唐钰明	总240	1994年	3期 216页
从《国语》的用例看先秦汉语的"可以"	刘利	总242	1994年	5期 382页
《杂宝藏经》里的"V+於+N"	张长桂 何平	总245	1995年	2期 149页
谈《左传》中的三种"何……之……"式	白平	总251	1996年	2期 145页
先秦汉语受事主语句系统	姚振武	总268	1999年	1期 43页
先秦两汉的一种完成貌句式——兼论现代汉语完成貌句式的来源	梅祖麟	总271	1999年	4期 285页
读史记札记两则	富金壁	总276	2000年	3期 215页
现代汉语介词词组"在L"与动词宾语的词序规律的形成	张赪	总281	2001年	2期 149页
郭店楚简《老子》异文的语法学考察	董琨	总283	2001年	4期 347页
先秦汉语的新兼语式——兼论结果补	梁银峰	总283	2001年	4期 354页

语的起源				
论今文《尚书》的句法特点	钱宗武	总285	2001年	6期 531页
出土文献"是是"句新解	梁冬青	总287	2002年	2期 130页

近 代 语 法

《建炎以来系年要录》里的白话资料	刘坚	总184	1985年	1期 42页
《训世评话》中所见明代前期汉语的一些特点	刘坚	总229	1992年	4期 287页
论诱发汉语词汇语法化的若干因素	刘坚 曹广顺 吴福祥	总246	1995年	3期 161页
内部构拟法在近代汉语语法研究中的运用	蒋绍愚	总246	1995年	3期 191页
从语法结构探讨《儒林外史》的作者问题	遇笑容	总254	1996年	5期 377页
论汉语体标记诞生的机制	李讷 石毓智	总257	1997年	2期 82页
《大唐三藏取经诗话》的成书时代与方言基础	袁宾	总279	2000年	6期 545页

* * *

近代汉语"无心"的动词的形成过程——汉语多音节化的一个例证	太田辰一 陈文彬节译	总16	1953年	10期 29页
元曲中人称代词的特殊用例	王锳	总163	1981年	4期 307页
趋向动词"起来"在近代汉语中的发展	钟兆华	总188	1985年	5期 359页
关于近代汉语指代词	梅祖麟	总195	1986年	6期 401页
唐、五代"这、那"不单用作主语	梅祖麟	总198	1987年	3期 205页
《朴通事》里的指代词	吕叔湘	总201	1987年	6期 401页
元代有指物名词加"每"的说法	陈治文	总202	1988年	1期 71页
动词"起去"和它的消失	钟兆华	总206	1988年	5期 380页
元代指物名词后加"们(每)"的由来	孙锡信	总217	1990年	4期 302页
人称代词前加定语的两条近古用例	张崇	总224	1991年	5期 382页
敦煌变文中量词使用的几个特例	王新华	总241	1994年	4期 317页
近代汉语代词分化的"上问去答"原则	马思周	总251	1996年	2期 135页
"进"对"入"的历时替换	李宗江	总258	1997年	3期 206页
再论"进"对"入"的历时替换——与李宗江先生商榷	董志翘	总263	1998年	2期 155页
他称代词"他"的起源	李功成	总259	1997年	4期 310页
近代汉语指代词札记	董志翘	总260	1997年	5期 373页
关于《搜神记》"饮他酒脯"的"他"	薛少春	总266	1998年	5期 397页
他称代词"他"究竟产生于何时	郭红	总266	1998年	5期 398页
几篇短文读后	朱城	总266	1998年	5期 396页
《金瓶梅》复音形容词结构特征初探	程娟	总272	1999年	5期 360页

量词加词尾五代已见	苏旸	总280	2001年	1期	37页
《金瓶梅词话》中的授与动词"给"	傅惠钧	总282	2001年	3期	275页

                    *   *   *

《水浒传》里的助词"地"	胡竹安	总67	1958年	1期	33页
宋元白话作品中的语气助词	胡竹安	总72	1958年	6期	270页
元明白话里的助词"来"	俞光中	总187	1985年	4期	289页
《朱子语类》中的时体助词"了"	木霁弘	总193	1986年	4期	288页
《红楼梦》中"再"的一种特殊用法	顾义生	总208	1989年	4期	71页
被动关系词"吃"的来源初探	江蓝生	总212	1989年	5期	370页
《祖堂集》中的助词"去"	李崇兴	总214	1990年	1期	71页
"不成"词性的转移	钟兆华	总223	1991年	4期	291页
助词"似的"的语法意义及其来源	江蓝生	总231	1992年	6期	445页
处所词的领格用法与结构助词"底"的由来	江蓝生	总269	1999年	2期	83页
敦煌变文"是"字用法分析	于夏龙	总137	1965年	4期	293页
元人杂剧中的象声词	赵金铭	总161	1981年	2期	144页
《红楼梦》《儿女英雄传》中的副词"白"	马思周 潘慎	总165	1981年	6期	461页
读《癸巳存稿》(精其神)	程远	总169	1982年	1期	288页
再论近代汉语副词"白"	马思周	总218	1990年	5期	386页
《朱子语类》中"地""底"的语法作用	祝敏彻	总168	1982年	3期	193页
《祖堂集》中的"底(地)""却(了)""著"	曹广顺	总192	1986年	3期	192页
近代汉语的"况"可以表示转折	朱景松	总199	1987年	4期	307页
试说"就"和"快"在宋代的使用及有关的断代问题	曹广顺	总199	1987年	4期	288页
近代汉语副词"没的"考释	马荣尧	总218	1990年	5期	379页
否定副词"没"始见于南宋	吴福祥	总245	1995年	2期	153页
敦煌变文中所见的"了"和"着"	赵金铭	总148	1979年	1期	65页
试论"和"字的发展,附论"共"字和"连"字	刘坚	总213	1989年	6期	447页
介词"同"的产生	马贝加	总233	1993年	2期	151页
也谈"不成"词性的转移	徐时仪	总236	1993年	5期	391页
《元曲选》宾白中的介词"和"与"替"	李崇兴	总239	1994年	2期	149页
近代汉语里副词"好"的两种特殊用法	侯兰笙	总254	1996年	5期	360页
《红楼梦》前已有语气词"吗"	崔山佳	总254	1996年	5期	396页
语气词"啊"出现在《红楼梦》前	崔山佳	总259	1997年	4期	320页
《红楼梦》前已有语气词"吗"	崔山佳	总265	1998年	4期	313页
"《红楼梦》前已有语气词'吗'"献疑	王魁伟	总276	2000年	3期	284页
近代汉语"和"类虚词的历史考察	于江	总255	1996年	6期	457页
语气助词"呀"的形成及其历史渊源	钟兆华	总260	1997年	5期	367页

《醒世姻缘传》里的"打哩(打仔)"	徐复岭	总235	1993年	4期 308页
《醒世姻缘传》里的句末语气词"可"	李立成	总265	1998年	4期 304页
《佛本行集经》中的"许"和"者"	曹广顺	总273	1999年	6期 440页
《老乞大》四种版本从句句尾助词研究	李泰洙	总274	2000年	1期 47页
近代汉语中类同副词"亦"的衰落与"也"的兴起	杨荣祥	总274	2000年	1期 57页
时间词"时"和"後"的语法化	江蓝生	总289	2002年	4期 291页
元代白话碑文中助词的特殊用法	祖生利	总290	2002年	5期 459页

*　　　*　　　*

早期白话中的"X着哩"	萧斧	总131	1964年	4期 280页
近代汉语"好不"考	袁宾	总180	1984年	3期 207页
"好不"续考	袁宾	总197	1987年	2期 134页
肯定式"好不"产生的时代	何金松	总218	1990年	5期 393页
《肯定式"好不"产生的时代》质疑	曹澂明	总226	1992年	1期 75页
《五代史平话》中已有肯定式"好不"用例出现	曹小云	总251	1996年	2期 150页
"好不"肯定式出现时间新证	孟庆章	总251	1996年	2期 160页
《水浒全传》句末的"在这(那)里"考	俞光中	总190	1986年	1期 63页
《水浒全传》的因果句	李思明	总197	1987年	2期 120页
《老残游记》里的"连跑是跑"	王继同	总206	1988年	5期 394页
《祖堂集》被字句研究——兼论南北朝到宋元之间被字句的历史发展和地域差异	袁宾	总208	1989年	1期 53页
"动+得+宾语"结构的产生和发展	杨平	总209	1989年	2期 126页
"V得(不得)"与"V得了(不了)"	李宗江	总242	1994年	5期 375页
汉语能性述补结构"V得/不C"的语法化	吴福祥	总286	2002年	1期 29页
结构助词"得"的来源与"V得C"述补结构的形成	赵长才	总287	2002年	2期 123页
魏晋南北朝到宋代的"动+将"结构	曹广顺	总215	1990年	2期 130页
近代汉语以"时"煞尾的从句	艾皓德	总225	1991年	6期 451页
现代汉语差比格式的来源及演变	黄晓惠	总228	1992年	3期 213页
《〈祖堂集〉被字句研究》商补	曹小云	总236	1993年	5期 389页
《金瓶梅词话》中的择选问句	刘镜芙	总243	1994年	6期 454页
近代汉语中已有"姓+了"的说法	崔山佳	总245	1995年	2期 89页
把字句略论——兼论功能扩展	蒋绍愚	总259	1997年	4期 298页
从"VP-neg"式反复问句的分化谈语气词"麽"的产生	吴福祥	总256	1997年	1期 44页
重谈"动+了+宾"格式的来源和完成体助词"了"的产生	吴福祥	总267	1998年	6期 452页

《太平经》中非状语地位的否定词"不"	俞理明	总276	2000年	3期212页
《太平经》中非状语地位的否定词"不"和反复问句	俞理明	总284	2001年	5期466页
近代汉语中的一种特殊把字句	王文晖	总283	2001年	4期364页

现 代 语 法

语法讲话(一)语法是什么？为什么要学习语法？	中国科学院语言研究所语法小组	总1	1952年	1期 26页
语法讲话(二)词类	中国科学院语言研究所语法小组	总2	1952年	2期 18页
语法讲话(三)句子成分	中国科学院语言研究所语法小组	总3	1952年	3期 22页
语法讲话(四)句子的种类	中国科学院语言研究所语法小组	总4	1952年	4期 21页
语法讲话(五)时间和地位	中国科学院语言研究所语法小组	总5	1952年	5期 18页
语法讲话(六)几个特殊的动词——"有,是"等	中国科学院语言研究所语法小组	总6	1952年	6期 14页
语法讲话(七)主语,宾语	中国科学院语言研究所语法小组	总7	1953年	1期 16页
语法讲话(八)修饰语,补语	中国科学院语言研究所语法小组	总8	1953年	2期 17页
语法讲话(九)助动词,副动词	中国科学院语言研究所语法小组	总9	1953年	3期 26页
语法讲话(十)连动式,兼语式	中国科学院语言研究所语法小组	总10	1953年	4期 19页
语法讲话(十一)并列,并列句,偏正句	中国科学院语言研究所语法小组	总11	1953年	5期 22页
语法讲话(十二)并列,并列句,偏正句(续),代词	中国科学院语言研究所语法小组	总12	1953年	6期 26页
语法讲话(十三)代词(续),指示词	中国科学院语言研究所语法小组	总13	1953年	7期 20页
语法讲话(十四)指示词(续),数词,量词	中国科学院语言研究所语法小组	总14	1953年	8期 26页
语法讲话(十五)副词	中国科学院语言研究所语法小组	总15	1953年	9期 24页
语法讲话(十六)否定,问句	中国科学院语言研究所语法小组	总16	1953年	10期 23页
语法讲话(十七)语气	中国科学院语言研究所语法小组	总17	1953年	11期 15页
现代汉语语法研究(一)绪论	A. A. 龙果夫 郑祖庆 译　吕叔湘 校	总31	1955年	1期 5页

篇名	作者	总期	年份	期	页
现代汉语语法研究(二)第一章、名词(事物范畴)	A.A.龙果夫 郑祖庆 译 王力 吕叔湘 校	总32	1955年	2期	14页
现代汉语语法研究(三)第一章、名词(事物范畴)(续)	A.A.龙果夫 郑祖庆 译 王力 吕叔湘 校	总33	1955年	3期	30页
现代汉语语法研究(四)第一章、名词(事物范畴)(续)	A.A.龙果夫 郑祖庆 译 王力 吕叔湘 校	总34	1955年	4期	28页
现代汉语语法研究(五)第二章、动词(动作范畴)	A.A.龙果夫 郑祖庆 译 吕叔湘 校	总36	1955年	6期	24页
现代汉语语法研究(六)第二章、动词(动作范畴)(续)	A.A.龙果夫 邵荣芬 郑祖庆 译 吕叔湘 校	总37	1955年	7期	36页
现代汉语语法研究(七)第二章、动词(动作范畴)(续)	A.A.龙果夫 邵荣芬 郑祖庆 译 吕叔湘 校	总38	1955年	8期	34页
现代汉语语法研究(八)第二章、动词(动作范畴)(续)	A.A.龙果夫 邵荣芬 郑祖庆 译 吕叔湘 校	总39	1955年	9期	34页
现代汉语语法研究(九)第二章、动词(动作范畴)(续)	A.A.龙果夫 邵荣芬 郑祖庆 译 吕叔湘 校	总40	1955年	10期	30页
现代汉语语法研究的对象是什么?	朱德熙	总200	1987年	5期	321页
语文札记"稍微"、"多少"、"他的老师教得好"和"他的老师当得好"、"被"字句、"把"字句动词带宾语	吕叔湘	总137	1965年	4期	287页
语文札记"多"、"少"以及"许多"、"不少"等等、"很不…"	吕叔湘	总138	1965年	5期	343页

*　　　*　　　*

篇名	作者	总期	年份	期	页
现代汉语轻音和句法结构的关系	林焘	总117	1962年	7期	301页
语言里的不对称现象	程远	总154	1980年	1期	79页
词语之间的搭配关系——语法札记	文炼	总166	1982年	1期	17页
动作和时间	吴蒙	总176	1983年	5期	374页
动作和时间关系的分析	吴志钢	总179	1984年	2期	153页
语言结构中的虚范畴	赵世开	总190	1986年	1期	24页
论现代汉语时间系统的三元结构	陈平	总207	1988年	6期	401页
谈现代汉语的时制表示和时态表示系统	龚千炎	总223	1991年	4期	251页
汉语的空范畴	黄衍	总230	1992年	5期	383页
焦点和两个非线性语法范畴:"否定""疑	徐杰　李英哲	总233	1993年	2期	81页

问"

汉语语句的节律问题	文炼	总238	1994年	1期	22页
汉语怎样表达物体的空间关系	刘宁生	总240	1994年	3期	169页
与空语类有关的一些汉语语法现象	徐烈炯	总242	1994年	5期	321页
"有界"与"无界"	沈家煊	总248	1995年	5期	367页
汉语搭配定量分析初探	孙茂松 黄昌宁 方捷	总256	1997年	1期	29页
过程和非过程——汉语谓词性成分的两种外在时间类型	郭锐	总258	1997年	3期	162页
论汉语空间方位参照认知过程中的基本策略	方经民	总268	1999年	1期	12页
划分与切分	文炼	总271	1999年	4期	243页
汉语态制中"复合态"的生成	杨国文	总284	2001年	5期	418页
论"反复"	李宇明	总288	2002年	3期	210页
汉语是话语概念结构化语言吗？	徐烈炯	总290	2002年	5期	400页
施事角色的语用属性	张伯江	总291	2002年	6期	483页

词 和 构 词

用少数的汉字能造成无数的词儿么？	郑林曦	总2	1952年	2期	9页
字和词的矛盾必须解决	曹伯韩	总2	1952年	2期	14页
应当建立词的观念	伯韩	总5	1952年	5期	4页
词和仂语的界限问题	王力	总15	1953年	9期	3页
关于分析词儿的几点解释	林汉达	总15	1953年	9期	34页
怎样认识词儿	王红夫	总15	1953年	9期	35页
词的范围、形态、功能	胡附 文炼	总26	1954年	8期	3页
谈怎样分别词和语	钟梫	总30	1954年	12期	12页
什么不是词儿——小于词儿的不是词儿	林汉达	总34	1955年	4期	6页
什么不是词儿——大于词儿的不是词儿	林汉达	总35	1955年	5期	6页
对于单音词的一种错误见解	陆志韦	总34	1955年	4期	11页
"停"是词吗？"止"不是词吗？	潘山 吕叔湘	总35	1955年	5期	43页
"打仗"、"打架"是不是词？	钟本康 钟梫	总38	1955年	8期	41页
对什么是词的意见	梅德愚	总44	1956年	2期	12页
什么是词儿	史存直	总45	1956年	3期	20页
关于《什么是词儿》一文的讨论	向若 赵恩柱 陈仲选 茜芙	总47	1956年	5期	43页
再论什么是词儿	史存直	总51	1956年	9期	3页
汉语语法中字和词的问题	杨柳桥	总55	1957年	1期	6页
论汉语中词的界限问题（一）	伊三克 黄振华 译	总71	1958年	5期	233页

论汉语中词的界限问题(二)	伊三克 黄振华 译	总72	1958年	6期	283页
论汉语中词的界限问题(三)	伊三克 黄振华 译	总73	1958年	7期	330页
论汉语中词的界限问题(四)	伊三克 黄振华 译	总74	1958年	8期	392页
论汉语中词的界限问题(五)	伊三克 黄振华 译	总75	1958年	9期	439页
词、逻辑、语法	H.斯威特 廖可为 译	总108	1961年	9期	36页
说"自由"和"粘着"	吕叔湘	总111	1962年	1期	1页
关于语素、词和短语	王宗炎	总164	1981年	5期	321页
《关于语素、词和短语》一文读后	方经民	总168	1982年	3期	186页
语素和词与词和短语——《关于语素、词和短语》读后	郭良夫	总207	1988年	6期	445页
名词性"来信"是词还是词组？	陆俭明	总206	1988年	5期	366页
化石语素	俞敏	总178	1984年	1期	24页
汉语语素的定量研究	尹斌庸	总182	1984年	5期	338页
漫谈汉语语素的特征	雅·沃哈拉	总197	1987年	2期	93页
从字和字组看词和短语——也谈汉语中词的划分标准	王洪君	总239	1994年	2期	102页
汉语的韵律词与韵律短语	王洪君	总279	2000年	6期	525页
从韵律看汉语"词""语"分流之大界	冯胜利	总280	2001年	1期	27页
韵律构词与韵律句法之间的交互作用	冯胜利	总291	2002年	6期	515页

*　　　　*　　　　*

构词学的对象和手续	陆志韦	总54	1956年	12期	3页
关于汉语构词法的几个问题	岑麒祥	总54	1956年	12期	12页
《汉语的构词法》讨论纪要	管建智	总56	1957年	2期	49页
略论汉语构词法	张寿康	总60	1957年	6期	1页
对《关于汉语构词法》的几点意见	唐君励 缪树晟	总60	1957年	6期	13页
关于构词法问题的一些意见——敬答来信询问的同志并与高名凯、刘正埮二位同志商榷	岑麒祥	总94	1960年	4期	176页
垫腰的形容词和副词有哪些形式？	徐仁甫	总9	1953年	3期	17页
嵌"无"的四音节词	劳宁	总28	1954年	10期	32页
词头"被"和词尾"了"	余健萍	总51	1956年	9期	30页
现代汉语的前缀和后缀	郭良夫	总175	1983年	4期	250页
汉语复合词内部形式的特点与类别	刘叔新	总186	1985年	3期	186页
复合词结构的词汇属性——兼论语法学、词汇学同构词法的关系	刘叔新	总217	1990年	4期	241页
三语素合成词说略	李赓钧	总227	1992年	2期	102页
名词比喻造词	史锡尧	总255	1996年	6期	413页
《名词比喻造词》疑点	胡华	总260	1997年	5期	396页

《名词比喻造词》辨正	程志兵		总260	1997年	5期 397页
汉语合成复合词的构造过程	顾阳	沈阳	总281	2001年	2期 122页
汉语同义语素编码的参数和规则	王东海		总287	2002年	2期 159页

* * *

汉语中的双音词（上）	易熙吾		总28	1954年	10期 28页
汉语中的双音词（下）	易熙吾		总29	1954年	11期 9页
现代汉语单双音节问题初探	吕叔湘		总122	1963年	1期 10页
并列双音词的字序	陈爱文	于平	总149	1979年	2期 101页
"调序说"异议——与陈爱文、于平同志商榷	张冈		总158	1980年	5期 348页
临时单音词	程远		总158	1980年	5期 344页
双音节优势的一种表现	袁岘		总160	1981年	1期 19页
词的并列结构与古义	梦湘		总141	1966年	2期 150页
关于并列结构固定词语的内部次序	蒋文钦	陈爱文	总169	1982年	4期 289页
汉语偏正式构词探微	沈怀兴		总264	1998年	3期 189页
人民活语言中的重叠词	郭乃岑		总18	1953年	12期 34页
汉语重叠词的形式	徐仁甫		总26	1954年	8期 10页
迭字词尾初步研究	马克前		总64	1957年	10期 44页
"迭字"的综合研究	胡行之		总65	1957年	11期 26页
现代汉语AABB重叠式词构成基础的统计分析	任海波		总283	2001年	4期 302页

* * *

略语是不是词儿？	邹国统	吕叔湘	总38	1955年	8期 43页
现代汉语词语的缩简	筱文		总81	1959年	3期 125页
现代汉语里的简称——附论统称和词语的减缩	陈建民		总125	1963年	4期 291页
论缩略	郭良夫		总167	1982年	2期 81页

词　类

中国语法中的"词法"研讨	黎锦熙		总15	1953年	9期 8页
关于汉语的词类分别	高名凯		总16	1953年	10期 13页
谈词的分类（上）	文炼	胡附	总20	1954年	2期 17页
谈词的分类（下）	文炼	胡附	总21	1954年	3期 10页
汉语是有词类分别的（对高名凯教授的文章提一些意见）	Б.Г.穆德洛夫		总24	1954年	6期 30页
再论汉语的词类分别（答Б.Г.穆德洛夫同志）	高名凯		总26	1954年	8期 13页
汉语里没有词类分别吗？	陈乃凡		总26	1954年	8期 8页
汉语的词类问题	钟梫　赵淑华　金德厚		总26	1954年	8期 11页

对《汉语的词类问题》的更正	王还 钟梫　金德厚　王还 赵淑华	总30	1954年	12期	34页
关于汉语词类的一些原则性问题(上)	吕叔湘	总27	1954年	9期	6页
关于汉语词类的一些原则性问题(下)	吕叔湘	总28	1954年	10期	16页
汉语的词类分别问题	曹伯韩	总28	1954年	10期	23页
关于词类和语序的几个小问题	郑传伟　张恒棣 郭学德 问　叔湘 答	总28	1954年	10期	46页
区分词类不能割裂意义和形态	陈陵	总28	1954年	10期	46页
汉语词类分别的商榷	刘冠群	总29	1954年	11期	17页
三论汉语的词类分别	高名凯	总31	1955年	1期	20页
我对划分汉语词类的看法	伯晦	总31	1955年	2期	24页
关于《再论汉语的词类分别》的例证问题	莫木	总33	1955年	3期	42页
关于词类问题的读书质疑	伯韩	总34	1955年	4期	5页
词类大系——附论"词组"和"词类形态"	黎锦熙	总35	1955年	5期	9页
关于汉语有没有词类的讨论	本刊编辑部	总37	1955年	7期	20页
论词类	Л.B.谢尔巴 刘涌泉 译　吕叔湘 校	总47	1956年	5期	41页
词类的区分和辨认	傅子东	总51	1956年	9期	11页
词类的区分和辨认(续)	傅子东	总52	1956年	10期	26页
词类的区分和辨认(续)	傅子东	总53	1956年	11期	33页
词类的区分和辨认(续完)	傅子东	总54	1956年	12期	37页
一个迷信权威的实例(关于词类的讨论)	林阴	总54	1956年	12期	50页
意义是不是划分汉语词类的唯一标准?——评傅子东的《词类的区分和辨认》	仲宣	总57	1957年	3期	12页
论汉语划分词类的标准——评傅子东先生关于汉语词类的理论	徐仲华	总58	1957年	4期	13页
语法再研讨——词类区分和名词问题	黎锦熙　刘世儒	总91	1960年	1期	5页
"劳动着"是名词性词组吗?	吴哲夫	总93	1960年	3期	109页
汉语词类的定量研究	尹斌庸	总195	1986年	6期	428页
运用统计法进行词类划界的一个尝试	马彪	总242	1994年	5期	347页
现代汉语词类问题考察	胡明扬	总248	1995年	5期	381页
"金、银"也可以是名词	周一民	总276	2000年	3期	281页
词类划分中的几个问题	文炼　胡附	总277	2000年	4期	298页
汉语词类划分的论证	郭锐	总285	2001年	6期	494页
副词跟形容词的界限问题	傅婧	总29	1954年	11期	18页
"不科学"的"科学"究竟是什么词?	王如霖	总69	1958年	3期	139页
关于词的兼类问题	陆俭明	总238	1994年	1期	28页
词类活用的功能解释	张伯江	总242	1994年	5期	339页

虚词也应该规范化	赵恩柱	总 51	1956 年	9 期	36 页
怎样进行虚词规范	刘凯鸣	总 61	1957 年	7 期	6 页
现代汉语虚词释例(样品)	北京大学中文系 55 级、57 级语言班	总 93	1960 年	3 期	112 页
现代汉语虚词释例(续)	北京大学中文系 55 级、57 级语言班	总 94	1960 年	4 期	178 页
如何正确掌握和运用虚词	群力	总 101	1961 年	2 期	14 页
单项对比分析法——制定一种虚词语义分析法的尝试	胡明扬	总 279	2000 年	6 期	508 页

各 个 词 类

名词在特定环境中的语义偏移现象	邹韶华	总 193	1986 年	4 期	267 页
释汉语中与名词性成分相关的四组概念	陈平	总 197	1987 年	2 期	81 页
现代汉语名词类的扩大——现代汉语动词和名词分界线的考察	陈宁萍	总 200	1987 年	5 期	379 页
一种名词	相原茂	总 224	1991 年	5 期	351 页
一价名词的认知研究	袁毓林	总 241	1994 年	4 期	241 页
名词的描述性语义特征与副名组合的可能性	施春宏	总 282	2001 年	3 期	212 页
"N"+"们"的选择限制与"N 们"的表义功用	张谊生	总 282	2001 年	3 期	201 页
名形词类转变的语义基础及相关问题	谭景春	总 266	1998 年	5 期	368 页
名词代表动词短语和代词所指的波动	袁毓林	总 287	2002 年	2 期	99 页
现代汉语中的后置词(上)	Н. И. 贾布基娜 罗时豫 译	总 66	1957 年	12 期	25 页
现代汉语中的后置词(下)	Н. И. 贾布基娜 罗时豫 译	总 67	1958 年	1 期	35 页
方位词使用情况的初步考察	吴之翰	总 136	1965 年	3 期	206 页
现代汉语方位词的语法功能	邹韶华	总 180	1984 年	3 期	173 页
空间方位词和方位参考点	廖秋忠	总 208	1989 年	1 期	9 页
同类词连用规则刍议——从方位词"东、南、西、北"两两组合规则谈起	陆俭明	总 242	1994 年	5 期	330 页

* * *

关于动词的及物和不及物——对胡附、文炼《现代汉语语法探索》的商榷之一	孙毓苹	总 53	1956 年	11 期	48 页
试论汉语动词、形容词的名词化	史振晔	总 99	1960 年	12 期	422 页
动词重叠	王还	总 122	1963 年	1 期	23 页
关于动词重叠	李人鉴	总 131	1964 年	4 期	255 页

标题	作者	总期	年份	期 页
试论所谓"动词重叠"	范方莲	总131	1964年	4期 264页
动词重叠的表达功能及可重叠动词的范围	刘月华	总172	1983年	1期 9页
并非动词重叠的功能	玉柱	总177	1983年	6期 466页
论双音节动词的重叠性及其语用制约性	王希杰 华玉明	总225	1991年	6期 425页
单向动词及其句型	吴为章	总170	1982年	5期 328页
现代汉语中动词的支配成分的省略	廖秋忠	总181	1984年	4期 241页
"成为"类复合动词探讨	吴为章	总187	1985年	4期 251页
带非名词性宾语的动词	蔡文兰	总193	1986年	4期 253页
"X得"及其句型——兼谈动词的"向"	吴为章	总198	1987年	3期 170页
试论专职的动词前加词	陈一	总208	1989年	1期 32页
"动+名"结构中单双音节动作动词功能差异初探	张国宪	总210	1989年	3期 186页
动词分类研究说略	李临定	总217	1990年	4期 248页
试论粘着动词	尹世超	总225	1991年	6期 401页
论助动词	刘坚	总91	1960年	1期 1页
关于助动词——兼评刘坚同志的《论助动词》	梁式中	总95	1960年	5期 213页
也谈助动词	王年一	总95	1960年	5期 217页
动词直接做定语时的位置	王光全	总232	1993年	1期 70页
试论能愿动词的句法结构形式及其语用功能	郭志良	总234	1993年	3期 189页
动词的"向"札记	吴为章	总234	1993年	3期 171页
略说显示状态功能的动词	王安龙	总234	1993年	3期 202页
说标题动词及相关的标题格式	尹世超	总235	1993年	4期 260页
汉语动词的过程结构	郭锐	总237	1993年	6期 410页
动词的句位和句位变体结构中的空语类	沈阳	总239	1994年	2期 139页
趋向动词构句浅议	杨国文	总240	1994年	3期 190页
汉语的提升动词	曹逢甫	总252	1996年	3期 172页
汉语合成动词的结构特点	张登岐	总260	1997年	5期 336页
汉语评判动词的语义类	王健慈	总261	1997年	6期 432页
现代汉语动作类二价动词探索	戴耀晶	总262	1998年	1期 3页
动词重叠的若干句法问题	李宇明	总263	1998年	2期 83页
动词的空间适应性情况考察	储泽祥	总265	1998年	4期 253页
非自主动词的分类补议	袁明军	总265	1998年	4期 262页
动词重叠式的语法意义	朱景松	总266	1998年	5期 378页
试谈"飞上海"等不及物动词带宾语现象	郭继懋	总272	1999年	5期 337页

标题	作者			总期	年份	期页
情态动词"能"在交际过程中的义项呈现	王伟			总276	2000年	3期 238页
"化"尾动词功能弱化的等级序列	张云秋			总286	2002年	1期 50页
动词重叠式VV与V—V的语用差别	徐连祥			总287	2002年	2期 118页

* * *

标题	作者			总期	年份	期页
现代汉语形容词重叠式的感情作用	冯成麟			总23	1954年	5期 22页
关于形容词的范围	刘静文			总29	1954年	11期 20页
形容词使用情况的一个考察	吴之翰			总139	1965年	6期 419页
形容词用法研究	吴之翰			总141	1966年	2期 119页
试论非谓形容词	吕叔湘	饶长溶		总161	1981年	2期 81页
现代汉语的肯定性形容词	石毓智			总222	1991年	3期 167页
肯定性形容词与非肯定性形容词的区别	陈月明			总226	1992年	1期 37页
双向和多指形容词及相关的句法关系	谭景春			总227	1992年	2期 93页
形容词的AABB反义叠结	邢福义 储泽祥	李向农	丁力	总236	1993年	5期 343页
汉语形容词的有标记和无标记现象	黄国营	石毓智		总237	1993年	6期 401页
动词形容词的"名物化"和"名词化"	胡裕树	范晓		总239	1994年	2期 81页
现代汉语的动态形容词	张国宪			总246	1995年	3期 221页
两个疑点——《现代汉语的动态形容词》读后	梅立崇			总255	1996年	6期 417页
非谓形容词的词类地位	李宇明			总250	1996年	1期 1页
形容词句法功能的标记模式	沈家煊			总259	1997年	4期 242页
现代汉语形容词的体及形态化历程	张国宪			总267	1998年	6期 403页
延续性形容词的续段结构及其体表现	张国宪			总273	1999年	6期 403页
现代汉语形容词的典型特征	张国宪			总278	2000年	5期 447页

* * *

标题	作者		总期	年份	期页
汉语代名词的格(中国语文杂谈之一)	力山		总1	1952年	1期 32页
汉语代名词的数(中国语文杂谈之三)	力山		总10	1953年	4期 35页
关于代词	乃凡		总34	1955年	4期 41页
代词是一种独立的词类	曾聪明		总52	1956年	10期 19页
说人称代词前用加语	许德楠		总61	1957年	7期 23页
谈谈代词的语法特点	林文金		总75	1958年	9期 429页
语法再研讨——代词和代名词问题	黎锦熙	刘世儒	总96	1960年	6期 285页
疑问代词的重叠用法	于细良		总131	1964年	4期 279页
疑问代词的任指用法	于细良		总134	1965年	1期 30页
人称代词的变换	张炼强		总168	1982年	3期 182页
指示代词三分法说补证	津化		总206	1988年	5期 393页
指示代词的二分法和三分法——纪念陈望道先生百年诞辰	吕叔湘		总219	1990年	6期 401页

标题	作者	总期	年份	期 页
不同系统结构的指示代词在功能上没有可比性——《指示代词的二分法和三分法》读后	洪波	总222	1991年	3期 192页
第三人称代词的特点	徐丹	总211	1989年	4期 281页
汉语第三人称代词敬语制约现象的考察	木村英树	总218	1990年	5期 344页
人称代词"他"的照应功能研究	王灿龙	总276	2000年	3期 228页
现代汉语的命名性处所词	储泽祥	总260	1997年	5期 326页
指示词"这"和"那"在北京话中的语法化	方梅	总289	2002年	4期 343页

* * *

标题	作者	总期	年份	期 页
数词和数词结构	朱德熙	总70	1958年	4期 185页
量词的选择	倪宝元	总182	1984年	5期 361页
数词、量词的语义成分和数量结构的语法功能	马庆株	总216	1990年	3期 161页
"一＋动量词"的重叠式	王继同	总221	1991年	2期 113页
试论现代汉语复合量词	张万起	总223	1991年	4期 262页
量词的语义分析及其与名词的双向选择	邵敬敏	总234	1993年	3期 181页
动量词的语义分析及其与动词的选择关系	邵敬敏	总251	1996年	2期 100页
从临时量词看词类的转变与词性标注	谭景春	总283	2001年	4期 291页

* * *

标题	作者	总期	年份	期 页
程度副词修饰动词能不受限制吗？	李春林 余立人	总77	1958年	11期 536页
关于汉语副词转变为其他词类的问题	Е.И.罗日捷斯温斯卡娅 金有景 译	总81	1959年	3期 119页
论汉语副词的范围	张静	总107	1961年	8期 1页
关于副词修饰名词	邢福义	总115	1962年	5期 215页
跟副词"再"有关的几个句式	马希文	总185	1985年	2期 105页
谈单音节副词的重叠	齐沪扬	总199	1987年	4期 262页
副词修饰"是"字情况考察	古川裕	总208	1989年	1期 19页
论现代汉语的程度副词	周小兵	总245	1995年	2期 100页
时间副词"正"的两个位置	王志	总263	1998年	2期 103页
论与汉语副词相关的虚化机制——兼论现代汉语副词的性质、分类与范围	张谊生	总274	2000年	1期 3页
跟副词"还"有关的两个句式	沈家煊	总285	2001年	6期 483页

* * *

标题	作者	总期	年份	期 页
汉语介词的新体系	黎锦熙 刘世儒	总56	1957年	2期 16页
时间的一维性对介词衍生的影响	石毓智	总244	1995年	1期 1页
介词"给"可以引进受事成分	朱景松	总244	1995年	1期 48页

标题	作者	总期	年份	期号 页码
试论副动词	饶长溶	总94	1960年	4期 166页
补《试论副动词》——并略谈《汉语语法教材》论"介词"的部分	陆志韦	总95	1960年	5期 220页
对《试论副动词》和《补"试论副动词"》的意见	李临定 范方莲	总99	1960年	12期 419页

* * *

标题	作者	总期	年份	期号 页码
论划分连词的几个问题	黄盛璋	总87	1959年	9期 431页
关于"划分连词的几个问题"的讨论——答黄盛璋同志	黎锦熙	总87	1959年	9期 434页
"还有"之类的追加作用（附说"连"字）	肖斧	总46	1956年	4期 31页
再说"与"类连词在多叠并列中的位置	萧斧	总50	1956年	8期 37页
论所谓从属连词的词性和它们在复合句中可用可不用的问题	宋祚胤	总52	1956年	10期 14页
多叠并列的最后两叠之间加"与"类连词的问题	斯尔鑫 萧斧	总55	1957年	1期 49页
谈几对关联词语的功用	宋秀令	总148	1979年	1期 31页
也谈连接单句成分的关联词语	何适达 郭明玖	总153	1979年	6期 424页

* * *

标题	作者	总期	年份	期号 页码
助词说略	吕叔湘 孙德宣	总48	1956年	6期 33页
现代汉语中一个新的语助词"看"	陆俭明	总88	1959年	10期 490页
语助词"看"的形成时代	劳宁	总116	1962年	6期 278页
关于语助词"看"的形成	心叔	总118	1962年	8期 392页
重谈语助词"看"的起源	蔡镜浩	总214	1990年	1期 75页
读宽鸣同志的《谈语气词》	A.科托娃 鲁扬 福林 译	总94	1960年	4期 174页
北京话的语气助词和叹词（上）	胡明扬	总164	1981年	5期 347页
北京话的语气助词和叹词（下）	胡明扬	总165	1981年	6期 416页
关于现代汉语里的疑问语气词	陆俭明	总182	1984年	5期 330页
语气词"呢"在疑问句中的作用	邵敬敏	总210	1989年	3期 170页
试论完成貌助词"去"	陈泽平	总227	1992年	2期 143页
北京话句中语气词的功能研究	方梅	总239	1994年	2期 129页
关于非是非问句里的"呢"	叶蓉	总243	1994年	6期 448页
北京话疑问语气词的分布、功能及成因	陈妹金	总244	1995年	1期 17页
从话语角度论证语气词"的"	李讷 安珊笛 张伯江	总263	1998年	2期 93页

* * *

标题	作者	总期	年份	期号 页码
说象声词	廖化津	总51	1956年	9期 17页
与象声词有关的符号问题——兼与文炼先生商榷	耿二岭	总240	1994年	3期 186页
关于象声词的一点思考	文炼	总244	1995年	1期 29页

句　　法

分析句子应该以什么为中心？	明秋	总 30	1954 年	12 期 14 页
汉语的句子	俞敏	总 61	1957 年	7 期 7 页
论句法结构	朱德熙	总 118	1962 年	8 期 351 页
句法句子结构和结构主义的句子分析	史存直	总 161	1981 年	2 期 91 页
谈谈层次分析法	巴南	总 162	1981 年	3 期 187 页
汉语语法分析方法初议	卞觉非	总 162	1981 年	3 期 179 页
汉语句法结构的基本类型（上）——《新编现代汉语》语法体系的几点说明	张静	总 162	1981 年	3 期 190 页
汉语句法结构的基本类型（下）	张静	总 163	1981 年	4 期 265 页
关于语法结构分析方法问题	李人鉴	总 163	1981 年	4 期 241 页
论句子结构的分析法	廖序东	总 162	1981 年	3 期 161 页
分析方法刍议——评句子成分分析法	陆俭明	总 162	1981 年	3 期 169 页
成分分析法和层次分析法及其结合	李子云	总 163	1981 年	4 期 251 页
对成分分析法和层次分析法相结合的一些看法	陆丙甫	总 163	1981 年	4 期 255 页
两种析句方法试评	史锡尧	总 163	1981 年	4 期 260 页
谈句法分析——介绍一部《现代汉语》的句子分析法	黄伯荣	总 164	1981 年	5 期 328 页
破句成分分析法　立句结构成分分析法	孙良明	总 164	1981 年	5 期 337 页
句式变化	梁晨	总 177	1983 年	6 期 428 页
汉语句段结构	范继淹	总 184	1985 年	1 期 52 页
分歧点和交叉点——分析句子问题琐谈	张志公	总 165	1981 年	6 期 401 页
句法分析和句法教学	吕冀平	总 166	1982 年	1 期 7 页
句子分析漫谈	胡附　文炼	总 168	1982 年	3 期 161 页
汉语句法的灵活性	吕叔湘	总 190	1986 年	1 期 1 页
试谈汉语语法分析方法——从《汉语句法的灵活性》一文说起	李临定	总 230	1992 年	5 期 376 页
语句理解的同步组块过程及其数量描述	陆丙甫	总 191	1986 年	2 期 106 页
句子的理解策略	文炼	总 229	1992 年	4 期 260 页
汉语句法分析方法的嬗变	陆俭明	总 231	1992 年	6 期 430 页
关于句子合语法或不合语法问题	范晓	总 236	1993 年	5 期 352 页
影响汉语句子自足的语言形式	孔令达	总 243	1994 年	6 期 434 页
汉语对比焦点的句法表现手段	方梅	总 247	1995 年	4 期 279 页
汉语造句方式	李临定	总 247	1995 年	4 期 260 页

标题	作者	期号	年份	期/页
汉语类指成分的语义属性和句法属性	刘丹青	总290	2002年	5期411页
句式和配价	沈家煊	总277	2000年	4期291页

* * *

标题	作者	期号	年份	期/页
对句型名称的意见（信箱）	黄诚一	总50	1956年	8期 26页
关于句子的分类	孙毓苹	总56	1957年	2期 47页
区分句型的一个尝试	《现代汉语八百词用法》编写组	总146	1978年	3期178页
论现代汉语简单句的分类问题 ——存在句与占有句	龙果夫 陈孔伦 译	总64	1957年	10期 38页
存在句	范方莲	总126	1963年	5期386页
有字句	詹开第	总160	1981年	1期 27页
存在和存在句的分类	聂文龙	总209	1989年	2期 95页
存在句的范围、构成和分类	雷涛	总235	1993年	4期244页
从动谓句的动词重复谈起	赵荣普	总68	1958年	2期 85页
关于主谓谓语句的分析问题——对赵荣普《从动谓句的动词重复谈起》一文的商榷	刘凯鸣 邓剑文	总72	1958年	6期275页
现代汉语否定式判断句的起源	刘世儒	总97	1960年	10期335页
"的"字结构和判断句（上）	朱德熙	总144	1978年	1期 23页
"的"字结构和判断句（下）	朱德熙	总145	1978年	2期104页
读《"的"字结构和判断句》	陆丙甫	总151	1979年	4期275页
对《"的"字结构和判断句》的一点意见	徐思益	总151	1979年	4期279页
谓词隐含及其句法后果——"的"字结构的称代规则和"的"的语法、语义功能	袁毓林	总247	1995年	4期241页
工具格在汉语句法结构中的地位 ——与袁毓林先生商榷	周国光	总258	1997年	3期215页
现代汉语里的受事主语句	龚千炎	总158	1980年	5期335页
对《现代汉语里的受事主语句》的一点补充	秦礼军	总160	1981年	1期 80页
是非问句的句法形式	范继淹	总171	1982年	6期426页
由"非疑问形式＋呢"造成的疑问句	陆俭明	总171	1982年	6期435页
反问句的性质和作用	于根元	总183	1984年	6期419页
谈疑问句	林裕文	总185	1985年	2期 91页
疑问·否定·肯定	吕叔湘	总187	1985年	4期241页
关于否定的否定	吴羽	总190	1986年	1期 60页
现代汉语的委婉否定格式	马清华	总195	1986年	6期437页
"语用否定"考察	沈家煊	总236	1993年	5期321页
论否定句的焦点、预设和辖域歧义	袁毓林	总275	2000年	2期 99页

汉语正反问句的模组语法	黄正德	总205	1988年	4期 247页
"判断语词"的语义强度	沈家煊	总208	1989年	1期 1页
回声问	王志	总215	1990年	2期 97页
祈使句式和动词的类	袁毓林	总220	1991年	1期 10页
正反问句及相关的类型学参项	袁毓林	总233	1993年	2期 103页
毛泽东著作中是非性反问句的反意形式	萧国政	总237	1993年	6期 430页
毛泽东著作设问句研究	李宇明	总237	1993年	6期 423页
关于第三者的疑问句的否定式答语语义确定性初探	侯一麟	总244	1995年	1期 11页
反问句的语义语用特点	郭继懋	总257	1997年	2期 111页
疑问标记的复用及标记功能的衰变	李宇明	总257	1997年	2期 97页
疑问句功能琐议	张伯江	总257	1997年	2期 104页
"是不是"问句说略	陶炼	总263	1998年	2期 105页
疑问句探询功能的迁移	徐盛桓	总268	1999年	1期 3页
"阿V"及其相关疑问句式比较研究	徐烈炯 邵敬敏	总270	1999年	3期 163页
从问句系统看"是不是"问句	丁力	总273	1999年	6期 415页
论现代汉语特指疑问判断句	杉村博文	总286	2002年	1期 14页
多项NP句	范继淹	总178	1984年	1期 28页
无定NP主语句	范继淹	总188	1985年	5期 321页
周遍性主语句及其他	陆俭明	总192	1986年	3期 161页
受事成分句类型比较	李临定	总194	1986年	5期 341页
"比"字句内比较项Y的替换规律试探	马真	总191	1986年	2期 97页
"比"字句替换规律刍议	邵敬敏	总219	1990年	6期 410页
"X比Y还W"的两种功能	殷志平	总245	1995年	2期 105页
差比句语义指向类型比较研究	赵金铭	总290	2002年	5期 452页
双主谓结构句和连谓式	宋玉柱	总206	1988年	5期 370页
"N_1+V得$+N_2+VP$"句式	丁恒顺	总210	1989年	3期 191页
领主属宾句	郭继懋	总214	1990年	1期 24页
具有提示作用的"是"字句	方梅	总224	1991年	5期 342页
试论含有同一[一N]两次出现前后呼应的句子的语义类型	吕叔湘	总229	1992年	4期 241页
汉语"连"字句的语用分析	崔希亮	总233	1993年	2期 117页
焦点与背景、话题及汉语"连"字句	刘丹青 徐烈炯	总265	1998年	4期 243页
动词小句的基本短语结构形式	王维贤	总238	1994年	1期 57页
关于汉语里"动词+X+地点词"的句型	徐丹	总240	1994年	3期 180页
小句中枢说	邢福义	总249	1995年	6期 420页
话题化及相关的语法过程	袁毓林	总253	1996年	4期 241页
一种表破损义的隐现句	谭景春	总255	1996年	6期 405页
不带前提句的"也"字句	崔永华	总256	1997年	1期 18页

"主主谓"句法范畴和话题概念的逻辑分析——汉语主宾语研究之一	杨成凯	总259	1997年	4期 251页
汉语重动句式的功能研究	项开喜	总259	1997年	4期 260页
"是……的"句质疑	杨石泉	总261	1997年	6期 439页
重动句补议	王灿龙	总269	1999年	2期 122页
"在"字句和"给"字句	沈家煊	总269	1999年	2期 94页
试论"也"字句的歧义	杨亦鸣	总275	2000年	2期 114页
浅论科技语体中的"似乎VP"句	宗守云	总286	2002年	1期 25页
"由于"句的语义偏向	屈哨兵	总286	2002年	1期 22页
"由于"句的语义偏向辨	邢福义	总289	2002年	4期 337页

* * *

把字句(处置式)的起源	戈弋	总69	1958年	3期 117页
把字句谓语中动作的方向	詹开第	总173	1983年	2期 93页
"把"字句中"把"的宾语	王还	总184	1985年	1期 48页
动词带"过"的"把"字句	王军虎	总206	1988年	5期 372页
"把OV在1"的语义、句法、语用分析	金立鑫	总236	1993年	5期 361页
名词短语的多重移位形式及把字句的构造过程与语义解释	沈阳	总261	1997年	6期 402页
"把"字句的句法、语义、语境特征	金立鑫	总261	1997年	6期 415页
无定式把字句在近、现代汉语中的地位问题及其理论意义	陶红印 张伯江	总278	2000年	5期 433页
动词的配价与汉语的把字句	范晓	总283	2001年	4期 309页
被字句和把字句的对称与不对称	张伯江	总285	2001年	6期 519页
如何处置"处置式"?——论把字句的主观性	沈家煊	总290	2002年	5期 387页
"被"字句	李临定	总159	1980年	6期 401页

* * *

汉语书面语言歧义现象举例	徐仲华	总152	1979年	5期 339页
《汉语书面语言歧义现象举例》读后(一)(二)	施关淦 吴启主	总154	1980年	1期 42页
汉语句法里的歧义现象	朱德熙	总155	1980年	2期 81页
关于"在+Np+V+N"句式的分化问题	施关淦	总159	1980年	6期 413页
歧义二例	莫索	总180	1984年	3期 215页
歧义类例	吕叔湘	总182	1984年	5期 321页
试谈"片面+V+O"句的歧义性	姚振武	总186	1985年	3期 198页
在一定语境中产生的歧义现象	徐思益	总188	1985年	5期 337页
语境歧义分析	王建华	总196	1987年	1期 13页
"V动+T时段+的+N名"的同符异构问题	蒋同林	总208	1989年	1期 38页

"语义的不确定性"和无法分化的多义句	沈家煊	总223	1991年	4期 241页
PP〈被〉＋VP$_1$＋VP$_2$格式歧义的自动消解	詹卫东	总261	1997年	6期 424页

        *   *   *

语句次序	邱景焕	总156	1980年	3期 218页
诗句的次序	吴蒙	总159	1980年	6期 457页
也谈语句次序	钱元庆	总168	1982年	3期 192页
再谈语句次序	钱元庆	总172	1983年	1期 69页
AB和BA	邱景焕	总173	1983年	2期 封3
"谁是张老三?"="张老三是谁?"?	叔湘	总181	1984年	4期 305页
"蜂鸟在武夷山首次发现"小议	陆丙甫	总198	1987年	3期 223页

词　组（短语）

说"结构"	张寿康	总147	1978年	4期 237页
对《说"结构"》一文的几点看法	李人鉴	总150	1979年	3期 174页
说《说"结构"》	彭庆达	总153	1979年	6期 416页
也谈"结构"	陆丙甫	总153	1979年	6期 412页
关于结构和短语问题	范晓	总156	1980年	3期 165页
关于向心结构的定义	朱德熙	总183	1984年	6期 401页
现代汉语里的向心结构和离心结构	施关淦	总205	1988年	4期 265页
试论短语自主成句所应具备的若干语法范畴	黄南松	总243	1994年	6期 441页

        *   *   *

关于动补结构问题	刘世荣	总29	1954年	11期 8页
关于介词结构作谓语	梁吟	总57	1957年	3期 6页
也谈关于介词结构作谓语	史振晔	总60	1957年	6期 48页
说"词组代句"	郑南	总70	1958年	4期 187页
试论表"每"的数量结构对应式	李临定　范方莲	总98	1960年	11期 379页
谈"数量结构＋形容词"	邢福义	总134	1965年	1期 34页
带"等"或"等等"的结构	张炼强	总142	1966年	3期 223页
论汉语并列结构的复杂性	王国璋	总151	1979年	4期 260页
动补格句式	李临定	总155	1980年	2期 93页
"住了三年"和"住了三年了"	郑怀德	总155	1980年	2期 103页
能在判断句中作主语的一种介词结构	张文周	总156	1980年	3期 175页
关于"从…到…"结构	邢福义	总158	1980年	5期 345页
"从…到…"是介词结构吗	余大光	总158	1980年	5期 347页
汉语里有"没去了几次"这种结构吗	宋玉柱	总159	1980年	6期 478页
谈"没动了宾/补"式	陈刚	总160	1981年	1期 45页
关于"没V了$_1$"式	陈刚	总188	1985年	5期 329页
两种名·名结构	梁晨	总163	1981年	4期 278页

标题	作者	总期	年份	期页
"救火""打扫卫生"和"养病"的结构	李行健	总167	1982年	2期 155页
三种"一…一…"	李芝	总181	1984年	4期 311页
动宾组合带宾语	饶长溶	总183	1984年	6期 413页
动趋式+宾语的语序	叔湘	总186	1985年	3期 206页
"放到桌子上""放在桌子上""放桌子上"	郭熙	总190	1986年	1期 20页
动词+处所宾语	孟庆海	总193	1986年	4期 261页
"刚+V+M"和"刚才+V+M"	周小兵	总196	1987年	1期 18页
试论"动-了-趋"式和"动-将-趋"式	陈刚	总199	1987年	4期 282页
与动结式动词有关的某些句式	马希文	总201	1987年	6期 424页
动结式短语的表述问题	詹人凤	总209	1989年	2期 105页
"V来了"试析	陆俭明	总210	1989年	3期 161页
关于动趋式带宾语的几种语序	张伯江	总222	1991年	3期 183页
"我唱给你听"及相关句式	赵金铭	总226	1992年	1期 1页
现代汉语并列名词性成分的顺序	廖秋忠	总228	1992年	3期 161页
谈"动+的"短语的几个问题	裘荣棠	总228	1992年	3期 182页
"N的V"结构的构成	张伯江	总235	1993年	4期 252页
《围城》中有"人名+俩"的说法	崔山佳	总236	1993年	5期 390页
"除了……以外"用法研究	郑懿德 陈亚川	总238	1994年	1期 65页
汉语偏正结构的认知基础及其在词序类型学上的意义	刘宁生	总245	1995年	2期 81页
多重定名结构中形容词的类别和次序	马庆株	总248	1995年	5期 357页
把/被结构与动词重复结构的互补分布现象	黄月圆	总251	1996年	2期 92页
试论"一 V 一 V"格式	殷志平	总251	1996年	2期 110页
"名词+动词"词语串浅析	马真 陆俭明	总252	1996年	3期 183页
关于"大+时间词(的)"	沈阳	总253	1996年	4期 281页
交互类短语与连介兼类词的分化	张谊生	总254	1996年	5期 330页
"满+N"与"全+N"	储泽祥	总254	1996年	5期 339页
"$V_{双}+N_{对}$"短语的理解因素	张国宪	总258	1997年	3期 176页
论"在+处所"的语义功能和语序制约原则	俞咏梅	总268	1999年	1期 21页
"连用"手段下的多项NP	储泽祥	总269	1999年	2期 108页
动词前成分"一"的探讨	殷志平	总269	1999年	2期 116页
现代汉语的双及物结构式	张伯江	总270	1999年	3期 175页
"打碎了他四个杯子"与约束原则	徐杰	总270	1999年	3期 185页
关于《"打碎了他四个杯子"与约束原则》一文的几点疑问	刘乃仲	总285	2001年	6期 555页
用事成分的语义序列与语法规则	吴继光	总270	1999年	3期 192页
说"V 一 V"	邢福义	总278	2000年	5期 420页

主宾可换位动结式述语结构分析	任鹰	总283	2001年	4期 320页
"动+趋+了"和"动+了+趋"补议	杨德峰	总283	2001年	4期 329页
汉语给予类双及物结构的类型学考察	刘丹青	总284	2001年	5期 387页
述结式配价的控制—还原分析	袁毓林	总284	2001年	5期 399页
"名+数量"语序与注意焦点	储泽祥	总284	2001年	5期 411页
制约夺事成分句位实现的语义因素	张国宪	总285	2001年	6期 508页
再谈"吃了他三个苹果"一类结构的性质	陆俭明	总289	2002年	4期 317页
数目短语	李艳惠 陆丙甫	总289	2002年	4期 326页

* * *

对"连动式"的意见	惠湛源	总21	1954年	3期 8页
关于连动式和兼语式的取消论	唐启运	总68	1958年	2期 84页
谈"连动式"	史振晔	总91	1960年	1期 9页
"连动式"还是"连谓式"？（上）	王福庭	总96	1960年	6期 281页
"连动式"还是"连谓式"？（下）	王福庭	总97	1960年	10期 339页
形式主义一例（与王福庭讨论）	华中师范学院中文系语言学战斗组	总99	1960年	12期 418页
连动与联谓	舒方	总166	1982年	1期 22页
论递系式和兼语式	史存直	总21	1954年	3期 5页
对"特殊兼语式"的意见	吴士勋	总28	1954年	10期 47页
是兼语式还是包孕句	缪树晟	总51	1956年	9期 10页
论兼语式和一些有关句子分析法的问题	陈建民	总93	1960年	3期 101页
由"V给"引起的兼语句及其变化	龚千炎	总175	1983年	4期 241页

各个句法成分

词的职务和位次	傅子东	总15	1953年	9期 13页
一种比较特殊的句子成分	李人鉴	总102	1961年	3期 29页
汉语句法成分特有的套叠现象	陆俭明	总215	1990年	2期 81页
省略一例	赵焉	总170	1982年	5期 393页
省略谓语动词的一种情形	施言	总183	1984年	6期 403页
说"省略"	王维贤	总189	1985年	6期 409页
谈隐含	张国宪	总233	1993年	2期 126页
关于"省略"和"隐含"	施关淦	总239	1994年	2期 125页
试论汉语中三种句子成分与语义成分的配位原则	陈平	总240	1994年	3期 161页

* * *

汉语中处所词做主语的存在句	陈庭珍	总62	1957年	8期 15页
主语见于领位而省略	林文金	总63	1957年	9期 25页
从"谓语结构"的主语谈起	陆志韦	总125	1963年	4期 284页
主语能不能放在介词结构当中	李裕德	总148	1979年	1期 34页

"主语放在介词结构当中"的提法不妥	邵霭吉	总152	1979年	5期 344页
《主语能不能放在介词结构当中》读后	江声大	总152	1979年	5期 345页
也谈主语能不能放在介词结构当中	廖平	总152	1979年	5期 346页
关于暗中更换主语	李裕德	总153	1979年	6期 420页
主语与兼语、宾语同指一物	扬子	总176	1983年	5期 350页
主语的语法地位	李临定	总184	1985年	1期 62页
"名+在+名(处所)"结构作标题	陆俭明	总187	1985年	4期 260页
优选论与汉语主语的确认	潘海华 梁昊	总286	2002年	1期 3页
汉语中的提位句	陈君哲	总26	1954年	8期 18页
对《汉语中的提位句》的一些意见	坚白	总30	1954年	12期 6页
*	*	*		
试论复杂谓语	马忠	总106	1961年	7期 1页
汉语口语中的双主谓结构句	刘宁生	总173	1983年	2期 97页
包含动词"给"的复杂句式	朱德熙	总174	1983年	3期 161页
动、补、宾的层次	杨石泉	总193	1986年	4期 277页
主谓谓语句举例	吕叔湘	总194	1986年	5期 334页
谓语及其部分的蒙后省略	高更生	总234	1993年	3期 197页
汉语时间词谓语句的限制条件	邓思颖	总288	2002年	3期 217页
*	*	*		
谈一种宾语	邢福义	总99	1960年	12期 426页
宾语和数量补语的次序	李兴亚	总156	1980年	3期 171页
与非名词性宾语有关的几个问题	吴为章	总160	1981年	1期 41页
时量宾语和动词的类	马庆株	总161	1981年	2期 86页
广义谓词性宾语的类型研究	杨成凯	总226	1992年	1期 26页
宾语与动量词语的次序问题	方梅	总232	1993年	1期 54页
*	*	*		
趋向补语的起源	尹玉	总63	1957年	9期 14页
动词后的"到""过"和其他几个词	潘汞	总97	1960年	10期 334页
动词和趋向性后置成分的结构分析	范继淹	总123	1963年	2期 136页
带"得"字的补语句	李临定	总126	1963年	5期 396页
可能补语用法的研究	刘月华	总157	1980年	4期 246页
名词短语补语句析	李临定	总211	1989年	4期 255页
补语的表述对象问题	李子云	总218	1990年	5期 338页
程度与情状	王邱丕 施建基	总219	1990年	6期 416页
*	*	*		
定语运用不当	倪宝元	总138	1965年	5期 367页
名词的定语和助词"的"、"之"	肖申生	总150	1979年	3期 180页
谈一些定语的问题	陈乃凡	总166	1982年	1期 80页

标题	作者	总期	年份	期	页
很+动词结构	饶继庭	总107	1961年	8期	15页
主谓句主语前的成分	饶长溶	总124	1963年	3期	218页
再谈动词结构前加程度修饰	范继淹 饶长溶	总129	1964年	2期	101页
作状语用的形名短语	梁晨	总174	1983年	3期	171页
状位"形容词+'点'"的入位条件和语义取值	萧国政	总262	1998年	1期	13页
也谈状位"形容词+点"的入位条件和语义取值——与萧国政先生商榷	张宝胜	总275	2000年	2期	182页
自己、自性与自然——谈汉语中的反身状语	蔡维天	总289	2002年	4期	357页

复 句

标题	作者	总期	年份	期	页
复合句和停顿——对胡附、文炼《现代汉语语法探索》的商榷之二	孙毓苹	总55	1957年	1期	48页
单句复句的划界问题	郭中平	总58	1957年	4期	1页
谈谈包孕句和单句复句的关系	曹伯韩	总58	1957年	4期	10页
试论汉语单句复句的区分标准	刘世儒	总59	1957年	5期	21页
汉语复句学说的源流和解决问题的方法	黎锦熙 刘世儒	总60	1957年	6期	9页
汉语复句新体系的理论	黎锦熙 刘世儒	总62	1957年	8期	20页
对于《汉语复句新体系的理论》的意见	哈粥亮	总65	1957年	11期	49页
谈复句的紧缩	丁勉哉	总66	1957年	12期	15页
无条件句里并列成分的连词问题	徐志清	总85	1959年	7期	332页
独词句可以充当复句的分句	郑鉴图	总103	1961年	4期	35页
独词句能充当分句	陈德政	总104	1961年	5期	32页
论定名结构充当分句	邢福义	总148	1979年	1期	23页
试论复子句	阎仲笙	总157	1980年	4期	267页
也谈"(好)数量形(的)名"句型的特点	徐志清	总157	1980年	4期	318页
试论"A,否则B"句式	邢福义	总177	1983年	6期	419页
"但"类词和"无论p,都q"句式	邢福义	总181	1984年	4期	248页
"越X,越Y"句式	邢福义	总186	1985年	3期	178页
作为分句的"X是X"	符达维	总188	1985年	5期	334页
反递句式	邢福义	总190	1986年	1期	10页
前加特定形式词的"一X,就Y"句式	邢福义	总201	1987年	6期	457页
作为分句的"A不A"	黄佩文	总207	1988年	6期	453页
试说以"时"或"的时候"煞尾的假设从句	张炼强	总216	1990年	3期	174页
汉语"连"字句	周小兵	总217	1990年	4期	258页
含双联分句的复句	谭达人	总219	1990年	6期	422页
汉语复句格式对复句语义关系的反制约	邢福义	总220	1991年	1期	1页

"一边A,一边B"的内部语义关系分析	王弘宇	总257	1997年	2期 122页
说"一A就C"	王弘宇	总281	2001年	2期 134页
"但是"与"却"的相容性和相斥性 ——兼论转折句的语义关系	杨月蓉	总275	2000年	2期 109页

篇 章

汉语口语句法里的易位现象	陆俭明	总154	1980年	1期 28页
浅谈定语的易位现象	潘晓东	总163	1981年	4期 277页
口语里的一种重复——兼谈"易位"	孟琮	总168	1982年	3期 174页
关于定语易位的问题	陆俭明	总168	1982年	3期 179页
记言式及其结构分析	郑远汉	总173	1983年	2期 87页
现代汉语篇章中空间和时间的参考点	廖秋忠	总175	1983年	4期 257页
现代汉语篇章中指同的表达	廖秋忠	总191	1986年	2期 88页
现代汉语篇章中的连接成分	廖秋忠	总195	1986年	6期 413页
篇章中的管界问题	廖秋忠	总199	1987年	4期 250页
汉语零形回指的话语分析	陈平	总200	1987年	5期 363页
不加说明的话题——从"对答"看"话题—说明"	沈家煊	总212	1989年	5期 326页
叙述文中"他"的话语分析	徐赳赳	总218	1990年	5期 325页
多动词小句中的零形式	徐赳赳	总236	1993年	5期 332页
篇章中的段落分析	徐赳赳	总251	1996年	2期 81页
"毕竟"的语篇分析	祖人植 任雪梅	总256	1997年	1期 39页
句子成分的后置与话轮交替机制中的话轮后续手段	陆镜光	总277	2000年	4期 303页
自然口语中弱化连词的话语标记功能	方梅	总278	2000年	5期 459页

书 刊 评 介

评慧先著《语法讲话》	陈安叔	总7	1953年	1期 35页
评谭正璧的《基本语法》	黄伯荣 吕冀平 齐荣	总16	1953年	10期 33页
读《语法讲话》后的一些意见	邓懿	总23	1954年	5期 20页
对《语法讲话》的意见	张汝舟	总25	1954年	7期 16页
《中学语法教学》(文炼、胡附)	伯韩	总25	1954年	7期 35页
评王了一《中国语法纲要》(俄译本)	雅洪托夫 唐作藩 译	总42	1955年	12期 42页
《汉语词类区别的标准》(傅子东)《文史哲》(1956年第3期)		总49	1956年	7期 50页
《略论补足语》(许绍早)《人文科学学报》(1957年第2期)		总49	1956年	7期 50页

《试论汉语语法学界的一些错误论点》（王宗炎）《中山大学学报（社会科学版）》(1956年第1期)		总49	1956年	7期	50页
《关于汉语的词类问题》（胡明扬）《教学与研究》(1956年第6期)		总49	1956年	7期	51页
《汉语的词类问题》第二集（中国语文丛书）	东海	总51	1956年	9期	48页
《〈水浒〉中的"被字句"》（许绍早）《动词带宾语问题的研究》（黄盛璋）《人文科学学报》(1956年第3期)	东海	总51	1956年	9期	48页
《语法理论基本知识》（岑麒祥）	直	总52	1956年	10期	48页
《语法比较》（张静）	郑达	总53	1956年	11期	47页
《中国文法要略》（吕叔湘）	梁吟	总54	1956年	12期	48页
《汉语语法问题研究》（洪心衡）	玄常	总54	1956年	12期	49页
《语法和语法教学》（张志公）	方砚田　孙方	总55	1957年	1期	46页
读《语法和语法教学》	唐启运	总58	1957年	4期	44页
《汉语的主语宾语问题》（中国语文丛书之一）	梁吟	总55	1957年	1期	47页
《试论同一性的附加语》（丁勉哉）《华东师大学报》(1957年第1期)	坚	总56	1957年	2期	45页
《论语言中的词》（周斌武）《学术月刊》(1957年1月号)	徐征	总56	1957年	2期	46页
《现代汉语的构形法和构词法》（邢公畹）《南开大学学报》(1956年第2期)	任建民　灏之	总58	1957年	4期	42页
《汉语的使动性复式动词》（周迟明）《山东大学学报（人文科学）》(1957年第1期)	肃父	总60	1957年	6期	46页
《语法概要》（马汉麟）	沈锡人	总61	1957年	7期	47页
《汉语语法》（郎峻章）	徐远	总62	1957年	8期	46页
《汉语语法基础知识》（缪一之）	沈士英	总63	1957年	9期	43页
《现代汉语语法》（陈书农）	蕾平　余卯	总63	1957年	9期	44页
《古汉语语法》（张贻惠）	郑梅	总63	1957年	9期	45页
《词和词组的区别》（洪笃仁）《学术论坛》(1957年第2期)	黎原	总63	1957年	9期	46页
《现代汉语语法》（高耀墀）	柳明水　田福生	总66	1957年	12期	46页
《现代汉语补足语里的轻音现象所反映出来的语法和语义问题》（林焘）《北京大学学报（人文科学）》(1957年第2期)	林伯初	总67	1958年	1期	44页
《现代汉语构词法例解》（崔复爱）	刘凯鸣	总69	1958年	3期	144页

标题	作者	总期	年份	期/页
《汉语怎样表达被动意念》(黄广生)《人文科学学报》(1957年第4期)	东海	总69	1958年	3期145页
评雅洪托夫著《汉语的动词范畴》	В. И. 高列洛夫 方诗聪 译	总83	1959年	5期242页
评雅洪托夫著《汉语的动词范畴》	Е. И. 舒托娃 任醒云 译	总91	1960年	1期 45页
《现代汉语》(上)语法部分(北京大学)	年一	总92	1960年	2期 95页
《现代汉语语法讲话》读后(丁声树等)	吕冀平	总116	1962年	6期279页
《汉语词法句法阐要》读后(洪心衡)	杨庆蕙 仲哲明	总159	1980年	6期468页
《马氏文通》代字章述评	王海棻	总161	1981年	2期132页
对《〈马氏文通〉代字章述评》的一点意见	唐子恒	总197	1987年	2期131页
《现代汉语八百词》是一本好词典	王还	总161	1981年	2期154页
《汉语口语语法》读后(赵元任)	李士重	总162	1981年	3期199页
评介《语法学习讲话》(张志公)	钱兆明	总165	1981年	6期475页
《西周金文语法研究》读后(管燮初)	王海棻	总171	1982年	6期469页
电大教材《汉语语法》读后	吕冀平	总175	1983年	4期307页
读《古汉语虚词》(杨伯峻)	王凡	总175	1983年	4期310页
《简明实用汉语语法》读后(马真)	李芳杰	总179	1984年	2期132页
《现代汉语句法分析》读后(吴竞存、侯学超)	江边	总190	1986年	1期 75页
《语法答问》读后(朱德熙)	顾越	总193	1986年	4期318页
评《语法研究和探索》(一)	李芳杰	总194	1986年	5期388页
评《语法研究和探索》(二)	邵敬敏	总198	1987年	3期234页
《马氏文通读本》读后(吕叔湘、王海棻)	张清常	总202	1988年	1期 73页
关于给予式的历史发展——读贝罗贝著《汉语历时句法——公元前14世纪至公元18世纪给予式的演变》	徐丹	总216	1990年	3期219页
评介《介词问题及汉语的解决方法》([法国]海然热)	徐丹	总219	1990年	6期465页
注重语义讲求实用的语法新著——《实用汉语参考语法》读后(李英哲、郑良伟等)	郑懿德 陈亚川	总223	1991年	4期315页
评《现代汉语句法结构与分析》(吴竞存、梁伯枢)	石安石	总237	1993年	6期469页
读《古代疑问词语用法词典》(王海棻)	赵诚	总240	1994年	3期239页
《汉语动词和动词性结构》(马庆株)读后	邵敬敏 朱晓亚	总243	1994年	6期470页
读邢福义主编《现代汉语》	史有为	总243	1994年	6期466页
评贾彦德《汉语语义学》	邢公畹	总244	1995年	1期 70页
读太田辰夫《中国语历史文法·跋》	王魁伟	总245	1995年	2期158页

语法学史上有价值的一部专著——读易作霖《国语文法四讲》	高更生	总265	1998年	4期 269页
《吕叔湘著〈汉语语法分析问题〉助读》介绍	徐枢	总280	2001年	1期 85页
《汉语变调构词研究》读后	卢烈红	总282	2001年	3期 280页
现存最早的汉语语法著作——瓦罗著《华语官话语法》简介	姚小平	总284	2001年	5期 475页

修辞、写作、翻译

汉语修辞、风格

对《语法修辞讲话》的几点商榷（吕叔湘、朱德熙）	王松茂	总40	1955年	10期 20页
《语法修辞讲话》的教学体会	谢永仁	总45	1956年	3期 47页
漫谈修辞新例	倪宝元	总90	1959年	12期 566页
修辞新例	严修 良明 徐仁甫	总96	1960年	6期 290页
"组字"和"析词"——修辞方式漫谈之一	倪宝元	总99	1960年	12期 433页
谈一种"偶发词"	武占坤	总103	1961年	4期 49页
词章学？修辞学？风格学？	张志公	总107	1961年	8期 17页
* * *				
语词复用例释	黄岳洲	总67	1958年	1期 31页
略谈双提分承	朱泳燚	总84	1959年	6期 268页
列举和分承	王希杰	总91	1960年	1期 12页
试论词语的并列	王年一	总102	1961年	3期 26页
同义反复	慎言	总154	1980年	1期 63页
重复得好	慎言	总158	1980年	5期 351页
准确 简练——谈谈锤炼词语	倪宝元	总159	1980年	6期 475页
比喻义和比喻	潘汞	总84	1959年	6期 298页
"借喻"和"借代"	孟自黄	总111	1962年	1期 53页
博喻	钱元庆	总174	1983年	3期 206页
说"互喻"	倪宝元	总176	1983年	5期 342页
试谈修辞上的"同异"格	杨庆蕙	总179	1984年	2期 128页
"借题"格刍议	尹黎云	总182	1984年	5期 366页
类聚格	王希杰	总196	1987年	1期 21页
《诗》"雀无角""鼠无牙"解——修辞中的偷换格	孙雍长	总208	1989年	1期 77页

修辞上的限制格	崔荣昌		总209	1989年	2期 120页
同语修辞格与典型特征	刘德周		总283	2001年	4期 339页

* * *

文体与风格	迩遥		总104	1961年	5期 11页
谈现代汉语的语体	唐松波		总104	1961年	5期 15页
《论语》有关言语风格的记述	程祥徽		总190	1986年	1期 58页
"文革"语体初探	陈松岑		总204	1988年	3期 207页
《金瓶梅词话》和《宝剑记》语言风格的差异——兼论词话写定者不是李开先	章一鸣		总260	1997年	5期 361页
语体仿拟浅说	曾毅平		总283	2001年	4期 343页

作 家 语 言 研 究

学习毛主席的语言的大众风格	张啸虎		总19	1954年	1期 10页
毛主席的比喻	唐启运		总82	1959年	4期 179页
毛主席使用语言的形象性	何炯		总84	1959年	6期 256页
毛泽东同志树立了语言修养的榜样	袁征		总86	1959年	8期 351页
要更深入地研究毛泽东同志的语言	华开		总90	1959年	12期 562页
毛主席演讲中运用设问句的特色	朱泳燚		总90	1959年	12期 564页
修辞学的指导纲领	徐耀中		总94	1960年	4期 158页
联合比喻的作用	庄关通		总94	1960年	4期 159页
词语反复用法和设问与反问相结合	郑远汉		总94	1960年	4期 160页
排比和重复的出色运用	蒋义海		总94	1960年	4期 162页
毛主席著作中的语言波澜	赵洪勋		总95	1960年	5期 206页
学习毛主席对文字表达精益求精的精神	朱泳燚		总95	1960年	5期 208页
毛主席树立了使用方言词的典范	乔惟森	肖淑	总95	1960年	5期 211页
毛主席政论语言中的讽刺艺术	袁征		总97	1960年	10期 315页
毛主席著作中对偶的创造性运用	倪宝元		总97	1960年	10期 318页
毛主席树立了运用成语的典范	刘新友		总97	1960年	10期 319页
学习毛主席著作里的语言	吕叔湘	朱德熙	总105	1961年	6期 7页
读毛主席《沁园春·长沙》词札记	黄绮		总139	1965年	6期 459页
鲁迅先生的措词	钦文		总18	1953年	12期 26页
鲁迅的语言艺术(以《阿Q正传》为例)	徐中玉		总52	1956年	10期 34页
鲁迅用语的生动简炼(读书札记)	刘坚		总52	1956年	10期 39页
鲁迅作品中的色彩词的运用	朱泳燚		总88	1959年	10期 488页
鲁迅杂文比喻的特色	邓炳坤		总98	1960年	11期 386页
鲁迅作品中的一种修辞手法——反复	王希杰		总98	1960年	11期 390页
鲁迅著作中的翻造词语	倪大白		总160	1981年	1期 76页
认真对待作品语言的范例——学习	朱泳燚		总148	1979年	1期 8页

《叶圣陶文集》的文字修改				
《正红旗下》里边的几个"不怎么"(老舍)	方若	总 161	1981 年	2 期 122 页
《骆驼祥子》语言的两大特色(老舍)	詹开第	总 170	1982 年	5 期 347 页
试论关汉卿的语言	吴晓铃	总 72	1958 年	6 期 264 页
作家对句子谓语的修改	倪宝元	总 221	1991 年	2 期 121 页

写　作

谈写作的语言	陈治文	总 1	1952 年	1 期 33 页
作文和说话	赖震川　王树滋　苗青　马任秋　施树森	总 6	1952 年	6 期 34 页
须长则长　可短则短	朱伯石	总 145	1978 年	2 期 154 页

* * *

文章的长短	史新	总 155	1980 年	2 期 92 页
段落与场面	吴奔星	总 14	1953 年	8 期 31 页
开端和结尾(《怎样使讲读与写作相结合》之一)	吴奔星	总 19	1954 年	1 期 28 页
关于写作体例的话	本刊编辑部	总 67	1958 年	1 期 49 页
谈谈写作体例	李大德	总 121	1962 年	12 期 586 页
略谈文章的连贯和呼应	朱伯石	总 140	1966 年	1 期 62 页
节律压倒结构	周至	总 174	1983 年	3 期 240 页
整齐和参差	符若	总 191	1986 年	2 期 105 页

* * *

汉语文学作品体裁	吴蒙	总 155	1980 年	2 期 141 页
略谈应用文的变化和发展	管谨讱	总 89	1959 年	11 期 541 页
应用文的特点和应用文的教学	张传宗	总 89	1959 年	11 期 544 页

* * *

横行排写上标点符号的运用问题	陈越	总 40	1955 年	10 期 28 页
希望横排报刊统一书名号	伦海滨	总 40	1955 年	10 期 29 页
对使用引号的意见	鲁扬　田禾	总 53	1956 年	11 期 50 页
概数和顿号	董国栋	总 80	1959 年	2 期 53 页
书名号应该统一	平群	总 85	1959 年	7 期 333 页
谈"?!"	蒋荫枏	总 145	1978 年	2 期 156 页
标点二则	程远	总 163	1981 年	4 期 319 页
顿号	舒方	总 171	1982 年	6 期 463 页

语言修养(文风、文病)

学习人民群众的语言	叶长荫　王振声	总 141	1966 年	2 期 110 页
肃清残存的"协和语"	文风　王正	总 23	1954 年	5 期 33 页

标题	作者	总期	年份	期/页
改进文风	叶圣陶	总70	1958年	4期 168页
论文风	贾芝	总70	1958年	4期 169页
从所谓"硬写"谈开去——文风漫谈之一	何家槐	总70	1958年	4期 170页
改进文风问题管见(文风笔谈)	丁声树	总71	1958年	5期 201页
改进文风中的语言问题(文风笔谈)	王佐良	总71	1958年	5期 201页
读诗(文风笔谈)	老舍	总71	1958年	5期 203页
文风偶记(文风笔谈)	吕叔湘	总71	1958年	5期 204页
大家都有责任(文风笔谈)	朱德熙	总71	1958年	5期 205页
改变文风首先要改造思想(文风笔谈)	吴晓铃	总71	1958年	5期 205页
漫谈文风(文风笔谈)	陆志韦	总71	1958年	5期 206页
写文章为了什么(文风笔谈)	郑奠	总71	1958年	5期 206页
谈文风的改进(文风笔谈)	胡裕树	总71	1958年	5期 207页
谈改进文风(文风笔谈)	姜亮夫	总71	1958年	5期 208页
多快好省,改进文风(文风笔谈)	唐兰	总71	1958年	5期 210页
漫谈文风中的三个问题(文风笔谈)	高名凯	总71	1958年	5期 210页
也来一个双反运动吧?(文风笔谈)	傅东华	总71	1958年	5期 212页
改变文风要从说话做起	葳甫	总71	1958年	5期 238页
反对半文半白的文体	杨耐思	总86	1959年	8期 389页
反对文章里的"官气"	杨耐思	总89	1959年	11期 551页
"四人帮"的文风及其影响	王伯熙	总144	1978年	1期 55页
帮八股的禁忌和语言运用的现实	王克仲	总144	1978年	1期 59页
关于文风问题答《新观察》记者问	郭沫若	总146	1978年	3期 158页
空话	慎言	总157	1980年	4期 297页
文学语言也还是自然点儿好	管悝	总183	1984年	6期 475页

* * *

标题	作者	总期	年份	期/页
语文短评(1～15)	叔湘 迁公 亦鸣 徐采芹 茜蒡	总50	1956年	8期 49页
语文短评(16～31)	计士 扎若 迁公 其华 徐采芹 崔卯裘 茜蒡	总51	1956年	9期 45页
语文短评(32～55)	茜蒡 满鹤年 王午 张一才 蔡颖敏 法今 徐枢 张少庭 徐采芹 毛西旁 刘凯鸣 竹荪 蒋懂闻	总52	1956年	10期 46页
语文短评(56～81)	葛信益 温端政 竹荪 张桦 陈永正 唐启运 乔惟森 采芹 卯裘 陈祖力 梁吟 鲁扬	总53	1956年	11期 45页
语文短评(82～105)	温端政 季宾 攸川	总54	1956年	12期 46页

	谭永祥	葛信益	元植				
	陈祖仂	竹苏	王正				
	何书义	梁吟	吟				
	李祖彝	徐应济					
语文短评(106～127)	潘永	海宽	伟森	总55	1957年	1期	43页
	河水	柯英	馀培英				
	温端政	潘佳	程月				
	乔维森	王涯	刘之一				
	顾逸	遵章	竹苏				
	刘泾选	齐云	福熙				
	刘汝燮	斯尔矗					
语文短评(128～154)	张桦	孙经国	石川	总56	1957年	2期	42页
	原野	流水	雨田				
	许自成	野帆	炼柔				
	谷兴云	遵章	刘凯鸣				
	徐伟	微知	刘作义				
	程好问	莫子纯	廷穆				
	萧兵						
语文短评(155～183)	李巴	鲁扬	李学金	总57	1957年	3期	45页
	潘佩	加合	攸川				
	陈天福	艾木	乔维森				
	潘印桂	潘相瑶	程好问				
	白芳	胡谱承	茜荞				
	贾双虎	凯鸣	廷穆				
	流水	黄德贤	吕超海				
语文短评(184～208)	米青	徐仲华	程祥徽	总58	1957年	4期	38页
	戚勇	紫明	丁世俊				
	张友建	程好问	雨田				
	温端政	宋玉柱	鲁扬				
	周恩源	杨行健	梁吟				
	金有景	野帆	先鞭				
	曹克俭	潘佳	毕恩				
	茅开						
语文短评(209～233)	周恩源	温端政	野帆	总59	1957年	5期	45页
	程好问	鲁扬	虞山民				
	项镇鼎	沈士英	沈愉				
	沈锡人	乔维森	董遵章				
	茅开	周增泰	孙方				
	程越	徐英葆	黄光甫				
	舒市丙	鄞江生	魏文瑞				
	苏东川	陈大尧	孙经国				
语文短评(234～258)	鲁凡	叶乾贵	王自强	总60	1957年	6期	42页
	苏济霖	所佳	而中				
	马蔚藩	李文	石安石				
	李祖彝	敏生	小兼				

	刘凯鸣	黄树功	莫善乐				
	符景垣	潘中柔	黄微远				
	赵长信	孙方	惠修				
	沈锡铭	周溶泉	边绍和				
	刘丕烈						
语文短评(259～283)	石英	黄诚一	小公	总61	1957年	7期	45页
	鲁扬	程好问	茅开				
	张了且	凌慈房	野帆				
	雷雨云	宋玉柱	暖地				
	黄微远	马连祺	山岭				
	刘凯鸣	王存维	康郎				
	鄞江生	王志遂	徐征				
	徐英葆	舒市丙	鲁玉				
语文短评(284～307)	程好问	黄德贤	陈雨萌	总62	1957年	8期	41页
	周恩元	赵宁渌	伍均仁				
	姜象城	西旁	贾双虎				
	孙中逊	颜如南	孙建谟				
	叶俊夫	蒋荫柌	东川				
	舒市丙	弘今	陈大尧				
	袁汝临						
语文短评(308～332)	程好问	孙耀南	李蕾平	总63	1957年	9期	41页
	方莲	姜象城	德昇				
	黄微远	虞山民	潘佳				
	其华	山岭	张友建				
	刘雨	刘丕烈	王璞之				
	惠修	董大中	黎炳魁				
	雨田	安家驹	颜如南				
语文短评(333～353)	谭永祥	谢质彬	赵宁渌	总64	1957年	10期	48页
	牛文炳	仲和	施旦中				
	白俊耀	周恩源	毕务范				
	张桦	谷斯南	潘醒				
	方曙平	程好问	山岭				
	康郎	均仁	而中				
	徐伟						
语文短评(354～380)	黄世瑚	张凤祥	王若瞻	总65	1957年	11期	42页
	陆人洲	王存维	张耀亭				
	廷穆	刘洁修	罗忠新				
	姜象城	史该	王千山				
	牛文炳	毛西旁	房林				
	张桦	黄微远	刘丕烈				
	魏文瑞	石英	贾双虎				
	尔螽	刘凯鸣	周增泰				
	王璞之	潘光弼	黎炳魁				
语文短评(381～403)	沈孟璎	雨田	祖新	总66	1957年	12期	44页
	李辅昌	徐允	周武童				

	胡新	程垂成	邵景康			
	仲和	张桦	华景年			
	陆复中	王千山	张松正			
	高光烈	马逸				
语文短评(404～425)	詹人凤	程泽	张正寰	总67	1958年	1期 41页
	赵长信	而中	黄世翔			
	莫善乐	罗忠新	刘凯鸣			
	徐允	仲和	季民			
	黄微远	王璞之	高贵明			
	王若瞻	赵恩柱	丁植圃			
语文短评(426～450)	其华	斯尔螽	高光烈	总69	1958年	3期 141页
	石英	徐志清	徐应济			
	黄微之	王璞之	乔惟森			
	康郎	朱泳燚	刘惠康			
	王志遂	孙儒雅	小禾			
	孙建谟	邵慕曾	马逸			
	刘朝宾	志遂	而中			
	杨直夫					
语文短评(451～475)	王若瞻	徐允	仲和	总71	1958年	5期 247页
	黄世瑚	恒平	罗忠新			
	王璞之	高山岭	蔡德梁			
	舒市丙	向群	李中和			
	萧申生	符景恒	萧天柱			
	温应时	高光烈	小公			
	韩策	贾双虎				
语文短评(476～495)	付嘉	牛文炳	傅冉桥	总73	1958年	7期 344页
	范继淹	邢谷桐	柯英			
	高贵明	刘凯鸣	杨直夫			
	白群	而中	朱泳燚			
	胡新	杨静仁	葛信益			
	张娴娟	蒋景	王年一			
语文短评(496～518)	萧天柱	贾双虎	光烈	总75	1958年	9期 447页
	杨直夫	苏以风	罗忠新			
	张正寰	向群	谭黄			
	徐继孔	程佳境	王宏霞			
	而中	娄伯平	艾白薇			
	罗由沛	成效				
语文短评(519～535)	刘凯鸣	王杰昌	宣镇华	总77	1958年	11期 522页
	潘力	刘琳	杨静仁			
	余磊	张正寰	徐仲华			
	艾白薇	金有景	献力			
语文短评(536～545)	简泽	献力	张正寰	总79	1959年	1期 39页
	光烈	刘凯鸣	陈信春			
	赵宁渌	杨万昌	董国栋			
语文短评(546～557)	胡振荣	艾白薇	侯文普	总80	1959年	2期 81页

		程垂民	四川省自贡七中				
		教师	向群	程佳境			
		刘明纲	吴剑扬				
语文短评(558~580)		杨一可	刘喜印	周基	总82	1959年	4期 189页
		雨田	雪夫	胡新			
		殷之华	献力	陈德政			
		张正寰	廷木	沈鸿鑫			
		游仲权	陆琛	向群			
		王健芝	王存芳				
语文短评(581~590)		罗忠新	张正寰	王兆麟	总83	1959年	5期 239页
		杨静仁	王杰昌	王存芳			
		沈鸿鑫	艾白薇				
语文短评(591~614)		韩兆德	孙建谟	宋玉柱	总85	1959年	7期 339页
		松风	卢延权	一兵			
		周有光	远航	王漫萍			
		贾双虎	殷之华	陆琛			
		王杰昌					
语文短评(615~635)		雨田	吴剑扬	陈德政	总86	1959年	8期 387页
		彭嵋森	仲和	献力			
		钟本康	宋玉柱	松风			
		李辉荣	娄伯平	罗志新			
		艾白薇	吴一凡	其华			
		刘凯鸣					
语文短评(636~648)		雨田	潘力	卢延权	总88	1959年	10期 497页
		刘琳	陈向群	向群			
		伍均仁	宋玉柱	王燕			
语文短评(649~660)		雨田	朱泳燚	吴伯方	总89	1959年	11期 549页
		宋玉柱	刘永芳	贾双虎			
		刘喜印	艾白薇	贝林			
语文短评(661~671)		徐仲华	仲和	陆复中	总90	1959年	12期 591页
		乔惟森	萧淑	一兵			
		郑义润	钟本康				
语文短评(672~692)		殷之华	沈锡伦	徐仲华	总91	1960年	1期 40页
		沈士英	君梧	程佳境			
		陆复中	徐征	朱泳燚			
		工兆麟					
语文短评(693~704)		刘新友	金有景	朱泳燚	总92	1960年	2期 92页
		春农	欧庆燊	程观林			
		季恒铨	张振兴	陈民城			
语文短评(705~724)(介词"把、在、当(正当)"使用不当,整理不通)		祝鸿熹	宋玉柱	王兆麟	总93	1960年	3期 142页
		一兵	朱泳燚	简泽			
		刘聿鑫	仲和	徐应济			
		张正寰	沈伟民	艾白薇			
		佳捷	钟本康	刘天锡			
		贾双虎					

条目	作者			总期	年份	期页
语文短评(725~748)(多了点什么,少了点什么)	仲和 何茂正 罗忠新 王兆麟 王杰昌 王希杰	且斥 宋玉柱 年一 彭柔县 朱泳燚 艾白薇	萧天赏 张正寰 周易 匡群 于安徽 一兵	总94	1960年	4期 188页
语文短评(749~770)(关联词语使用不当,褒词贬用,贬词褒用)	余磊 年一 苏以凤 刘新友 沈伟民 朱泳燚 张文斌	何振中 流波 张正寰 吴剑扬 徐若冰 宋玉柱	小禾 刘明纲 陈民城 刘凯鸣 仲和 王金彦	总95	1960年	5期 248页
语文短评(771~791)(歧义,生造词语,词序不当)	宋玉柱 千麦 林贻俊 潘力 廖达 今卿	张雨山 一兵 龚千炎 马志荣 年一	朱松山 安汝磐 韩阙林 周志远 罗忠新	总96	1960年	6期 293页
语文短评(792~806)(成对关联词使用不当,缺主语)	徐仲华 徐应济 季恒铨 何吕施 颜迫	李洪绪 殷之华 一兵 黄宗经	钟焯 张正寰 庄关通 艺文	总97	1960年	7期 343页
语文短评(807~828)(介词结构使用不当,事理不通,话没有说清楚,两种句子格式混用)	仲和 陆复中 仁芳 卢延权 王希杰 小竹 简泽	陈德政 王兆麟 陈仲年 刘凯鸣 罗捷文 罗忠新	蒋荫安 刘新友 傅国通 一兵 宋玉柱 韦焘	总98	1960年	8期 396页
语文短评(829~843)(少了点什么,多了点什么)	且斥 金有景 罗忠新 刘新友	沈士英 庄关通 张正寰 Y.Z.	成和山 张朝康 雨田 何茂正	总99	1960年	9期 436页
语文短评(844~861)(词语配搭不当,词语使用不当)	王希杰 韦焘 徐亨中 张振兴 戎椿年 高光烈	张耀亭 刘新友 李不息 李梓和 向群	赵振才 刘正业 汪家正 一兵 金有景	总100	1961年	1期 42页
语文短评(862~874)(比喻不当、照应不周、表达不清)	韩阙林 赵宁渌 刘凯鸣 龚謇	韦焘 罗捷文 朱泳燚 龙文福	理俊 仲和 许连贵	总101	1961年	2期 46页

标题	作者	总期	年份	期	页
语文短评(875～882)(表达不清)	谢自立 宋玉柱 陈宽 陆复中 徐经谟 郭宏义	总102	1961年	3期	48页
语文短评(883～898)(搭配不拢,用词不当,歧义)	戎椿年 韩兆德 张振兴 何茂正 朱泳燚 景 倪宝元 王才宽 沈伟民 沈涛 牛文华 简泽 罗忠新	总105	1961年	6期	47页
"语文短评"讨论	杨一可	总63	1957年	9期	26页
"语文短评"讨论	杨一可	总64	1957年	10期	4页
"语文短评"讨论	海宽 伟森 河水	总67	1958年	1期	12页
漫谈"语文短评"中的几个问题	凯鸣	总73	1958年	7期	346页
关于"由……所……""受……所"式(语文短评讨论)	程垂成	总101	1961年	2期	48页
错误的关键在哪里?(语文短评讨论)	承勋	总101	1961年	2期	48页
这样改是不必要的(语文短评讨论)	张增健	总101	1961年	2期	48页
学习宪法对语文方面的几点体会(关于"和、同","依照、按照"等用法)	鲍幼文	总31	1955年	1期	43页
编辑工作者应该重视文字加工工作——读《东北铁路电报改革工作的经验总结》后的意见	谭黄	总46	1956年	4期	37页
报刊要重视词儿规范化	平群	总51	1956年	9期	16页
编者作者应该注意汉语的规范	谭永祥	总59	1957年	5期	49页
语言学著作要特别注意语言的规范	张光五	总80	1959年	2期	82页
从"西医医院"想到的	张成材	总63	1957年	9期	5页
一个例句的质疑	许德楠	总63	1957年	9期	48页
不要乱"呀"一气	其华	总69	1958年	3期	128页
年代和年数的写法	邝治	总72	1958年	6期	267页
批改病句不要无视语言现实	克莱	总72	1958年	6期	281页
对《批改病句不要无视语言现实》的补充意见	肖申生	总75	1958年	9期	426页
还应该加强语法学习	尚芳	总75	1958年	9期	427页
要对汉语规范化负责	刘琳	总75	1958年	9期	427页
我的一点浅见	陆复中	总75	1958年	9期	427页
生造和创造	年一	总75	1958年	9期	428页
从几本小说谈生造双音词	刘凯鸣	总76	1958年	10期	483页
"血防"不能这样用	何野春	总78	1958年	12期	587页
从一篇文章的评改谈起	王兆麟	总79	1959年	1期	40页
谈《旅行家》的一篇特写	何季	总79	1959年	1期	40页
评《由"可畏"到"可爱"》	杨万昌	总81	1959年	3期	135页
写作时要正确对待用字	安汝磐	总81	1959年	3期	135页

标题	作者	总期	年份	期/页
《中国语文》二月号一篇文章中的语言毛病	宋玉柱	总81	1959年	3期 136页
把话说得简洁些	郝小洲	总81	1959年	3期 144页
作家要注意词汇的规范	王玉先	总83	1959年	5期 240页
提请诗人注意	彭庆达	总83	1959年	5期 240页
评《向宇宙进军的冲锋号响了》一文的语病	罗忠新	总83	1959年	5期 240页
"脱盲"是标新立异的生造词吗？	杨义春	总84	1959年	6期 282页
一个通知	因梦	总84	1959年	6期 285页
谈《文艺报》一篇文章的语言毛病	斯尔螽	总84	1959年	6期 286页
用词的分寸之间	秋甫	总84	1959年	6期 286页
形象比喻要恰如其分	赵寿安	总86	1959年	8期 358页
第三人称代词要用得明确	潘力	总86	1959年	8期 389页
无所适从	全基	总86	1959年	8期 390页
人物的年龄不符	陈炳昭	总86	1959年	8期 390页
评《谈北昆的"渔家乐"》一文的语病（秦瑾）	杨静仁	总88	1959年	10期 498页
《烈火金钢》中的语病（刘流）	黄礼奖	总89	1959年	11期 551页
小说《迎春花》的语病（冯德英）	董遵章 马忠 锡尧	总90	1959年	12期 592页
《重庆的风格》一文中的语病	杨义春 罗忠新	总90	1959年	12期 595页
儿童公园所见	余磊	总92	1960年	2期 93页
新造和生造	千麦	总92	1960年	2期 93页
通俗科技书语言也要规范	何阡陌	总92	1960年	2期 93页
《母亲》译本中的一句话	秦旭卿	总92	1960年	2期 94页
新闻报导要注意语言的运用	杨耐思	总99	1960年	12期 封4
"麦克风"与"扩音器"不同；"安装"不应写作"按装"	肖萤辉	总100	1961年	1期 32页
引文需要注明出处	迟敖	总100	1961年	1期 44页
语法著作引文应当注意文字的准确性	安汝磐	总100	1961年	1期 45页
小谈别字问题	朱泳燚	总101	1961年	2期 45页
把字写清楚	鲁蜀	总102	1961年	3期 25页
引用语言史料应力求翔实可靠	张永言	总107	1961年	8期 14页
谈写别字	徐仲华	总138	1965年	5期 376页
"救生"和"救死"	谭全基	总138	1965年	5期 394页
例句要注意思想性	朱泳燚	总140	1966年	1期 66页
用词要准确	宋玉柱	总144	1978年	1期 41页
谈目前流行的一种病句	严修	总144	1978年	1期 76页
避免"加快规模"之类	伍均仁	总146	1978年	3期 198页

标题	作者			总期	年份	期号页码
关于"贵宾们所到之处……"	莫彭令	高更生	李裕德	总146	1978年	3期235页
	徐盈桓	蒲喜明				
"继续新长征"的说法欠妥	陈淑宽			总147	1978年	4期291页
不要顾此失彼	徐盛桓			总147	1978年	4期294页
新闻报道用语要准确	王自强			总148	1979年	1期 7页
谈"当前"	叶国湘			总148	1979年	1期 40页
主语为什么变了	汪叶森			总149	1979年	2期159页
指代要明确	张明冈			总149	1979年	2期159页
修饰词语使用不当之一例	周俊生			总149	1979年	2期160页
谈谈跟"的"字有关的几种语病	陆俭明			总150	1979年	3期187页
用词不当	慎言			总157	1980年	4期266页
外商广告刍议	刘作义			总157	1980年	4期319页
简称的滥用	康珣			总162	1981年	3期205页
"合流式"短语	顾必			总165	1981年	6期431页
编辑还要把好文字关	丁水华			总166	1982年	1期 79页
胡乔木给周扬、张光年的一封信				总167	1982年	2期148页
错字小议	吕叔湘			总167	1982年	2期149页
"您们"、"妳"、"二"和"两"	吴蒙			总167	1982年	2期152页
认真消灭错误	王常新			总167	1982年	2期152页
如何理解"南来北往"	仲岚			总167	1982年	2期153页
有感于"五味瓶"	浦吉			总167	1982年	2期154页
新闻的用语要实在	舒市丙			总168	1982年	3期167页
语文书刊更应减少语病	鲁扬			总168	1982年	3期220页
语病数例	思嘉			总168	1982年	3期240页
编校疏忽之一例	高志			总169	1982年	4期320页
关于"您们"	方若			总169	1982年	4期320页
语序安排要恰当	吴争			总170	1982年	5期392页
缺了腿的凳子站不住	傅永如			总170	1982年	5期393页
原任职务何需撤销	S.B.			总171	1982年	6期472页
必要的词语少不得	陈永顶	筱园丁		总171	1982年	6期472页
多余的"的"和缺少的"的"	邱景焕			总171	1982年	6期473页
一面性和两面性	乃凡			总172	1983年	1期 23页
"诞辰"和"诞生"	冯友模			总173	1983年	2期 98页
辽代的南京＝辽代的北京	范午			总173	1983年	2期130页
要注意词语的感情色彩	徐兰坡			总173	1983年	2期133页
常见语病	慎言			总173	1983年	2期160页
有无逗号,意思相反	程远			总174	1983年	3期222页
应当把好文字关	廷木			总174	1983年	3期232页
"乃"字的一种错误用法	王慧才			总175	1983年	4期249页

标题	作者	总期	年份	期/页
句子里边的大跨度现象	邱景焕	总175	1983年	4期263页
报刊编辑应当重视语言规范	符号	总175	1983年	4期287页
"畸零人"?	李芳杰	总176	1983年	5期329页
毛病出在缺少语言学知识	浦吉	总177	1983年	6期463页
巧用数量词	丁水华	总178	1984年	1期 15页
一种标题格式	傅永如	总179	1984年	2期101页
合说好,分说好?	丛一如	总180	1984年	3期225页
句式不能杂糅	吴争	总181	1984年	4期253页
三月鸡,六月鸡和七月鸡	施平	总181	1984年	4期264页
王稼穑、王稼蔷和王稼祥	张潮	总182	1984年	5期360页
时点和时段不能随便相比	浦吉	总182	1984年	5期382页
要注意主语的安排	林波	总182	1984年	5期396页
"妙语"联珠	闻欣	总183	1984年	6期444页
这个主语不能省	于世	总183	1984年	6期463页
片面追求升学率和全面追求升学率	程工	总183	1984年	6期478页
"吾"是"我","我"是谁	吕叔湘	总186	1985年	3期192页
产品的说明文字要讲规范	林波	总187	1985年	4期276页
书画落款	叔湘	总188	1985年	5期368页
一个"被"字见高低	潘铭	总189	1985年	6期408页
發生、並甫、當寧	叔湘	总189	1985年	6期419页
评一篇广告的标点符号	吴争	总189	1985年	6期476页
繁体简体的纠纷	叔湘	总192	1986年	3期184页
引用古籍要核对出处	张在云	总240	1994年	3期193页
行文请避免重复	孟守介	总241	1994年	4期318页
编者按(增设传媒语文评论栏目)		总256	1997年	1期 72页
给《中国人可以说不》后半本做校改	于根元	总256	1997年	1期 77页
许国璋不是冯国璋,孙敬修不是孙警修	章敬	总256	1997年	1期 78页
成语换字小议	王海棻	总256	1997年	1期 79页
伊甸园——看电视偶记	治水	总256	1997年	1期 77页
四川话≠"川语系"	刘德斋	总257	1997年	2期159页
一点收获,两点忧虑	郭小武	总257	1997年	2期158页
一篇短文,数处差错	叶青	总257	1997年	2期157页
新闻报道二三问	肖丹	总258	1997年	3期238页
"启示"还是"启事"?	石安石	总258	1997年	3期239页
简称不宜滥用	林叙卿	总258	1997年	3期239页
"帐"与"账"	苏培成	总258	1997年	3期236页
强烈和热烈	刘强	总259	1997年	4期318页
使用数字要算一算	朱景松	总259	1997年	4期318页
"一个女犯罪小说家"究竟为何意	王海棻	总259	1997年	4期319页

失校之一例	宋玉柱	总259	1997年	4期	319页
错别字与署名权	吴辛丑	总259	1997年	4期	317页
用古必先懂古	朱景松	总260	1997年	5期	398页
传媒语文纠错四题	郭小武	总260	1997年	5期	398页
语病三则	余中明	总260	1997年	5期	400页
这里的"我"不妥	崔山佳	总260	1997年	5期	400页
学术论文更应该正确使用成语	刘坚	总262	1998年	1期	74页
"股"指哪儿?	唐盛发	总262	1998年	1期	75页
她们究竟获得了什么奖?	郭锡悌	总262	1998年	1期	75页
当前我国语文生活的几个问题	郭熙	总264	1998年	3期	228页
"强烈反响"和"热烈反响"	陈前瑞	总264	1998年	3期	236页
"Y"不是声母	张耕夫	总264	1998年	3期	235页

翻　　译

翻译工作中的汉语规范化问题	董秋斯	总42	1955年	12期	26页
谈谈翻译问题	夏伯龙 岑麒祥　甘世福 译	总44	1956年	2期	24页
翻译工作者要注意词汇规范	汪惠迪	总47	1956年	5期	49页
从 Merdeka, Bung Karno 想起的	陈越	总53	1956年	11期	51页
一个翻译工作者的体验	徐亚倩	总58	1957年	4期	45页
Старославянизм и графика 的译法	王力　张大本	总58	1957年	4期	47页
对翻译工作的几点意见	谢尔久琴柯　吴乐	总64	1957年	10期	35页
从翻译工作中看汉语的问答句	王素蓉	总64	1957年	10期	37页
必须改进译风	水夫	总70	1958年	4期	171页
翻译作品要重视语言运用	荫桂	总90	1959年	12期	596页

书 刊 评 介

通俗修辞讲话(周振甫)	寄于	总51	1956年	9期	47页
《标点符号用法讲话》(王自强)	力达	总53	1956年	11期	47页
《试论司马迁〈史记〉的语言》、《通过〈魏其武安侯列传〉来看司马迁〈史记〉的语言艺术》(殷孟伦)《文史哲》(1956年第2、6期)		总61	1956年	7期	50页
《改病句》(王自强)	慎	总55	1957年	1期	45页
《改病句练习》(王自强)	慎	总55	1957年	1期	45页
《好句子和病句子》(丁羽)	佳	总55	1957年	1期	46页
《鲁迅与现代汉语文学语言》(高名凯	温端政	总61	1957年	7期	49页

姚殿芳　殷德厚)《北京大学学报(人文科学)》(1957年第1期)					
《标点符号用法例解》(周振甫)	东川	总65	1957年	11期	47页
《语文短评选辑》(中国语文编辑部辑)	劳宁	总84	1959年	6期	287页
《标点符号用法讲话》读后(苏培实)	吴振国　肖国政	总228	1992年	3期	231页

汉　字

汉字研究

关于文字有没有阶级性问题	中国文字改革研究委员会秘书处	总19	1954年	1期	34页
文字演进的一般规律	周有光	总61	1957年	7期	1页
略谈汉字的简化和繁化——和周有光先生商榷	明之	总68	1958年	2期	98页
试论文字的矛盾规律——并与梁东汉先生商榷	黄绍筠　彭坚	总108	1961年	9期	19页
汉字形成问题的初步探索	裘锡圭	总146	1978年	3期	162页
汉字演变的几个趋势	李荣	总154	1980年	1期	5页
汉字的演变与汉字的将来	李荣	总194	1986年	5期	321页
同源字论	王力	总144	1978年	1期	28页
"差"字的形义来源	夏渌	总148	1979年	1期	62页
古今字浅说	赵克勤	总150	1979年	3期	217页
古今字概说	洪成玉	总161	1981年	2期	138页
谈古今字	陆锡兴	总164	1981年	5期	392页
浅论传统字源学	陆宗达　王宁	总182	1984年	5期	369页
文字的分类和汉字的性质——兼与姚孝遂先生商榷	王伯熙	总179	1984年	2期	108页
汉字的性质	裘锡圭	总184	1985年	1期	35页
汉语的词义蕴含与汉字的兼义造字	董琨	总240	1994年	3期	226页

*　　　*　　　*

讨论女旁字改字问题	曹万林　中央人民政府教育部工农业余教育司	总1	1952年	1期	41页
谈谈写汉字	保琦	总9	1953年	3期	13页
意符辨正	曹伯韩	总25	1954年	7期	14页
怎样改善写字的技术	陈光尧	总29	1954年	11期	21页
汉字的笔划	红夫	总31	1955年	1期	28页

偏旁简化、草书楷化综论	陈越	总137	1965年	4期 281页
现代汉字中声旁的表音功能问题	周有光	总146	1978年	3期 172页
从另一角度看声旁的表音功能	奚博先	总152	1979年	5期 388页
六书献疑	俞敏	总148	1979年	1期 55页
六书拨疑	杨柳桥	总152	1979年	5期 377页
汉字结构及其构成成分的分析和统计	中国文字改革委员会 武汉大学（傅永和 执笔）	总187	1985年	4期 261页

* * *

介绍常用字表	曹伯韩 郑之东 张人表	总1	1952年	1期 21页
常用字表（附五百个补充常用字）		总1	1952年	1期 24页
关于《常用字表》的几个问题	张人表	总4	1952年	4期 34页
关于《现代汉语常用字表》的两点意见	周国光	总288	2002年	3期 266页
汉字的数量与常用字	宣	总2	1952年	2期 23页
现代用字统计报告	中国文字改革研究委员会 秘书处	总25	1954年	7期 34页
现代通用汉字读音的分析统计	叶楚强	总136	1965年	3期 201页
《毛泽东著作选读（乙种本）》的用字和出现频率的统计	河北省哲学社会科学研究所语言研究室	总141	1966年	2期 84页
《毛泽东选集》用字的字数、次数按音节分布情况	张朝炳	总156	1980年	3期 196页
《急就篇》用字初探	陈黎明	总255	1996年	6期 467页

古　文　字

谈谈古文字资料对古汉语研究的重要性	裘锡圭	总153	1979年	6期 437页
中国古文字的结构程序	游顺钊	总175	1983年	4期 274页
建国以来古文字研究概况及展望	曾宪通	总202	1988年	1期 21页
古文字形体讹变对《说文解字》的影响	董琨	总222	1991年	3期 222页
原"耻"——历史态势学与古文字研究	游顺钊	总225	1991年	6期 469页
古汉字书写纵向成因——六书以外的一个探讨	游顺钊	总230	1992年	5期 371页
汉墓帛书字形辨析三则	王贵元	总253	1996年	4期 293页
宋代字书已收录"奓"字	时永乐	总259	1997年	4期 259页
六朝碑别字新考——读《六朝别字记新编》札记四则	程章灿	总276	2000年	3期 218页
《汉语大字典》古文字释义辨正	单周尧	总277	2000年	4期 333页

* * *

释甲骨文俄、隶、蕴三字	张政烺	总137	1965年	4期 296页
甲骨文"鲞"字试释	陈邦怀	总140	1966年	1期 29页
"王若曰"释义	于省吾	总141	1966年	2期 147页

标题	作者	总期	年份	期	页
"说戋"	管燮初	总146	1978年	3期	206页
读了《说戋》以后	王显	总155	1980年	2期	137页
甲骨文中的戋与戋	单周尧	总155	1980年	2期	140页
战国货币文字中的"朐"和"比"	李家浩	总158	1980年	5期	373页
释"習卜"	柳曾符	总163	1981年	4期	313页
释亞	何金松	总173	1983年	2期	134页
释辛及与辛有关的几个字	詹鄞鑫	总176	1983年	5期	369页
说"冈"	沈镜澄	总182	1984年	5期	388页
释甲骨文"久"字	詹鄞鑫	总188	1985年	5期	384页
"剿"字的异体"勦"字	李家树	总194	1986年	5期	386页

汉字整理和简化

汉 字 整 理

标题	作者			总期	年份	期	页
中国文字改革研究委员会汉字整理组决定《汉字整理的工作计划》				总12	1953年	6期	35页
对整理和简化汉字的意见	丁鲁 邓丕照	周文谨	陶天白	总18	1953年	12期	32页
1953年汉字整理工作概况				总20	1954年	2期	32页
对于整理汉字字形的几点意见	丁西林			总4	1952年	10期	5页
文化建设和文字改革中整理汉字的重要性	叶恭绰			总4	1952年	4期	13页
整理印刷字体的建议	卢芷芬			总5	1952年	5期	15页
文字改革工作中的铅字改革问题	陈越			总38	1955年	8期	28页
400个异体字留废规律的研究	金鸣盛			总39	1955年	9期	39页
关于整理汉字工作的一些问题	叶恭绰			总32	1955年	2期	3页
借尸还魂的"棓"字	寒			总14	1953年	8期	33页
赘疣字和生僻字	袁明			总40	1955年	10期	39页
谈异体词整理	高更生			总140	1966年	1期	47页
如何实现汉字标准化	关尔佳	田林		总161	1981年	2期	147页
汉语0概念符号的历史来源和系统	唐建			总242	1994年	5期	361页
"○"应当被认定为汉字	于立君			总273	1999年	6期	436页
浅谈"勾践"与"句践"的纠纷问题	董楚平			总273	1999年	6期	448页
"勾"字出现的时间及相关问题	杨宝忠			总282	2001年	3期	276页
"(秋)千"、"龟"两字繁体的正确写法	王继洪			总280	2001年	1期	87页
"贰"字小议	周志锋			总282	2001年	3期	266页
也说"贰"字	华珍			总287	2002年	2期	158页

造新字、缩写字问题

怎样解决用汉字写不出民众口语的矛盾？	郑林曦	总13	1953年	7期	3页
记录口语问题的一个建议	胡芷藩	总13	1953年	7期	8页
解决有音无字的问题	何钟杰	总13	1953年	7期	10页
从鲁迅的启示谈到汉字写不出口语的问题	郑秀鹤	总28	1954年	10期	45页
反对乱造新字	范同	总39	1955年	9期	31页
我对于缩写字的看法	寒	总4	1952年	4期	4页
随意创造复音字的风气必须停止	季羡林	总4	1952年	4期	9页

汉字简化

关于简体字	张琇　中国文字改革研究委员会秘书处	总2	1952年	2期	35页
谈谈简化汉字的几种方法	保琦	总4	1952年	4期	10页
汉字发展史上简体字的地位	魏建功	总4	1952年	4期	15页
明末"兵科抄出"档案中的简字	蒋希文　邵荣芬	总4	1952年	4期	18页
精简汉字问题	曹伯韩	总12	1953年	6期	13页
谈精简汉字	陈光尧	总18	1953年	12期	3页
汉字的简化问题	刘文英	总23	1954年	5期	32页
可以推行简体字	江缘僧	总23	1954年	5期	32页
节约偏旁的规律	陈光尧	总25	1954年	7期	13页
对于汉字简化的初步意见	徐化文	总27	1954年	9期	34页
对简化汉字的一点认识	吕顿	总31	1955年	1期	39页
简化汉字不应取消词的形态区分	吴炽堂	总29	1954年	11期	34页
精简汉字一定行得通	尹一燮	总31	1955年	1期	40页
形音义的纠葛	向岩	总165	1981年	6期	423页

简化方案草案

汉字简化方案草案说明	中国文字改革委员会	总31	1955年	1期附册1	
798个汉字简化表草案	中国文字改革委员会	总31	1955年	1期附册4	
拟废除的400个异体字表草案	中国文字改革委员会	总31	1955年	1期附册8	
汉字偏旁手写简化表草案	中国文字改革委员会	总31	1955年	1期附册11	
第一、二批试用简字表		总37	1955年	7期	29页
略谈汉字简化工作	韦悫	总31	1955年	1期	3页
汉字简化的历史意义和汉字简化方案的历史基础	魏建功	总32	1955年	2期	5页
关于《汉字简化方案草案》的几个问题	曹伯韩	总32	1955年	2期	8页
精简汉字为拼音化铺平道路	杜定友	总32	1955年	2期	10页
我们可不可以造简体字？	陈光尧	总32	1955年	2期	12页

标题	作者	总期	年份	期	页
关于汉字简化的性质和规律问题	王羊	总33	1955年	3期	12页
各地人士对《汉字简化方案草案》的意见提要		总33	1955年	3期	37页
读《汉字简化方案草案》以后	戴天健	总33	1955年	3期	39页
对《汉字简化方案草案》的意见	杨真	总33	1955年	3期	40页
对杨真先生提一些意见	荆兆鸿　梁君瑞	总40	1955年	10期	43页
关于汉字简化问题——在政协全国委员会报告会上的报告	吴玉章	总34	1955年	4期	3页
略谈汉字的简化方法和简化历史	王显	总34	1955年	4期	21页
对"汉字简化方案草案"的意见	石后	总34	1955年	4期	43页
汉字拼音化与汉字简化——1955年3月6日在陕西省教育厅主办"简化汉字座谈会"上的发言摘要	高元白	总35	1955年	5期	21页
对汉字改革问题的几点体会	王均	总35	1955年	5期	22页
采取约定俗成原则呢，还是采取系统整理原则？	温知新	总36	1955年	6期	19页
我对于汉字简化的看法	康同璧	总36	1955年	6期	22页
关于汉字简化的意见	管燮初	总36	1955年	6期	39页
对汉字简化方案草案的意见	赵曦　徐志清　郭益先	总36	1955年	6期	40页
《汉字简化方案草案》的优越性	丁勉哉	总38	1955年	8期	32页
对《汉字简化方案草案》的几点意见	鲍幼文	总38	1955年	8期	39页
我们拥护"汉字简化"	许锡丰	总38	1955年	8期	41页
"系统整理"和"约定俗成"	邱常恕	总39	1955年	9期	40页
关于《汉字简化方案草案》的名称及其他	朱广福	总40	1955年	10期	42页
汉字简化方案应该体现拼音化方向	张少怀	总40	1955年	10期	41页

* * *

标题	作者	总期	年份	期	页
关于《第二次汉字简化方案(草案)》的几个问题	陶伦	总144	1978年	1期	61页
读《第二次汉字简化方案(草案)》	徐仲华	总144	1978年	1期	64页
关于第二次汉字简化工作的一些意见	于夏龙	总145	1978年	2期	127页

简　化　方　案

标题	作者	总期	年份	期	页
汉字简化方案		总44	1956年	2期	48页
对汉字简化第一表中的一些字的说明	陈文彬	总46	1956年	4期	19页
第三批推行简化字表(70字)		总73	1958年	7期	343页
第四批推行的简化字表(92字)		总86	1959年	8期	390页

* * *

标题	作者	总期	年份	期	页
"國"字可不可以简化作"国"	显	总32	1955年	2期	7页
建议简化三个虚字	陈大愚	总38	1955年	8期	40页

应该欢迎群众创造简字	鲍祖宣	总 75	1958 年	9 期	446 页
拥护继续简化汉字	陈光尧	总 96	1960 年	6 期	257 页
象声字和译音字的简化问题	陈越	总 102	1961 年	3 期	34 页
为汉字规范化而继续努力——纪念《汉字简化方案》公布 35 周年	本刊评论员	总 221	1991 年	2 期	81 页

同音代替问题

汉字同音代用规律的初步研究	林曦	总 18	1953 年	12 期	7 页
同音假借是精简汉字的一个方法	易熙吾	总 18	1953 年	12 期	11 页
汉字简化中的同音代替问题	恭士	总 34	1955 年	4 期	18 页
谈谈科学用字的同音代替	刘泽先	总 37	1955 年	7 期	33 页
谈《汉字简化方案草案》中的同音代替问题	徐世松	总 39	1955 年	9 期	41 页
关于同音代替方法的商讨	唐伯先	总 39	1955 年	9 期	42 页
运用同音代替方法，扩大精简范围	王士襄	总 39	1955 年	9 期	43 页

检字、排写问题

检字问题的根本解决办法	杜定友	总 18	1953 年	12 期	18 页
汉字的笔画结构及其写法与计算笔画的规则	丁西林	总 50	1956 年	8 期	21 页
评汉字笔顺排检法	周勋初	总 55	1957 年	1 期	30 页
关于汉字笔画检字法的商榷	黄美陶	总 56	1957 年	2 期	48 页

* * *

横排不便于阅读吗？	寒	总 10	1953 年	4 期	8 页
包罗万有极端混乱的现代汉字排写方式——拼音文字和汉字字序、行序问题研究之一	陈越	总 19	1954 年	1 期	17 页
汉字应该直行排写，还是横行排写？——拼音文字和汉字字序、行序问题研究之二	陈越	总 20	1954 年	2 期	23 页
打破思想障碍，推广横排、横写——拼音文字和汉字字序、行序问题研究之三	陈越	总 21	1954 年	3 期	17 页
对于汉字排写次序的意见	葛秉旺 墨清 李琴 张真 刘复生 中国文字改革研究委员会秘书处	总 19	1954 年	1 期	31 页
方块字的横排	林传鼎	总 33	1955 年	3 期	25 页

文 字 改 革

鲁迅与文字改革	杜松寿	总 52	1956 年	10 期	31 页
掌握语言发展的规律，有计划、有步骤地	韦悫	总 21	1954 年	3 期	3 页

标题	作者	总期	年份	期	页
改革中国文字,使它更有效地为过渡时期的总路线服务(为纪念伟大的革命导师斯大林逝世一周年而作)					
庆祝第一届全国人民代表大会第一次会议开幕,为准备逐步实现文字改革而奋斗!	韦慤	总 27	1954 年	9 期	3 页
为促进汉字改革、推广普通话、实现汉语规范化而努力(《人民日报》社论)		总 41	1955 年	11 期	4 页
中国文字改革的最好朋友——纪念 A. A. 龙果夫同志逝世一周年	萧三	总 43	1956 年	1 期	40 页
五四运动促进了汉字改革	郑林曦	总 82	1959 年	4 期	151 页
在中国文字改革研究委员会成立会上的讲话	郭沫若	总 1	1952 年	1 期	3 页
中国文字改革研究委员会成立会开会辞	马叙伦	总 1	1952 年	1 期	4 页
在中国文字改革研究委员会成立会上的讲话	吴玉章	总 1	1952 年	1 期	5 页
为什么我们需要拼音文字	韦慤	总 1	1952 年	1 期	6 页
文字改革是一个迫切的现实问题	郑林曦	总 1	1952 年	1 期	10 页
中国文字改革研究委员会的成立经过和工作情况	中国文字改革研究委员会秘书处	总 1	1952 年	1 期	38 页
中国文字改革研究委员会举行第三次全体会议		总 11	1953 年	5 期	33 页
中国文字改革研究委员会第三次全体会议的讨论记录摘要		总 12	1953 年	6 期	34 页
中国文字改革研究委员会 1953 年工作计划纲要		总 12	1953 年	6 期	34 页
拼音文字跟汉字应用效能的调查研究工作计划纲要		总 13	1953 年	7 期	33 页
中国文字改革研究委员会第四次全体委员会议记要		总 26	1954 年	8 期	35 页
谈谈文字改革的观点和方法	傅永康	总 29	1954 年	11 期	33 页
拥护第一次全国文字改革会议的决议,大力宣传文字改革的方针和步骤,积极推行简化字和以北京话为标准的普通话	韦慤	总 40	1955 年	10 期	3 页
全国文字改革会议决议		总 41	1955 年	11 期	33 页
全国文字改革会议概况	陈越	总 41	1955 年	11 期	34 页

*　　　*　　　*

从历史上看中国文字改革的条件	罗常培	总 2	1952 年	2 期	3 页
普及拼音知识的好处	曹伯韩	总 2	1952 年	2 期	4 页

标题	作者	期号	年份	期	页
现代汉字及其改革的途径(上)	丁西林	总2	1952年	2期	5页
现代汉字及其改革的途径(下)	丁西林	总3	1952年	3期	14页
推行速成识字法与文字改革运动	张世禄	总3	1952年	3期	12页
实行拼音文字后汉字的存废问题	拓牧	总9	1953年	3期	10页
我对文字改革的意见	韦济藩	总13	1953年	7期	34页
要改革就要彻底	吴越	总13	1953年	7期	35页
工农大众学汉字	韩文理	总13	1953年	7期	35页
错怪了它	蔡庆生	总16	1953年	10期	5页
文字改革在国家向社会主义过渡时期有什么作用和意义？	郑林曦	总19	1954年	1期	5页
只有拼音化才能冲破难关	夏博文	总20	1954年	2期	34页
一点感想(关于文字改革)	高忠林　张俊霖	总19	1954年	1期	32页
一些意见(关于文字改革)	力行	总19	1954年	1期	32页
条件已经具备了(关于文字改革)	李才辉	总19	1954年	1期	33页
文字改革的过渡形式	周光贤	总20	1954年	2期	35页
汉字在书写上的缺点(拼音文字和汉字的比较)	杜子劲	总22	1954年	4期	18页
越推行速成识字法，越觉得汉字有改革的必要	吴炽堂	总23	1954年	5期	31页
汉字应用在电报传递上的困难	丁立奇	总23	1954年	5期	30页
方块字的怪组织	杜定友	总30	1954年	12期	27页
同音词和方言现象是否妨碍拼音文字的实现？	本刊编辑部	总30	1954年	12期	34页
关于中国语拼音化问题(一个日本的中国语学者的希望)	实藤惠秀　那一译　文兵校	总35	1955年	5期	19页
从巴甫洛夫学说看汉字改革的必要	戈绍龙	总40	1955年	10期	10页
文字必须在一定条件下加以改革(在全国文字改革会议上的报告)	吴玉章	总41	1955年	11期	7页
为中国文字的根本改革铺平道路(在全国文字改革会议上的发言)	郭沫若	总41	1955年	11期	11页
对文字改革提三点建议(在全国文字改革会议上的发言)	陈望道	总41	1955年	11期	14页
关于中国文字的几个问题(在全国文字改革会议上的发言)	谢尔久琴柯　刘涌泉　阮西湖　陈鹏译	总41	1955年	11期	19页
对汉字改革和汉语规范化的反映(读者来件综述)	本刊编辑部	总42	1955年	12期	39页
我对祖国文字改革的具体意见	吴其昱	总47	1956年	5期	49页
从汉字演变的历史看文字改革	刘又辛	总59	1957年	5期	1页

标题	作者	总期	年份	期	页
一封讨论文字改革的信	关锡 陈梦家	总60	1957年	6期	48页
评关锡和陈梦家对文字改革问题的态度	潘山	总62	1957年	8期	12页
反对歪曲和污蔑文字改革	毛西旁	总62	1957年	8期	14页
右派分子陈梦家是"学者"吗？	唐兰	总64	1957年	10期	13页
继续追击右派——驳斥陈梦家、关锡	秦华	总64	1957年	10期	17页
章伯钧等右派分子反对文字改革的真正意图	韦愨	总62	1957年	8期	2页
我对汉字改革的一些粗浅的看法——1957年4月27日在中国文字改革委员会的讲演	魏建功	总62	1957年	8期	4页
资产阶级右派分子怎样利用文字改革问题向党进攻	杜松寿	总63	1957年	9期	1页
从汉字的演变看文字改革	梁东汉	总63	1957年	9期	10页
方言复杂能不能实行拼音文字？	王力	总64	1957年	10期	1页
文字改革大家谈	曹一新 黎锦熙 郑国泽 王世祥 高嵩 马国凡	总73	1958年	7期	322页
用实事求是的精神把文字改革工作继续向前推进	吴玉章	总87	1959年	9期	403页
国庆十周年谈文字改革	杜松寿	总88	1959年	10期	469页
关于汉字走拼音化道路的几个认识问题——从北京师范大学中文系一年级关于文字改革的一次讨论谈起	齐力	总89	1959年	11期	525页
文字改革和文化革命	周有光	总89	1959年	11期	516页
在百家争鸣中进一步开展汉字改革的研究	周有光	总102	1961年	3期	1页
有关汉字改革的科学研究	周有光	总134	1965年	1期	21页
努力做好文字改革工作	闻进	总144	1978年	1期	4页
承前启后 继续前进	周定一	总145	1978年	2期	146页
实践的检验与汉字的改革	李静远	总157	1980年	4期	298页

* * *

标题	作者	总期	年份	期	页
越南采用拼音文字的经验（拼音文字和汉字的比较）	黄典诚	总16	1953年	10期	17页
从越南的扫盲、出版工作看我国文字改革的必要和可能	陈越	总27	1954年	9期	15页
从苏联小学语文课本的质和量看我们的小学语文课本（拼音文字和汉字比较）	刘御	总23	1954年	5期	23页
朝鲜文字改革的历史（拼音文字和汉字	李启烈	总24	1954年	6期	33页

的比较)					
谈朝鲜文字改革问题(拼音文字和汉字的比较)	李启烈	总25	1954年	7期	18页
朝鲜的文字改革	郑之东	总49	1956年	7期	23页
日本的文字改革问题(拼音文字和汉字的比较)	陈文彬	总26	1954年	8期	20页
略谈汉字在日本的整理和简化	刘泽先	总39	1955年	9期	30页

新形声字问题

半拼音呢,还是全拼音呢?	曹伯韩	总1	1952年	1期	12页
从语义学的观点来看拼音形声字问题	拓牧	总20	1954年	2期	3页
新形声字呢,还是拼音字?	黄典诚	总29	1954年	11期	3页
谈新形声字	殷焕先	总30	1954年	12期	17页
关于标类拼音字(拼音形声字)的几点意见	曹伯韩	总30	1954年	12期	23页
拼音文字应该有义符	龙鸿志	总30	1954年	12期	28页
从文字和语言的关系看拼音形声字	拓牧	总36	1955年	6期	6页
拼音文字要用偏旁吗?	李鹤	总36	1955年	6期	11页
拼音文字必须有类符	李仁	总36	1955年	6期	15页
义符是要不得的	陈力	总36	1955年	6期	41页
给龙鸿志的一封信	王孔渊	总36	1955年	6期	41页
对《拼音文字应该有义符》一文的意见	魏茂书	总36	1955年	6期	42页
读傅永康先生反对纯拼音文字的文章以后的感想	爱居	总36	1955年	6期	43页
中国文字改革能走"新形声字"的道路吗?	杨焕典	总36	1955年	6期	43页

夹用拼音字问题

汉字文章夹用拼音字举例	伯韩	总18	1953年	12期	14页
夹用拼音字的优点	李明伦	总19	1954年	1期	15页
拟声词宜用注音字母	刘起钦	总20	1954年	2期	8页
"夹用拼音成分"是好办法!	赵加均	总22	1954年	4期	34页
专有名词也可用注音字母拼写	魏茂书	总22	1954年	4期	34页
夹用拼音的一些方法	易熙吾	总25	1954年	7期	11页

综合文字问题

论马克思主义理论与中国文字改革基本问题	唐兰	总43	1956年	1期	28页
对唐兰先生的文字改革论的批判	韦愨	总43	1956年	1期	10页

论唐兰先生的文章的思想性和逻辑性	王力			总43	1956年	1期 13页
关于中国文字改革的过渡时期	曹伯韩			总43	1956年	1期 16页
对《论马克思主义理论与中国文字改革基本问题》一文的几点意见	胡明扬			总43	1956年	1期 22页
关于《论马克思主义理论与中国文字改革基本问题》的几个问题	梁东汉			总43	1956年	1期 25页
不要歪曲马克思列宁主义来反对中国文字的根本改革	郑林曦			总44	1956年	2期 6页
驳唐兰先生的文字改革论	魏建功			总44	1956年	2期 13页
对于唐兰先生所提文字改革方案要点的意见	黎锦熙			总44	1956年	2期 16页
关于中国文字改革的几个理论问题	刘又辛			总44	1956年	2期 17页
评唐兰先生的文字改革理论	边兴昌	陈琪瑞	刘坚	总45	1956年	3期 27页
对于唐兰先生的文字改革理论的批评	关兴三 管燮初	岑麒祥 王显	周祖谟 曹广衢	总45	1956年	3期 31页
再论中国文字改革基本问题——关于"汉字拼音化"	唐兰			总57	1957年	3期 7页
和唐兰先生商谈文字改革问题	韦愨			总57	1957年	3期 11页
唐兰先生近著读后感	伯韩			总59	1957年	5期 47页
"综合文字"行得通	程祥徽			总59	1957年	5期 47页
这种比喻是不妥当的	毛西旁			总59	1957年	5期 48页

拼 音 字 母

马礼逊的《中文字典》和官话拼音方案——拼音史料笔记之一	周有光	总91	1960年	1期 47页
纪念《一目了然初阶》(卢戆章)出版七十年	周有光	总113	1962年	3期 137页

注 音 字 母

"ㄛ""ㄜ"两个注音字母要不要合并？	阎俊生	总5	1952年	5期 33页
关于注音字母的拼音的教学	林汉达	总6	1952年	6期 21页
论注音汉字	黎锦熙	总12	1953年	6期 19页
关于注音字母和拼音的一些问题	贾援	总17	1953年	11期 31页
关于用注音字母作为拼音文字	麻仲谦 问 本刊编辑部 答	总23	1954年	5期 33页

拉 丁 化 新 文 字

不应该歪曲拉丁化新文字运动	任言信	总37	1955年	7期 13页

| 从鲁迅论章太炎想起的 | 尹梦华 | 总109 | 1961年 | 10期 | 5页 |

方案问题的讨论

从字母研究向前推进一步	伯韩	总7	1953年	1期	3页
关于字母问题的几点解释	伯韩	总11	1953年	5期	34页
我提议在报刊上展开字母问题的讨论	谷敏	总11	1953年	5期	35页
试谈中国拼音文字跟方言问题	拓牧	总12	1953年	6期	8页
从闽南的"白话字"看出拼音文字的优点	黄典诚	总13	1953年	7期	16页
对于字母问题的意见	费虞　丁永福　相望　金刀　谷敏	总14	1953年	8期	34页
对于字母问题的意见	王羊　李文祥　于本善	总16	1953年	10期	31页
北京话究竟需要多少拼音字母？	傅懋勣	总17	1953年	11期	3页
各地寄来拼音方案整理报告	中国文字改革研究委员会秘书处	总17	1953年	11期	26页
答洪华雄同志（关于拼音文字问题）	本刊编辑部	总17	1953年	11期	34页
答郭朋同志	本刊编辑部	总17	1953年	11期	34页
汉语字母的创案原则问题	颜廷超	总20	1954年	2期	33页
对新文字字母形式的意见	李理	总20	1954年	2期	34页
我对字母问题的意见	奔流　张雁　晋积　宽鸣	总30	1954年	12期	31页
民族形式不就是汉字形式	何泽涌	总31	1955年	1期	39页
论中国拼音文字的民族形式	林涛	总33	1955年	3期	3页
汉语拼音文字的音节结构问题	拓牧	总33	1955年	3期	7页
我们需要一个拉丁字母的拼音方案	周有光	总35	1955年	5期	30页
我主张字母国际化	秋颖	总35	1955年	5期	33页

汉语拼音方案

原　草　案

汉语拼音方案（草案）	中国文字改革委员会	总43	1956年	1期	43页
关于拟定汉语拼音方案（草案）的几点说明	中国文字改革委员会	总43	1956年	1期	47页
汉语拼音方案（草案）将进行广泛讨论	中国文字改革委员会	总43	1956年	1期	51页
大家来讨论研究汉语拼音方案（草案）（社论）		总44	1956年	2期	3页
对汉语拼音方案（草案）的意见	文端	总45	1956年	3期	6页
论补充新字母的问题	彭楚南	总45	1956年	3期	9页
对《汉语拼音方案（草案）》的意见	颜廷超　燕宝　黄伯荣　娄甚四　孟遂良　高东山　高光宇　何泽涌　何正平　马克荣	总46	1956年	4期	3页

谈双字母、新字母、国际习惯和变读	胡茹夫	总46	1956年	4期	14页
26个单字母可以解决问题	秦实	总46	1956年	4期	17页
谈谈《汉语拼音方案(草案)》结合韵的变音问题	徐世荣	总47	1956年	5期	13页
制定字母的经济原则	朱广颐	总47	1956年	5期	16页
对汉语拼音方案的节约要求	陈越	总47	1956年	5期	20页
关于《汉语拼音方案(草案)》的问答	劳宁	总47	1956年	5期	50页
关于j和w的取舍	文同本	总49	1956年	7期	17页
关于修改《汉语拼音方案(草案)》的几个问题	韦悫	总50	1956年	8期	3页
字母表的字母顺序问题	彭楚南	总50	1956年	8期	24页
谈谈拼音方案和文字方案	范文博	总51	1956年	9期	24页

正 式 草 案

汉语拼音方案草案		总65	1957年	11期	6页
关于汉语拼音方案草案的说明	中国文字改革委员会	总65	1957年	11期	8页
拥护汉语拼音方案草案！(社论)		总65	1957年	11期	3页
汉语拼音方案草案的拟订经过和问题	韦悫	总66	1957年	12期	1页
迎接新的文化高潮的前奏——汉语拼音方案草案帮助汉字通读正音的重大意义	魏建功	总66	1957年	12期	2页
汉语拼音方案草案与少数民族文字的关系	马学良	总66	1957年	12期	5页
我们热烈欢迎汉语拼音方案新草案	王均	总66	1957年	12期	7页
从一个外国人的角度来看汉语拼音方案草案	陈国	总66	1957年	12期	8页
汉语拼音方案草案目前的两大任务	黎锦熙	总67	1958年	1期	5页
用拼音字母推广普通话，从推广普通话普及拼音字母	郑林曦	总67	1958年	1期	7页
坚持字母的汇通原则	袁家骅	总67	1958年	1期	11页
学习汉语拼音方案草案的一点体会	林焘	总67	1958年	1期	13页
关于汉语拼音方案草案的几个问题	拓牧	总67	1958年	1期	15页
我国文化生活和政治生活中的一件大事	胡明扬	总67	1958年	1期	18页
衷心拥护，认真学习	袁世海 李和曾	总67	1958年	1期	20页
拼音字母为什么要有名称	余志道 问 周明 答	总67	1958年	1期	40页
大家来推行汉语拼音方案(社论)		总68	1958年	2期	51页
汉语拼音方案和语言教育	张志公	总68	1958年	2期	52页
汉语拼音方案与语言科学的教学研究工作	高名凯	总68	1958年	2期	54页

汉语拼音方案在促进国际文化交流中的作用	邓懿	总68	1958年	2期	59页
努力发挥拼音字母对推广普通话和识字教育的作用	周定一	总68	1958年	2期	60页
曲艺演员们热烈拥护汉语拼音方案	白凤鸣	总68	1958年	2期	62页
汉语拼音方案浅说	吕叔湘	总69	1958年	3期	101页
字母表、声韵母表和拼音教学	杜松寿	总69	1958年	3期	105页
汉语拼音方案的国际化问题	金有景	总69	1958年	3期	108页
汉语拼音方案的争论问题及其圆满解决	周有光	总70	1958年	4期	172页
汉语拼音字母的科学体系	黎锦熙	总70	1958年	4期	179页
汉字为什么没有早走上拼音的道路	李行健	总71	1958年	5期	230页
试谈一年来文字改革工作的跃进情况——祝贺汉语拼音方案产生一周年	杜松寿	总81	1959年	3期	101页
汉语拼音文字的正字法问题	周有光	总87	1959年	9期	428页
在推行拼音字母中要正确对待汉字	韩永惠	总89	1959年	11期	548页
汉语拼音方案推行两周年(社论)		总92	1960年	2期	51页
汉字改革运动的历史发展(上)——纪念汉语拼音方案诞生二周年	周有光	总92	1960年	2期	54页
汉字改革运动的历史发展(下)——纪念汉语拼音方案诞生二周年	周有光	总93	1960年	3期	120页
汉语拼音方案推行三周年	思弥	总101	1961年	2期	4页
怎样认识汉语拼音方案的优越性——跟思弥同志商榷	周有光	总105	1961年	6期	27页
关于汉语拼音方案的几个问题	杜松寿	总105	1961年	6期	30页
继续认真推行《汉语拼音方案》——纪念《汉语拼音方案》推行二十五周年	《汉语拼音小报》(上海)编辑部	总173	1983年	2期	81页
"汉语拼音方案"与"通用拼音方案"	王辰	总281	2001年	2期	172页
评"通用拼音"	李延风	总281	2001年	2期	175页
汉语拼音运动的回顾兼及通用拼音问题	王理嘉	总287	2002年	2期	165页
汉语拼音在北美地区的推行——记北美图书馆由韦氏音标向汉语拼音的转换	周欣平	总280	2001年	1期	40页

拼写问题

词儿连读的一点启示	寒	总2	1952年	2期	21页
用连写来规定词儿	刘泽先	总11	1953年	5期	10页
从实际上解决词儿连写问题	伊凡	总11	1953年	5期	11页
词儿连写的演变、办法和问题	陈文彬	总11	1953年	5期	14页

拼音汉文联写问题	陆志韦　蒋希文	总 20	1954 年	2 期	9 页
两种词儿和三个连写标准	彭楚南	总 22	1954 年	4 期	3 页
关于拼音字母的连写问题	王吉先 问　劳宁 答	总 69	1958 年	3 期	143 页
分词连写法问题（汉语拼音文字正字法问题之一）	周有光	总 85	1959 年	7 期	308 页
试论成词的客观法则	郑林曦	总 87	1959 年	9 期	422 页
按词连写问题	郑林曦	总 89	1959 年	11 期	521 页
词儿连写的"漏洞"	刘泽先	总 90	1959 年	12 期	607 页

*　　　　*　　　　*

名词的连写问题（上）	林汉达	总 11	1953 年	5 期	7 页
名词的连写问题（下）	林汉达	总 12	1953 年	6 期	5 页
动词的连写问题（上）	林汉达	总 15	1953 年	9 期	19 页
动词的连写问题（下）	林汉达	总 16	1953 年	10 期	6 页

*　　　　*　　　　*

汉语拼音文字里隔音问题的研究	拓牧	总 49	1956 年	7 期	13 页
《汉语拼音方案（草案）》的隔音问题（笔谈）	周达甫　谢永仁　邓公先 陈庆生　王冰　伟森 河水　海宽　管羽 朱华　黄智显　陈越	总 49	1956 年	7 期	19 页

标　调　问　题

拼音文字中的声调问题	周有光	总 37	1955 年	7 期	4 页
汉语拼音文字怎样处理声调问题 ——北京语言学界第三次座谈会记要		总 37	1955 年	7 期	40 页
拼音汉字中的声调问题	傅懋勣	总 39	1955 年	9 期	18 页
汉语拼音文字上的声调问题	江成	总 40	1955 年	10 期	7 页
汉语拼音文字是否需要标调的问题	胡震元　娄甚四　郑俊文 黄智显	总 40	1955 年	10 期	40 页
词儿连写和标调问题	陈仲选	总 45	1956 年	3 期	51 页
谈拼音文字中的声调表示法	周耀文　巫凌云	总 137	1965 年	4 期	276 页

同　音　字　问　题

略谈同音字问题	伯韩	总 8	1953 年	2 期	3 页
拼音文字中的同音词的初步研究	陈文彬	总 8	1953 年	2 期	7 页
拼音文字里的同音词会不会误事？	赵文章 问 本刊编辑部 答	总 23	1954 年	5 期	34 页
字母形式和同音词问题	张少怀	总 34	1955 年	4 期	42 页
关于区别同音词和词的标调问题	周耀文	总 36	1955 年	6 期	13 页
同音词的问题不大	刘泽先	总 53	1956 年	11 期	18 页
论同音词	刘冠群	总 53	1956 年	11 期	20 页
怎样正确地认识同音词问题	张世禄	总 57	1957 年	3 期	30 页

| 同音词分化法问题(汉语拼音文字正字法问题之一) | 周有光 | 总86 | 1959年 | 8期 363页 |

拼写外来语问题

关于外国人名地名用注音字母译音的几个问题	彭楚南	总14	1953年	8期 17页
用汉语拼音字母书写音译名词问题	伯韩	总70	1958年	4期 181页
外来词拼写法问题(汉语拼音文字正字法问题之一)	周有光	总81	1959年	3期 106页

拼音字母在各方面的应用

拼音文字在打字技术上的优越性(拼音文字和汉字的比较)	陈越	总11	1953年	5期 3页
文字形式同书籍发行工作的关系(拼音文字和汉字的比较)	陈越	总34	1955年	4期 24页
汉语拼音方案(草案)解决了科学符号问题	刘泽先	总45	1956年	3期 12页
对选注古典文学作品意见	山岭	总63	1957年	9期 23页
汉语拼音字母是话剧演员正音的有力工具	方伟	总104	1961年	5期 49页
汉语拼音在科学技术上的应用——汉语拼音方案公布五周年纪念	周有光	总123	1963年	2期 95页

*　　　*　　　*

东北铁路采用拉丁化新文字电报的经验(拼音文字和汉字的比较)	陈秉武	总8	1953年	2期 13页
拼音文字在电报上的优越性(拼音文字和汉字的比较)	王荫栓	总15	1953年	9期 21页
文字改革和电报叶务	朱学范	总37	1955年	7期 26页
东北铁路电报改革工作的经验总结	铁道部电务局	总37	1955年	7期 30页
关于解决拼音电报中的同音字问题	张雁	总37	1955年	7期 32页
电码改革问题的研讨	王荫栓　马玉崑	总38	1955年	8期 26页
汉字改革和电报叶务	朱学范	总41	1955年	11期 15页

*　　　*　　　*

拼音文字在活字凸版印刷术上的优越性(拼音文字和汉字的比较)	陈越	总12	1953年	6期 22页
拼音文字在出版技术上的优越性(拼音文字和汉字的比较)	陈越	总14	1953年	8期 22页
苏联打字排铸机介绍	陈越	总35	1955年	5期 31页

速 记

篇名	作者	总期	年份	期	页
从速记看拼音文字的优越性（拼音文字和汉字的比较）	唐亚伟	总17	1953年	11期	11页
文字与速记	唐嗣丰	总30	1954年	12期	35页
汉语拼音方案草案给汉语速记带来的好处	张朝炳	总67	1958年	1期	19页
答西尧同志对《中国最新速记学》的批评	庞麟 孙凤云	总72	1958年	6期	297页
难道真是这样吗？	西尧	总72	1958年	6期	298页

盲 文

篇名	作者	总期	年份	期	页
新盲字中"的"字是怎样联写的？	黄乃	总23	1954年	5期	16页
汉语盲文的音素化和系统化	周有光	总51	1956年	9期	19页
给周有光同志的信	黄乃	总52	1956年	10期	9页
汉语盲文音素化和系统化的改进	潘山	总60	1957年	6期	38页

书 刊 评 介

篇名	作者	总期	年份	期	页
《中国文字改革问题》介绍（魏建功、黎锦熙等）	兮	总1	1952年	1期	42页
《怎样教学注音字母》介绍（万茜）	黎锦熙	总1	1952年	1期	42页
介绍《中国字》（吕叔湘）	曹增之	总4	1952年	4期	33页
《中国文字拼音化问题》（中国语文丛书（一））	杜子劲	总29	1954年	11期	32页
《中国文字改革的第一步》（人民出版社编）		总49	1956年	7期	49页
《文字改革是怎么回事》（林汉达）		总49	1956年	7期	49页
《简化汉字问题》（吴玉章、韦悫等）		总49	1956年	7期	49页
《释"蔑曆"》（于省吾）《人文科学学报》（1957年第2期）		总49	1956年	7期	50页
《从汉字发展史上看汉字简化》（善国）《人文科学学报》（1957年第1期）		总49	1956年	7期	50页
《汉字字形的规范问题》（陈越）《新建设》（1956年3月号）		总49	1956年	7期	51页
《汉字的造字原则与改革方向》（洪笃仁）《厦门大学学报》（1956年第3期）	东海	总50	1956年	8期	48页
《汉字改革和汉语规范化》（蒋维崧、殷焕先）《文史哲》（1956年第7期）	劳宁	总50	1956年	8期	48页

《文字改革和汉字简化是怎么回事》(中国文字改革委员会)	寄予	总 51	1956 年	9 期	47 页
《拼音字母读本(试用本)》(林曦)	寄予	总 51	1956 年	9 期	47 页
《简化汉字字体说明》(陈光垚)	翁仲	总 51	1956 年	9 期	47 页
《拼音》(1956 年第 1 期)	王作宾	总 51	1956 年	9 期	48 页
《拼音字母读本》(张拱贵)	寄予	总 54	1956 年	12 期	49 页
《简化汉字问答》(江成)	光	总 55	1957 年	1 期	45 页
《汉字改革的必要性和可能性》(王力、魏建功、周祖谟、梁东汉)《北京大学学报》(1956 年第 4 期)	寄予	总 56	1957 年	2 期	45 页
《汉字》(傅东华)	张朝炳	总 58	1957 年	4 期	40 页
《甲骨文及金石文考释》(平心)《华东师大学报》(1956 年第 4 期)	燮初	总 58	1957 年	4 期	41 页
《关于汉字简化问题》(赵太侔)《山东大学学报(人文科学)》(1957 年第 1 期)	张有一	总 60	1957 年	6 期	46 页
《汉字改革讲话》(余心乐)、《汉字改革》(郑林曦)、《汉字和汉字改革》(周铁铮)、《汉字改革的理论和实践》(张世禄)	张朝炳	总 62	1957 年	8 期	45 页
《中国最新速记学》(庞麟、孙凤云)	西尧	总 69	1958 年	3 期	144 页
《形声字的分析》(善国)《人文科学学报》(1957 年第 4 期)	管燮初	总 69	1958 年	3 期	145 页
《常用汉字拼音表(初稿)》(文字改革出版社)	陈玄	总 72	1958 年	6 期	291 页
《汉语拼音字母教学广播讲座》(徐世荣)和《汉语拼音课本》(文字改革出版社)	郁影	总 75	1958 年	9 期	449 页
《汉语音节拼法汇编》(张照)(附张照信)	李富才	总 80	1959 年	2 期	91 页
《汉语拼音词汇(初稿)》(中国文字改革委员会词汇小组)	劳宁	总 82	1959 年	4 期	191 页
《清末汉语拼音运动编年史》简介(倪海曙)	周有光	总 83	1959 年	5 期	245 页
《汉语拼音方案在科技方面的利用》(刘泽先)	景	总 86	1959 年	8 期	391 页
《汉字的结构及其流变》(梁东汉)	管燮初	总 87	1959 年	9 期	444 页
很少人知道的瞿秋白的一部著作(《中国拉丁化的字母》)	史萍青 南山 译	总 108	1961 年	9 期	24 页
对《汉字改革概论》的几点意见(周有光)	章正力	总 120	1962 年	11 期	529 页
对《难字表》的意见	陈玄	总 121	1962 年	12 期	583 页
《金文诂林》读后(周法高)	姜宝昌	总 163	1981 年	4 期	308 页
读《文字源流浅说》(康殷)	高景成	总 164	1981 年	5 期	397 页

标题	作者	总期	年份	期号 页码
唐兰《古文字学导论》增订本介绍	李荣	总167	1982年	2期 137页
《古文字学导论》读后(唐兰)	殷焕先	总167	1982年	2期 139页
评王筠《说文释例》	魏励	总177	1983年	6期 467页
《汉语俗字研究》读后(张涌泉)	刘利	总261	1997年	6期 471页

汉语教学

标题	作者	总期	年份	期号 页码
语文教师应认真学习《在延安文艺座谈会上的讲话》	邵楚	总2	1952年	2期 22页
在语文教学中怎样把感性认识提升到理性认识	刘运沂	总5	1952年	5期 30页
语文课堂教学的几个主要体验(上)	中国人民解放军某部速成中学教务处	总6	1952年	6期 24页
语文课堂教学的几个主要体验(下)	中国人民解放军某部速成中学教务处	总7	1953年	1期 26页
怎样教工农干部学习语文	杨春波	总8	1953年	2期 30页
从教师责任制谈介绍课外读物	陈光逮	总2	1952年	2期 24页
语言教育的深刻变化和迅速的发展	张志公	总88	1959年	10期 455页
需要研究些教学问题	张志公	总134	1965年	1期 28页
也谈语文教学问题——和张志公先生商榷	王传典	总137	1965年	4期 304页
我们对汉语教学改革的体会	河北北京师范学院中文系汉语习作教研组	总140	1966年	1期 55页
论当前语文教学问题——同王传典同志商榷	曾铎	总140	1966年	1期 58页
语文教学必须突出政治——与曾铎同志商榷	郑毅	总141	1966年	2期 129页
突出政治,教好语文	刘作义	总141	1966年	2期 132页
语文教学中的调查研究	河北玉田一中语文组	总141	1966年	2期 134页
语文教学必须突出政治	麦芒	总142	1966年	3期 208页
语文教学一定要为无产阶级政治服务	邢道成 李志中	总142	1966年	3期 211页
谈语文教学的目的性	包头煤矿学校语文组	总142	1966年	3期 213页
语文教学需要大大提高效率——泛论语文教学科学化和进行语文教学科学研究的问题	张志公 田小琳 黄成稳	总144	1978年	1期 69页
大力研究语文教学 尽快改进语文教学	叶圣陶	总145	1978年	2期 79页
也谈语文教学问题	叶祥苓	总146	1978年	3期 223页
我对语文教学科学化的几点想法	章熊	总147	1978年	4期 281页

再谈语文课的几个问题	张志公	总147	1978年	4期 297页
教学中的"趣味"问题	慎言	总155	1980年	2期 154页
有关语文教学研究的几个问题	张志公	总156	1980年	3期 212页
从"大杂烩"的传统中解放出来——对 　语文教材教法的意见	吴人樵	总156	1980年	3期 219页
谈文言文的学习	陈艰	总156	1980年	3期 226页
编教材有三难	吕叔湘	总159	1980年	6期 473页

*　　　　*　　　　*

怎样教词儿	罗委	总11	1953年	5期 25页
如何进行词和语的教学	燕良杰	总16	1953年	10期 28页
如何结合实际进行语法教学	莫一钧	总17	1953年	11期 24页

*　　　　*　　　　*

算术课本里的语言	李慎知	总141	1966年	2期 165页
理科教学中的语言问题	章熊　徐敏　李惠英	总155	1980年	2期 107页
分析数理题得到的一点启示	高德运	总166	1982年	1期 23页

中小学汉语教学

几个关于中学语文教学问题的分析	白枫　张广西　王年芳	总1	1952年	1期 30页
谈指导学生写语文笔记的几点体会	冯国定	总5	1952年	5期 32页
中等学校语言教学中的几个问题	徐世荣	总9	1953年	3期 20页
学习苏联改进中学语文教学	向锦江	总10	1953年	4期 27页
改进中学语文教学,必须增加练习	徐仲华	总17	1953年	11期 20页
中学语文教学的两个问题	彭嘉强	总144	1978年	1期 73页
中学语文教学的目的就是培养学生的 　读写能力	张鸿苓	总147	1978年	4期 286页
关于中学语文教学的几点意见	吕叔湘	总147	1978年	4期 303页
一把打开知识宝库的钥匙	戴金禄	总147	1978年	4期 314页
试谈中学语文教材的两次改革	全中	总153	1979年	6期 464页
中学生口语训练的几个问题	史长贵	总158	1980年	5期 396页
语文教学听说训练初探	章熊	总180	1984年	3期 192页
试谈改变中学语文教学观念的问题	吴人樵	总180	1984年	3期 200页

*　　　　*　　　　*

我这样指导中学生写作	曾铎	总2	1952年	2期 25页
对"讲解"指导"写作"的一点体会	曾铎	总16	1953年	10期 26页
用集体批改方法指导写作	卓立	总17	1953年	11期 22页
谈作文教学中的一些问题	王传典	总138	1965年	5期 371页
怎样进行作文教学	甘肃天水铁路中学语文组	总141	1966年	2期 135页
谈谈作文教学	朱德熙	总147	1978年	4期 290页

以作文为中心科学地安排语文教学	龚肇兰	总147	1978年	4期	292页
为丰富学生的词汇而斗争！	徐仲华	总9	1953年	3期	23页
中学语文课中的词汇教学问题	孙潜	总18	1953年	12期	27页
谈中学语法教学上的几个问题	薛晓芗	总15	1953年	9期	29页
语文教学中的语法问题	吴世醒	总15	1953年	9期	31页
必须建立学好语法才能教好语法的观点	立青 一厂	总22	1954年	4期	35页
什么时候不用词尾"了"——教学笔记	钟棪	总137	1965年	4期	315页
在语文教学中怎样讲解作品的思想和感情	陈传忠	总7	1953年	1期	23页
语文教学中的"主题""段落"	邓建烈	总8	1953年	2期	29页
谈谈作教案——一套提供大家讨论写教案的经验	陈光建	总9	1953年	3期	24页
评《我这样教〈华威先生〉》	伊凡	总4	1952年	4期	25页
关于《华威先生》	张天翼	总4	1952年	4期	26页
对《我这样教〈华威先生〉》一文的检讨	王受燊	总10	1953年	4期	35页
《真正的人》的教学经验	K. A. 斯拉维娜 廖序东 译	总5	1952年	5期	27页
怎样教《鹰之歌》和《海燕之歌》(上)	H. A. 特利福诺夫 维英 序东 译	总10	1953年	4期	30页
怎样教《鹰之歌》和《海燕之歌》(下)	H. A. 特利福诺夫 维英 序东 译	总11	1953年	5期	28页
谈词句解释	陆开江	总9	1953年	3期	25页
注意汉语课例句的使用	陈汝春	总98	1960年	11期	385页
如何指导"说话教学"	郑光仪	总18	1953年	12期	28页
小学教师要重视声调学习	庞安福	总56	1957年	2期	46页
谈谈小学语文教学质量和中学语文教学的关系	许嘉琦	总147	1978年	4期	295页

成人识字教学(扫盲)

识字教学中利用"汉字构成规律"问题的商榷	贾援	总29	1954年	11期	13页
走祁建华的路，为大力展开识字运动而努力	王均	总1	1952年	1期	9页
普及拼音知识的好处	曹伯韩	总2	1952年	2期	4页
全国推行速成识字法的情况和问题	吴畏	总2	1952年	2期	31页
突击生字与开展阅读的教学要点	林汉达	总3	1952年	3期	5页
用汉字当识字拐棍好不好	金华	总3	1952年	3期	7页

速成识字法中的问题商讨	黎锦熙	总3	1952年	3期	8页
谈谈速成识字法拼音教学上的两个问题	曹伯韩	总3	1952年	3期	10页
我用速成识字法在苏北教学遇到的几个问题	高志庸	总3	1952年	3期	29页
答高志庸同志	王均	总3	1952年	3期	30页
关于速成识字法的几本小册子	蒋希文	总3	1952年	3期	34页
速成识字法的注音工具问题（一部分人民来信的综合报道）	中国文字改革研究委员会秘书处	总3	1952年	3期	35页
正确地认识和运用速成识字法	林曦	总4	1952年	4期	3页
文化下乡和汉语拼音字母	伯韩	总67	1958年	1期	9页
江苏省使用拼音字母扫盲成功	劳卫	总71	1958年	5期	224页
江苏、山东、河北拼音字母扫盲试点的主要成果	韦悫	总76	1958年	10期	465页
济南市成通纱厂汉语拼音字母扫盲工作总结（摘要）	山东省教育厅	总76	1958年	10期	468页
我们是怎样培养扫盲辅导员的	山东省教育厅 汉语拼音字母扫盲成通纱厂试点组	总76	1958年	10期	470页
我们在万荣的收获（十四省代表在山西省推行注音扫盲与推广普通话万荣现场会议上的联合发言）		总93	1960年	3期	117页
亲眼看到的文化革命奇迹	王力 周有光	总94	1960年	4期	163页
中共中央关于推广注音识字的指示		总96	1960年	6期	251页
注音识字是加速工农群众知识化的捷径	中共山西省委	总96	1960年	6期	251页
贯彻执行中共中央关于推广注音识字的指示（社论）		总96	1960年	6期	254页
注音识字在文化革命中的巨大成就——记注音识字展览会和文教群英会代表座谈会	本刊编辑部	总97	1960年	10期	307页
青岛市注音识字和推广普通话的成就和经验		总97	1960年	10期	311页
方言复杂的岔口公社是怎样推广注音识字的	安徽省歙县文教局	总98	1960年	11期	367页
有关方言注音识字中的两个问题	侯精一	总100	1961年	1期	22页

非汉人学习汉语

教非汉族学生学习汉语的一些问题	周祖谟	总13	1953年	7期	25页
中央民族学院语文系一年来的教学经验	中央民族学院语文系	总6	1952年	6期	19页
一个速成汉语实验教学的总结	傅懋勣 童玮	总18	1953年	12期	22页
教少数民族同学学习汉语文的几点体验	田世棣	总19	1954年	1期	25页
镇宁民族中学解决语言隔阂提高教学效果的经验	任以均	总35	1955年	5期	28页
党的教育方针在民族语文教学工作中的辉煌胜利——中央民族学院语文系八年来的工作简况	吴一飞	总88	1959年	10期	499页
对少数民族语言文章中汉语注释的几点意见	秋辉	总133	1964年	6期	497页

* * *

汉语水平考试(HSK)述略	刘英林	总217	1990年	4期	271页
关于对外汉语教学的语法体系	吕文华	总224	1991年	5期	354页
苏联《华语课本》中的汉语语法理论	伊三克等 明扬 选译	总29	1954年	11期	29页
谈谈对俄罗斯学生的汉语教学法	扎多延柯 鲁勉斋 高祖舜 译	总73	1958年	7期	325页
汉语教学在罗马尼亚	A.格拉乌尔 曹今予 译	总75	1958年	9期	434页
莫斯科大学东方语言学院汉语教学和科学研究的情况	Л.Д.波兹涅耶娃 林中 记录整理	总92	1960年	2期	86页
英国汉语教学概况	方文	总216	1990年	3期	238页
日本的汉语教学与研究	西槙光正	总216	1990年	3期	233页
为什么日本学生最难掌握的是汉语的声调	长谷川良一	总219	1990年	6期	480页
外国人学习汉语的难点	舆水优	总221	1991年	2期	118页
日本大学生为何选修汉语?	郭洁梅	总227	1992年	2期	158页
对外汉语教学与研究的现状与前瞻	赵金铭	总255	1996年	6期	447页

书刊评介

《语文教学》(双月刊)(华东师范大学中文系)	应学谦	总51	1956年	9期	48页
《小学词汇教学基本知识讲话》(张世禄)	鲁扬	总55	1957年	1期	45页

题目	作者	总期	年份	期 页
《怎样学好语文》(周本淳)	茅开	总57	1957年	3期 48页
《词汇、语法、修辞》(林裕文)	许令芳	总61	1957年	7期 48页
读吕文华《对外汉语教学语法探索》	龚千炎	总241	1994年	4期 311页
日本琉球的中国语课本《广应官话》	濑户口律子	总253	1996年	4期 283页
读张志公《汉语辞章学》	庄文中	总260	1997年	5期 390页
威妥玛《语言自迩集》与对外汉语教学	张德鑫	总284	2001年	5期 471页

第三部分　少数民族语言

少数民族语言文字概述

篇名	作者		总期	年份	期	页
国内少数民族语言文字的概况	罗常培	傅懋勣	总21	1954年	3期	21页
有关我国少数民族语言系属的一些问题——对罗常培、傅懋勣两先生《国内少数民族语言文字的概况》一文的商榷	喻世长		总80	1959年	2期	54页
我国少数民族语文研究工作的回顾与展望	傅懋勣	罗季光	总144	1978年	1期	10页
东北内蒙绥远各少数民族语文情况的初步调查	虔		总4	1952年	4期	33页
东北各少数民族的语言与文字	蔡美彪	刘璐	总6	1952年	6期	9页
云南省少数民族语文的基本情况和我们的任务	傅懋勣		总6	1952年	6期	7页

* * *

篇名	作者		总期	年份	期	页
关于少数民族语言中新词术语的问题	傅懋勣		总64	1957年	10期	31页
再论国内少数民族语言中新词术语的问题	傅懋勣		总72	1958年	6期	251页
少数民族文字中汉语借词问题	王辅世		总73	1958年	7期	335页
少数民族文字中借词的语音标准和标调问题	马学良	王均	总83	1959年	5期	216页
关于我国维吾尔文、蒙古文和朝鲜文中汉语借词的拼写法问题	傅懋勣		总113	1962年	3期	105页
关于少数民族文字中汉语借词拼写法问题	周耀文	戴庆厦	总157	1980年	4期	302页

* * *

篇名	作者		总期	年份	期	页
怎样分析和记录汉藏语系语言的声调	王辅世		总48	1956年	6期	19页
我国汉藏语系语言元音的长短	马学良	罗季光	总115	1962年	5期	193页

篇名	作者	总期	年份	期	页
加强研究少数民族语文,为提高各族文化而努力!	罗常培	总6	1952年	6期	3页
中央民族学院黔东苗语组在凯棠乡实习近况	马学良	总6	1952年	6期	32页

中国科学院语言研究所少数民族语文工作扩大会议总结		总17	1953年	11期	29页
维吾尔文和汉字在教学和应用上的比较(拼音文字和汉字的比较)	李森	总28	1954年	10期	33页
如何帮助在少数民族地区工作的干部学习民族语言	马学良	总39	1955年	9期	26页
我参加少数民族语文科学讨论会的几点重要体会	常竑恩	总71	1958年	5期	226页

创制改建文字和发展语言的工作

关于帮助少数民族创造文字的一些问题	罗季光	总6	1952年	6期	8页
为帮助兄弟民族创立文字而努力	罗常培	总24	1954年	6期	11页
我对少数民族语文工作的几点体会	钟秀生	总35	1955年	5期	24页
关于云南省的民族语文工作	谢尔久琴柯	总56	1957年	2期	37页
少数民族文字推行前的编译工作	马学良	总61	1957年	7期	41页
关于中国民族语文工作中的某些问题	谢尔久琴柯 吴乐 译	总62	1957年	8期	37页
我国少数民族语言科学研究工作的重要成就	王利宾 傅懋勣	总88	1959年	10期	451页
有关民族语言方言划分的几点意见	喻世长	总92	1960年	2期	74页
少数民族语文工作的巨大成绩	包尔汉	总102	1961年	3期	6页
继续贯彻党的百花齐放、百家争鸣的方针,促进少数民族语言科学研究的繁荣发展	傅懋勣	总105	1961年	6期	1页
关于"汉语对我国少数民族语言影响"研究中的几个问题	喻世长	总110	1961年	12期	16页
民族文字工作中的若干问题	王均	总155	1980年	2期	113页

*　　　*　　　*

吸取苏联先进经验研究少数民族语文	王均	总6	1952年	6期	4页

各个语言（按音序排列）

阿侬语

记阿侬语——对一个逐渐衰亡语言的 　跟踪观察	孙宏开	总272	1999年	5期 352页

白　语

白语概况	徐琳　赵衍荪	总131	1964年	4期 321页

布依语

布依语的反语	曹广衢	总45	1956年	3期 39页
布依文为什么和壮文"联盟"	喻世长	总69	1958年	3期 134页

朝鲜语

朝鲜语中处理外来借词的一些经验	周时龙	总72	1958年	6期 262页
朝鲜语中的汉字词	陈植藩	总132	1964年	5期 392页

达斡尔语

达斡尔语概况	仲素纯	总137	1965年	4期 317页

傣　语

傣仂语情况介绍	刀世勋	总44	1956年	7期 44页

东乡语

东乡语概况	刘照雄	总135	1965年	2期 153页

侗　语

侗语概况	梁敏	总136	1965年	3期 232页

鄂伦春语

鄂伦春语概况	李树兰	总134	1965年	1期	65页

高 山 语

台湾高山族语言概况	王辅世	总27	1954年	9期	28页

哈 尼 语

哈尼语元音的松紧	胡坦　戴庆厦	总128	1964年	1期	76页
哈尼语中汉语借词的历史层次	沙加尔　徐世璇	总286	2002年	1期	55页

景 颇 语

景颇语概况	刘璐	总132	1964年	5期	407页

黎 语

对黎语新词术语处理的几点意见	陈瑾	总67	1958年	1期	46页
黎语概况	欧阳觉亚　郑贻青	总126	1963年	5期	432页

蒙 古 语

内蒙古自治区的一个重要决定	韦愨	总39	1955年	9期	3页
内蒙古自治区人民委员会关于推行新蒙文的决定		总39	1955年	9期	4页
研究中国各蒙古语和方言的初步总结	布·哈·托达叶娃 李佩娟 译	总63	1957年	9期	32页
蒙古语概况	道布	总130	1964年	3期	240页
内蒙古自治区蒙古语科学研究情况	孙竹	总133	1964年	6期	496页
八思巴字篆体字母研究	照那斯图	总157	1980年	4期	307页
蒙古语族保安语陈述式动词的确定与非确定语气	刘照雄	总162	1981年	3期	225页
元杂剧中的蒙古语曲白	孙玉溱	总166	1982年	1期	57页

苗　语

苗族文字改革问题	王辅世	总 6	1952 年	6 期	12 页
苗语的社会方言	爱卿	总 59	1957 年	5 期	15 页
对《苗语的社会方言》一文的意见	竹亭	总 62	1957 年	8 期	36 页
苗文中汉语借词的拼法问题	王辅世	总 59	1957 年	5 期	42 页
论湘西苗语名词的类别范畴	易先培	总 102	1961 年	3 期	40 页
黔东苗语状词初探	曹翠云	总 103	1961 年	4 期	36 页
苗语概况	中国科学院民族研究所少数民族语言研究组苗语小组	总 111	1962 年	1 期	28 页
苗语中的汉语借词	中国科学院民族研究所少数民族语言研究组苗语小组（应琳 执笔）	总 115	1962 年	5 期	218 页

纳 西 语

试论汉语在纳西语丰富发展中的作用	和志武	总 106	1961 年	7 期	24 页

羌　语

羌语概况	孙宏开	总 121	1962 年	12 期	561 页

撒 拉 语

撒拉语概况	林莲云　韩建业	总 120	1962 年	11 期	517 页

水　语

水语概况	韦庆稳	总 138	1965 年	5 期	400 页
汉语水语复音形容词的历史比较研究	曾晓渝	总 260	1997 年	5 期	355 页

塔 吉 克 语

塔吉克语概况	高尔锵	总 123	1963 年	2 期	161 页

土 家 语

土族语概况	照那斯图	总 133	1964 年	6 期	477 页

维 吾 尔 语

维吾尔文字的改革问题	李森	总 8	1953 年	2 期	25 页
试论维吾尔语书面语的发展	耿世民	总 125	1963 年	4 期	327 页
论维吾尔文学语言中的词汇问题	洛孜也夫 哈山诺夫 耿世民 译	总 23	1954 年	5 期	28 页
维吾尔语概况	朱志宁	总 129	1964 年	2 期	153 页
从音和义的矛盾看现代维吾尔语的发展	傅懋勣	总 135	1965 年	2 期	103 页
维吾尔语中的汉语借词	朱志宁	总 138	1965 年	5 期	349 页

锡 伯 语

锡伯语满语比较研究举要	李树兰	总 175	1983 年	4 期	298 页

瑶 语

广西瑶语	罗季光	总 9	1953 年	3 期	33 页
盘瑶语的"巧话"	胡起望	总 61	1957 年	7 期	44 页
汉语在瑶族语言丰富发展中的作用	中国科学院少数民族语言研究所瑶语小组	总 109	1961 年	10 期	62 页
瑶族语言概况	中国科学院民族研究所少数民族语言研究组（毛宗武 周祖瑶 执笔）	总 113	1962 年	3 期	141 页

彝 语

两年来彝族语言文字的发展	陈士林	总 6	1952 年	6 期	30 页
凉山彝语的使动范畴	陈士林 边仕明 李秀清 罗洪瓦苦	总 118	1962 年	8 期	412 页
彝语概况	陈士林	总 125	1963 年	4 期	334 页

载 瓦 语

载瓦语简介	程默	总 53	1956 年	11 期	41 页

藏 语

谈谈西藏文	农	总 10	1953 年	4 期	23 页

藏语的声调	王尧	总 48	1956 年	6 期	28 页
汉藏语词尾-pa	张永言	总 98	1960 年	11 期	369 页
卓尼藏语的声调与声韵母的关系	瞿霭堂	总 117	1962 年	7 期	334 页
藏语概况	中国科学院民族所少数民族语言研究室藏语小组（瞿霭堂 执笔）	总 127	1963 年	6 期	511 页
藏语的复辅音	瞿霭堂	总 139	1965 年	6 期	446 页

壮　语

广西壮语方言分布概况和创制文字的途径	袁家骅	总 6	1952 年	6 期	5 页
广西壮族的方块文字	韦庆稳	总 7	1953 年	1 期	21 页
壮族语文问题	袁家骅	总 23	1954 年	5 期	12 页
壮族文字同壮语的基础方言和标准音问题	谢尔久琴柯 刘涌泉 口译　施政 记录	总 37	1955 年	7 期	15 页
从附加成分看壮语的词类	王泽宏	总 55	1957 年	1 期	37 页
我对壮文借用汉语词汇和语法的意见	士衡	总 72	1958 年	6 期	261 页
试谈壮语语法中的新词序	曹广衢	总 83	1959 年	5 期	219 页
壮语概况	中国科学院少数民族语言研究所壮语小组	总 109	1961 年	10 期	72 页
壮语中的汉语借词	中国科学院民族研究所少数民族语言研究组壮语小组（王均 执笔）	总 116	1962 年	6 期	251 页

书 刊 评 介

《布依语语法研究》(喻世长)		总 49	1956 年	7 期	49 页
《格西曲札藏文辞典》评介(格西曲札)	格丹札巴	总 84	1959 年	6 期	288 页
介绍两本苗汉词典(《苗(黔东方言)汉简明词典》(初稿)《苗(川黔滇方言)汉简明词典》(初稿))(贵州省民族语文指导委员会研究会、中国科学院少数民族语言调查第二工作队合编)	王辅世	总 88	1959 年	10 期	封 4

第四部分 动态·消息等

动态·消息

中国科学院语言研究所工作近况	芬	总1	1952年	1期	40页
中央民族学院的少数民族语文组		总2	1952年	2期	19页
中山大学语言学系和北京大学语言专修科	华	总8	1953年	2期	35页
本社举行中学语文教学座谈会		总9	1953年	3期	34页
本社举行"拼音文字和汉字的比较"座谈会		总13	1953年	7期	31页
本社举行学术译名座谈会		总14	1953年	8期	33页
中国科学院语言研究所开始举行学术讨论会		总26	1954年	8期	35页
中国文字改革委员会成立		总31	1955年	1期	38页
北京大学中国语言文学系举行批判资产阶级思想讨论会	北京大学中文系	总33	1955年	3期	29页
各高等学校广泛讨论《汉字简化方案草案》	中央民族学院通讯组 安徽师范学院语言文学系通讯组	总34	1955年	4期	41页
中国科学院语言研究所即将召开现代汉语规范问题学术会议		总37	1955年	7期	35页
中国科学院语言研究所召开汉语规范化问题座谈会		总37	1955年	7期	42页
中国文字改革委员会在北京举办中国文字改革文献资料展览会	倪海曙	总40	1955年	10期	34页
《语文学习》和本刊联合招待各地语文工作者举行座谈	本刊编辑部	总42	1955年	12期	29页
中央推广普通话工作委员会成立		总43	1956年	1期	7页
普通话语音教学广播讲座开始播讲		总47	1956年	5期	29页
中国文字改革委员会最近工作情况	本刊编辑部	总48	1956年	6期	50页
北京大学中文系的语言研究工作	本刊编辑部	总48	1956年	6期	51页
北京师范大学举行第一次科学讨论会	本刊编辑部	总48	1956年	6期	51页
本社在青岛召开语法座谈会	本刊编辑部	总50	1956年	8期	6页

标题	作者	总期	年份	期	页
江苏省方言调查指导组成立	张拱贵	总54	1956年	12期	45页
河北省方言调查工作即将全面展开	陈治文	总54	1956年	12期	45页
少数民族语言研究所成立	郑达	总55	1957年	1期	29页
山东省教育厅召开方言调查会议	唐捷	总56	1957年	2期	26页
朝鲜成立文字改革研究委员会	周时龙 译	总57	1957年	3期	39页
中国语文杂志社召开扩大编委会议	劳宁	总57	1957年	3期	封底
辽宁省普查组布置具体工作	尚允川	总59	1957年	5期	32页
四川省上半年将完成32个点方言调查	郑坚白	总59	1957年	5期	39页
广东省开展试点调查工作	林运来	总59	1957年	5期	44页
安徽省召开方言普查工作会议	杨长礼	总60	1957年	6期	24页
西南师范学院方言普查工作简况	翟时雨	总60	1957年	6期	41页
中国文字改革委员会举行座谈会	潘慎	总60	1957年	6期	47页
华北华东华中十省方言普查工作现况	吴宗济	总61	1957年	7期	30页
普通话推广工作汇报会议在北京召开	秋甫	总61	1957年	7期	40页
湖北省方言普查工作近况	李仲英	总62	1957年	8期	31页
陕西省言方普查工作近况	李平 陈钧	总62	1957年	8期	31页
中国科学院语言研究所派出工作组了解各省市方言普查工作	吴芬	总62	1957年	8期	31页
广东省方言试点调查经验点滴	林运来	总62	1957年	8期	49页
广东省方言普查工作进入编写学话手册阶段	林运来	总63	1957年	9期	40页
河北省汉语方言普查工作进入编写学话手册阶段	吴郁文	总64	1957年	11期	5页
云南省汉语方言普查工作简况	文	总65	1957年	11期	25页
湖南省汉语方言调查简况	高子荣	总66	1957年	12期	4页
中国科学院少数民族语言研究所召开所务座谈会	朱志宁	总65	1957年	11期	2页
突厥语研究班开学	朱志宁	总66	1957年	12期	34页
贵州省汉语方言普查工作基本完成	贵州省教育厅普通话推广科	总67	1958年	1期	4页
语文工作者座谈汉语拼音方案草案	秋甫	总67	1958年	1期	20页
上海市汉语方言普查工作近况	刘征	总67	1958年	1期	30页
河北省方言调查指导组第二次会议概况	吴郁文	总67	1958年	1期	48页
湖北省大力开展宣传拼音方案、推广普通话的工作	向阳	总68	1958年	2期	56页
应该让拼音文字的试验和普通话的推广齐头并进	史存直	总68	1958年	2期	57页
山东师范学院语言学教师积极学习拼音方案和普通话	孙毓莘	总69	1958年	3期	122页

标题	作者	总期	年份	期号 页码
南京师范学院热烈学习拼音方案和普通话	张芷	总69	1958年	3期 133页
江苏省、上海市方言调查指导组关于编写学话手册的决议摘要	张喆生	总69	1958年	3期 137页
湖南师范学院掀起学习拼音字母的高潮	高子荣	总69	1958年	3期 147页
曲阜师范学院完成方言调查工作	曲阜师范学院方言调查工作组	总69	1958年	3期 147页
民族语文干部的培养基地——中央民族学院	吴一飞	总69	1958年	3期 149页
各地积极展开汉语拼音方案的宣传工作	杨居辰	总69	1958年	3期 封4
内蒙古自治区汉语方言普查工作简况	罗振岐	总70	1958年	4期 198页
安徽师范学院积极推广普通话并将完成汉语方言普查工作	攸沐	总70	1958年	4期 封4
华南师范学院师生热烈学习拼音方案和普通话	梁猷刚	总71	1958年	5期 217页
广东省举办汉语拼音方案研究班	Y.G.	总71	1958年	5期 229页
苦战四个月，改变方言面貌	高子荣	总72	1958年	6期 封4
语言研究所青年积极推广汉语拼音字母	庄张	总73	1958年	7期 314页
四川省全面推广汉语拼音字母和普通话	劳卫	总73	1958年	7期 封4
华中师范学院大力改革语言学课程	邢福义	总75	1958年	9期 413页
吉林大学语言学课程改革情况	孙延璋	总75	1958年	9期 416页
开封师范学院编出语言学新教学大纲	陈信春	总75	1958年	9期 419页
武汉师范学院语言学课程初步整改情况	于细良	总75	1958年	9期 443页
四川大学订出语言专业新计划	肖云	总75	1958年	9期 封4
首都的文字改革展览会	秋甫	总76	1958年	10期 464页
江苏省、上海市方言调查工作总结会议简讯	张喆生 庄惠珍	总76	1958年	10期 467页
北京师范大学语言学教研组订出科学研究规划	史锡尧	总77	1958年	11期 505页
西南师范学院中文系编出《毛主席论语言问题》	彭维金	总77	1958年	11期 530页
厦门大学中文系师生为工地服务	王尔康	总77	1958年	11期 封4
江苏省的方言调查工作是怎样完成的	吴天石	总78	1958年	12期 594页
广西师范学院中文系汉语组大搞科学研究	梁振仕	总79	1959年	1期 34页

标题	作者	总期	年份	期 页
复旦大学中文系语言教学上的一次革命	汤珍珠 高天如	总79	1959年	1期 42页
兰州大学中文系的语言教学和科学研究	谢晓安	总79	1959年	1期 43页
湖北省方言普查工作简况	J.S.	总80	1959年	2期 66页
福建师范学院掀起语言学研究和教材建设的高潮	璋赏 荣英	总80	1959年	2期 95页
武汉师范学院中文系全体师生的干劲	于细良	总80	1959年	2期 100页
山东师范学院语言学教研组的新跃进	子朗	总81	1959年	3期 127页
湖南师范学院语言教研组的教学改革和科学研究	秦旭卿	总81	1959年	3期 134页
合肥师范学院语言学教研组积极开展各项工作	攸沐	总82	1959年	4期 158页
华南师范学院中文系汉语教研组的科学研究	郑玉蓉	总83	1959年	5期 210页
中山大学中文系语言组两项研究著作脱稿	中山大学中文系	总83	1959年	5期 231页
南京大学中文系举行校庆科学讨论会	黄景欣	总84	1959年	6期 278页
北京师范大学中文系语言教研组工作简况	史锡尧	总84	1959年	6期 292页
安徽师范学院中文系语言学教研组工作简况	杨长礼	总84	1959年	6期 封4
南充师范学院中文系汉语教研组的科学研究	郭昭穆	总85	1959年	7期 331页
上海外国语学院开展学术讨论	春行	总85	1959年	7期 348页
南京师范学院中文系语言学教研组的教学和科学研究	弓止	总86	1959年	8期 354页
西南师范学院中文系汉语教研组深入研究介词	明德	总86	1959年	8期 379页
山东大学中文系语言组工作简况	葛本仪	总86	1959年	8期 382页
开封师范学院中文系汉语教研室的教学研究工作	陈信春	总86	1959年	8期 385页
中国科学院少数民族语言研究所研究工作近况	少数民族语言研究所学术秘书室	总88	1959年	10期 478页
全国汉语方言初步普查基本完成	方祖高	总88	1959年	10期 507页
甘肃师范大学汉语教研组的国庆献礼	潘尔尧	总89	1959年	11期 封4
上海外国语学院大搞语言科学研究	春行	总90	1959年	12期 601页
山东师范学院语言学教研组最近的科学研究活动	子朗	总91	1960年	1期 39页

标题	作者	总期	年份	期	页
广西师范学院汉语组的科学研究工作继续跃进	梁振	总92	1960年	2期	61页
华南师范学院中文系大力开展"三正三通"运动	郑玉蓉	总93	1960年	3期	125页
山西师范学院语言教研组展开科学研究	王叔潜	总93	1960年	3期	148页
厦门大学中文系大力开展毛主席语言的研究	王尔康	总93	1960年	3期	119页
华中师范学院中文系掀起学习毛主席著作高潮	邢福义	总94	1960年	4期	156页
北京师范学院汉语教研组科学研究近况	张育泉	总94	1960年	4期	171页
全国汉语方言工作会议将在今年九月召开	米青	总94	1960年	4期	封4
南开大学中文系积极开展语言科学研究	张西萍	总95	1960年	5期	202页
湖南师范学院语言教研组的教学和科学研究	秦旭卿	总95	1960年	5期	封4
西北大学中文系积极研究毛主席的语言理论和语言实践	马天祥	总95	1960年	5期	212页
哈尔滨师范学院的"毛主席语言研究"活动	哈尔滨师范学院中文系	总96	1960年	6期	256页
中山大学中文系师生积极参加注音扫盲工作	余伟文	总98	1960年	11期	363页
华中师范学院中文系语言教研组科学研究简况	刘兴策	总100	1961年	1期	24页
华南师范学院汉语教研组讨论"什么是语言发展的内因?"	郑玉蓉	总100	1961年	1期	19页
《中国语文》编辑委员会举行会议		总102	1961年	3期	22页
南京大学中文系讨论语言发展的内因和外因	南讯	总104	1961年	5期	7页
中国人民大学语言文学系讨论语言的发展及其主要原因	郭锦桴	总105	1961年	6期	18页
甘肃师范大学中文系研究现代汉语词类问题	荣	总105	1961年	6期	6页
北京大学中文系讨论动词、形容词名物化问题	进明	总105	1961年	6期	49页
广东语言学界的学术活动	黄言唐	总114	1962年	4期	191页
合肥师范学院中文系语文习作教研组讨论文风问题	普林	总139	1965年	6期	462页

二十三所高等院校《现代汉语》教材协作会议在郑州召开	董景道	总144	1978年	1期	77页
北京地区语言学科规划座谈会简况	孟琮	总144	1978年	1期	78页
南方方言区推广普通话工作座谈会在吴县召开	方人冶	总145	1978年	2期	90页
"现代汉语"教材第二次协作会议在昆明召开	柴春华 董景道	总146	1978年	3期	183页
语言研究所和本刊编辑部联合召开北京地区中学语文教学问题座谈会	本刊记者	总147	1978年	4期	279页
福建师大中文系语言组召开语言专题讨论会	李延瑞	总149	1979年	2期	100页
安徽省举行首次中学生语文竞赛	胡治农	总149	1979年	2期	158页
《现代汉语》协作教材审稿会议分别在兰州、郑州召开	班兴彩 柴春华	总150	1979年	3期	240页
河北省召开中学语文教学经验交流会	纪雨	总148	1979年	1期	15页
厦门大学汉语方言研究室成立	周长楫	总148	1979年	1期	71页
十七所民族院校召开汉语教学经验交流会		总151	1979年	4期	252页
厦门大学举行汉语方言科学讨论会	平	总152	1979年	5期	399页
文字改革教材第二次协作会议举行	费锦昌	总152	1979年	5期	399页
部分高等师范院校举行《古代汉语》教材协作会议	张玉惠	总152	1979年	5期	399页
一种新颖的科研组织形式——记中文信息处理研究班	ZH. Y.	总154	1980年	1期	80页
《现代汉语》教材审稿会在青岛举行	雨	总159	1980年	6期	478页
中央普通话进修班开学	宋学	总160	1981年	1期	8页
教育部召开第二次中学语文教材改革座谈会	林波	总160	1981年	1期	70页
全国汉语方言研究班结业	钟雨	总165	1981年	6期	478页
汉语音韵学研究班结业	汉语音韵学研究班	总166	1982年	1期	16页
教育部召开全国学校推广普通话工作会议	林波	总168	1982年	3期	240页
全国语言学学科规划小组会议在京举行	于浦吉	总180	1984年	3期	229页
为纪念《语言教学与研究》创刊五周年北京语言学院举行座谈会	朱贯	总182	1984年	5期	365页
语言文字应用研究所成立	乃华	总183	1984年	6期	477页
中国语文杂志社、中外文化书院联合主办文字编辑讲习班		总203	1988年	2期	封3

《现代汉语大词典》编辑委员会成立	梁文	总204	1988年	3期	168页
"现代汉语研讨班"开始招生	中国语文杂志社 民盟北京市委	总204	1988年	3期	封3
文字编辑讲习班第二期开始招生	方也	总205	1988年	4期	封3
国家社会科学基金评审会议圆满结束	白长茂	总207	1988年	6期	471页
1989年国家社会科学基金语言学科课题评审工作结束	白长茂	总216	1990年	3期	232页
1990年国家社会科学基金语言学科课题评审工作结束	白长茂	总221	1991年	2期	148页
1991年中华社会科学基金会语言学科课题评审工作结束	白长茂	总227	1992年	2期	92页
1993年社科基金评审工作结束	周信炎	总236	1993年	5期	封3
中国加入国际语言学家常设委员会	田原	总207	1988年	6期	474页
第二届《国外语言学》编辑工作研讨会在京举行	方也	总208	1989年	1期	37页
陈平被聘为《篇章》杂志顾委	田原	总211	1989年	4期	314页
汉语水平考试(HSK)通过专家鉴定	言语	总216	1990年	3期	封3
广州话审音委员会成立将编纂出版《广州话标准读音字典》	韦恩	总220	1991年	1期	74页
首都举行纪念《人民日报》关于语言规范化的社论发表40周年座谈会	伯人	总223	1991年	4期	300页
《辞书研究》编辑部在京召开座谈会	双人	总224	1991年	5期	359页
中国语文研究四十年学术讨论会即将召开	林波	总228	1992年	3期	封3
语言学/汉语类核心期刊统计结果公布	K.X.	总236	1993年	5期	376页
《现代汉语规范词典》第三次编写会议在京召开	晓沈	总237	1993年	6期	464页
发扬优良传统坚持严谨学风——中国社会科学院语言研究所召开庆祝建所45周年大会	青海	总248	1995年	5期	397页
南开大学将举办现代语言学暑期研讨班		总250	1996年	1期	80页
南开大学将举办现代语言学暑期研讨班		总252	1996年	3期	232页
南开大学举办现代语言学高级研讨班	立为	总255	1996年	6期	466页
第三届现代语言学高级研讨班开始报名	南开大学中文系现代语言学暑期研讨班筹备组	总263	1998年	2期	150页
"汉语中介语语料库系统"通过专家鉴定	CZ	总251	1996年	2期	112页
"信息处理用现代汉语根词属性库"通过鉴定	齐言	总252	1996年	3期	188页
"九五"国家社会科学基金资助语言学项	晓日	总254	1996年	5期	399页

目题录				
"当前我国语言文字使用上存在的问题及其规范化对策的研究"通过专家鉴定	金名	总257	1997年	2期 127页
《现代汉语词典》被侵权案一审判决	王文	总257	1997年	2期 130页
《现代汉语词典》被侵权案终审判决	本刊记者	总260	1997年	5期 389页
联谊语法漫谈会在北京举行	唐辰	总261	1997年	6期 414页
第二次联谊语法漫谈会在京举行	唐辰	总279	2000年	6期 572页
北京语言学界举行纯净文风与学风座谈会	北中	总262	1998年	1期 39页
《国外语言学》更改刊名		总262	1998年	1期 39页
纪念《马氏文通》100周年语言研究所发起举办系列学术研讨会	本刊编辑部	总262	1998年	1期 73页
全国语言文字工作会议在北京召开	xin	总263	1998年	2期 160页
"现代汉语动态"网站建成	伯江	总268	1999年	1期 57页
第二届全国公务员普通话大赛在广州举行	赵静远	总268	1999年	1期 70页
中国社会科学院语言研究所举办"新中国语言学50年"学术座谈会	方文	总269	1999年	2期 159页
《当代语言学》举行首发式暨座谈会	小宣	总270	1999年	3期 174页
中国语文网站建立	WEBMASTER	总270	1999年	3期 191页
华东师范大学成立语言学系	旺盛	总270	1999年	3期 239页
《现代汉语方言大词典》分卷本出版座谈会在北京召开	李蓝	总270	1999年	3期 240页
庆祝《语言教学与研究》创刊20周年学术研讨会在北京举行	北雨	总271	1999年	4期 277页
《汉语方言大词典》出版首发庆贺会在上海举行	裘是	总273	1999年	6期 459页
《现代汉语方言大词典》太原、忻州、万荣分卷本出版暨山西方言研究座谈会在太原召开	WJS	总273	1999年	6期 463页
中国语言文字使用情况调查正式启动	佟乐泉	总273	1999年	6期 466页
《中国语文》编辑部举行编委会成立会暨迎接新世纪座谈会	本刊记者	总274	2000年	1期 91页
《音路历程——中国社会科学院语音研究陈列馆》光盘新闻发布会在京举行	林波	总275	2000年	2期 136页
北京大学汉语语言学研究中心成立	L. L.	总275	2000年	2期 145页
"香港普通话水平考试(PSK)"在港通过专家审定	泰文	总275	2000年	2期 173页
北京大学外国语学院语言学研究所成	Y. Y	总276	2000年	3期 211页

标题	作者/单位	总期	年份	期/页
立				
《语言研究》改版	语言研究编辑部	总276	2000年	3期 288页
中国语言学会第十一届学术年会开始征集论文	中国语言学会秘书处	总277	2000年	4期 362页
《语言教学与研究》将由季刊改为双月刊		总279	2000年	6期 524页
"10.5"国家社科基金项目语言学科课题指南	杜翔 克木	总280	2001年	1期 59页
汉语普通话单音节和双音节音联语音语料库		总281	2001年	2期 封3
浙江大学汉语史研究中心《中古近代汉语研究》创刊	浙江大学汉语史研究中心《中古近代汉语研究》编辑部	总282	2001年	3期 200页
语言学名词审定委员会在京成立	志江	总283	2001年	4期 328页
纪念《人民日报》关于加强汉语规范的社论发表50周年座谈会在京召开	YYS	总283	2001年	4期 353页
北京语言文化大学出版社举办"海外著名语言学家讲习所"	北京语言文化大学出版社	总283	2001年	4期 369页
"第十二次现代汉语语法学术讨论会"征集论文	"第十二次现代汉语语法学术讨论会"筹备组	总284	2001年	5期 398页
"三峡杯"文学艺术作品大奖赛征稿		总284	2001年	5期 封3
"首届海外中国语言学者论坛"即将在徐州举行		总285	2001年	6期 537页
中国语言学博士点专家座谈会在南开大学举行	中国语言学博士点专家座谈会秘书组	总285	2001年	6期 569页
《汉字标准字典》首发式在京举行	本刊记者	总285	2001年	6期 570页
中国社会科学院语言研究所近期进行学科建制调整	文	总285	2001年	6期 571页
2002年全国中国语言学暑期高级讲习班招生简章	北京大学汉语语言学研究中心 2002年全国中国语言学暑期高级讲习班筹备组	总285	2001年	6期 572页
第二届龙港语言学问题讲习班举办通知	黑龙江大学语言研究所 香港大学语言学系	总285	2001年	6期 573页
庆祝《中国语文》创刊50周年纪念专刊征稿	《中国语文》编辑部	总286	2002年	1期 21页
《蒋礼鸿集》出版座谈会在杭州举行	hys	总286	2002年	1期 69页
商务印书馆语言学出版基金发布会暨青年语言学者论坛在北京举行	洪波	总287	2002年	2期 122页
北京语言文化大学语言研究所成立	ZY	总287	2002年	2期 136页
汉语方言语法研究高级研修班即将举		总288	2002年	3期 209页

办				
陕西师范大学西北方言与民俗研究中心成立	L.Y.	总288	2002年	3期 285页
中国人民大学复印报刊资料《语言文字学》专家咨询会在京召开	H.C.Q	总289	2002年	4期 372页
《南开语言学刊》即将创刊		总289	2002年	4期 379页
《普通话水平测试大纲》第一届学术委员会会议在京召开	王晖	总290	2002年	5期 422页
汉语方言语法研究高级研修班在北京举办	ZL	总290	2002年	5期 475页
2002年度国家社科基金语言学科立项课题	荣	总290	2002年	5期 477页
客赣方言数据库在南昌大学文学院建成	东石	总290	2002年	5期 477页
第十二届国际中国语言学学会年会（IACl-12）暨第二届汉语语言学国际研讨会（ISCl-2）征集论文		总291	2002年	6期 507页
中国语言学会第十二届学术年会征集论文提要	中国语言学会秘书处	总291	2002年	6期 524页

* * *

傅懋勣学术活动追思会在京举行	笃厚	总208	1989年	1期 18页
北京、湖南举行纪念黎锦熙先生诞生100周年学术报告会	卢荣和	总217	1990年	4期 319页
北京大学中文系举行高名凯教授80诞辰纪念会	宇培	总223	1991年	4期 320页
季羡林教授八十华诞庆祝会在北京召开	姬金	总224	1991年	5期 365页
上海庆贺罗竹风同志八十华诞	王岳	总228	1992年	3期 236页
张志公语言和语文教育思想研讨会在石家庄举行	庄文中	总232	1993年	1期 77页
张志公先生学术追思会在北京召开	王本华	总265	1998年	4期 293页
纪念赵元任先生百年诞辰学术座谈会在清华大学举行	毓林	总232	1993年	1期 80页
1997赵元任中国语言学研究中心学术年会在香港举行	余雨	总258	1997年	3期 214页
于安澜先生学术研讨会在河南大学举行		总232	1993年	1期 封3
朱星先生80诞辰纪念学术座谈会在北京召开		总232	1993年	1期 封3
华东师范大学庆祝史存直先生九十华	帕安	总240	1994年	3期 185页

诞				
纪念容庚先生百年诞辰暨中国古文字学学术研讨会在粤举行	谷温	总243	1994年	6期 433页
北京语文学界庆贺周有光先生九十寿辰	文武	总248	1995年	5期 366页
罗常培文集编辑委员会举行首次会议	禹岩	总256	1997年	1期 17页
桥本万太郎教授逝世十周年纪念会在日本东京举行	远藤光晓	总261	1997年	6期 431页
语言变化与汉语方言——纪念李方桂先生国际研讨会在美国举行	韩亚	总267	1998年	6期 471页
方光焘、黄淬伯百年诞辰纪念暨学术研讨会在宁举行	王建军	总269	1999年	2期 102页
上海师大召开"张斌先生学术思想研讨会"	定远	总275	2000年	2期 125页
庆祝王维贤、倪宝元教授教学科研50周年活动在杭州举行	江东	总277	2000年	4期 337页
王均先生学术思想座谈会在京举行	梁远	总288	2002年	3期 274页
纪念商承祚先生百年诞辰暨中国古文字学国际学术研讨会在广州举行	伟武	总291	2002年	6期 535页

学 术 会 议

中国语言学会常务理事会举行扩大会议	洪平	总162	1981年	3期 240页
中国语言学会第一、二届常务理事会联席扩大会议在北京举行	中国语言学会秘书处	总181	1984年	4期 300页
中国语言学会进行换届选举	中国语言学会秘书处	总232	1993年	1期 22页
中国语言学会进行换届选举	晓丁	总254	1996年	5期 385页
中国语言学会换届选举	中国语言学会秘书处	总278	2000年	5期 409页

* * *

天津市语言学会成立	湄	总56	1957年	2期 36页
天津市语言学会召开首届年会	金羽荟	总220	1991年	1期 80页
天津市语言学会召开第三届年会	金羽荟	总238	1994年	1期 10页
天津语言学会召开第七届学术年会	董淑慧	总263	1998年	2期 159页
天津市语言学会举行换届大会暨学术年会	天津语言学会秘书处	总274	2000年	1期 68页
天津市语言学会举行2001年学术年会	天津语言学会秘书处	总284	2001年	5期 474页
武汉语言学会成立	苇	总73	1958年	7期 329页
上海语文学会举行《马氏文通》出版60周年学术座谈会	程美英	总79	1959年	1期 47页

标题	作者	总期	年份	期/页
上海语文学会积极准备迎接国庆十周年	秋	总84	1959年	6期 266页
上海语文学会举行年会	杨钟	总113	1962年	3期 148页
上海语文学会恢复活动		总144	1978年	1期 9页
广东语文学会活动情况		总144	1978年	1期 51页
广东省语言学会举行年会	白波	总222	1991年	3期 237页
广东省语言学会举行年会	柏韦	总249	1995年	6期 436页
广东省中国语言学会举行学术年会	广东省中国语言学会会议秘书组	总274	2000年	1期 84页
广东省中国语言学会举行学术年会	伯	总287	2002年	2期 151页
安徽省语言学学会成立理事会第二次全体会议在芜湖召开	胡治农	总145	1978年	2期 84页
安徽省语言学会召开语法问题座谈会	胡治农	总157	1980年	4期 291页
安徽省语言学会举行第五届年会	李向农	总216	1990年	3期 181页
安徽省语言学会第六届年会在阜阳举行	乐玲华	总227	1992年	2期 155页
安徽省语言学会召开第九届年会	安语	总261	1997年	6期 461页
安徽省语言学会召开第十届学术年会	安徽省语言学会秘书处	总281	2001年	2期 165页
黑龙江省语言学会成立	叶长荫	总147	1978年	4期 270页
黑龙江省语言学会召开第六届年会暨会员大会	邹韶华	总188	1985年	5期 383页
黑龙江省语言学会第九届年会在哈尔滨举行	徐耀民	总251	1996年	2期 109页
黑龙江省语言学会召开吕叔湘先生学术思想研讨会	黑龙江省语言学会秘书处	总266	1998年	5期 345页
黑龙江省语言学会第十届学术年会在哈召开	马彪	总269	1999年	2期 149页
黑龙江省语言学会第十一届学术年会在哈尔滨召开	黑龙江省语言学会	总286	2002年	1期 79页
山西省语言学会成立	温端政	总147	1978年	4期 313页
山西省语言学会改选换届	吴垠	总224	1991年	5期 392页
山西省语言学会召开第七届年会及学术研讨会	天高	总252	1996年	3期 182页
山西省语言学会第九届年会召开	山西省语言学会秘书处	总285	2001年	6期 542页
甘肃省语言学会成立	甄继祥	总148	1979年	1期 30页
陕西省语言学会成立	郝万全	总149	1979年	2期 92页
湖北省语言学会召开代表会议	邢福义	总149	1979年	2期 160页
湖北省语言学会召开年会	田光明	总167	1982年	2期 160页
湖北省语言学会举行第六届年会	赵宏	总216	1990年	3期 214页

湖北省语言学会召开第七届年会	湖北省语言学会秘书处	总226	1992年	1期 71页
湖北省语言学会召开第八届年会	杨晓红	总243	1994年	6期 418页
湖北省语言学会召开第十届年会	湖北省语言学会秘书处	总269	1999年	2期 149页
湖北省语言学会第11届学术年会在黄冈召开	湖北省语言学会秘书处	总281	2001年	2期 148页
湖南省语言学会成立	湖南省语言学会会议秘书组	总152	1979年	5期 399页
湖南省语言学会第五届年会在岳阳举行		总232	1993年	1期 32页
湖南省语言学会第六届年会在郴州召开	钱宗武 李文晋	总246	1995年	3期 179页
湖南省语言学会第9届学术年会在常德召开	Péng Zérùn	总280	2001年	1期 26页
香港成立中国语文学会并出版《语文杂志》	丛一如	总152	1979年	5期 400页
河北省语言文学学会成立	谢质彬	总154	1980年	1期 封3
河北省语言学会成立	赵平安	总249	1995年	6期 436页
河北省语言学会举行第二届学术年会	河北省语言学会秘书处	总265	1998年	4期 320页
河北省语言学会举行第三届学术年会	河北省语言学会秘书处	总271	1999年	4期 316页
河北省语言学会举行第四届学术年会	河北省语言学会秘书处	总283	2001年	4期 369页
广西语言文学学会成立	梁超然 李谱英	总156	1980年	3期 176页
青海省语言学会成立	张成材	总158	1980年	5期 349页
青海省语言学会召开年会	张成材	总167	1982年	2期 160页
青海省语言学会举行第七届学术年会	陈良煜	总285	2001年	6期 568页
北京市语言学会成立	奚博先	总158	1980年	5期 370页
北京市语言学会召开首届年会	奚博先	总169	1982年	4期 309页
北京市语言学会计算语言学研究会正式成立	计语	总224	1991年	5期 362页
北京市语言学会召开新一届理事会	北进	总279	2000年	6期 554页
福建省语言学会成立	张凯民	总160	1981年	1期 26页
浙江省语言学会成立	曦	总161	1981年	2期 114页
浙江省语言学会举行第六届年会	颜洽茂	总221	1991年	2期 88页
浙江省语言学会举行第七届年会	浙江省语言学会秘书处	总233	1993年	2期 92页
浙江省语言学会第八届年会在湖州市召开	浙江省语言学会秘书处	总246	1995年	3期 229页
浙江省语言学会召开第十届年会	浙江省语言学会秘书处	总274	2000年	1期 68页
浙江省语言学会第十一届年会召开	浙江省语言学会秘书处	总287	2002年	2期 151页
四川省语言学会成立	文	总163	1981年	4期 285页
四川省语言学会举行首届年会	卢静	总169	1982年	4期 311页

河南省语言学会成立	张桁	总163	1981年	4期 296页
河南省语言学会第八届年会在郑州举行		总232	1993年	1期 32页
河南省语言学会召开第十一届年会	刘钦荣	总271	1999年	4期 282页
河南省语言学会召开第八届年会	傅书灵	总286	2002年	1期 49页
辽宁省语言学会成立	张庆绵	总163	1981年	4期 303页
辽宁语言学会召开首届学术年会	谢栋元	总172	1983年	1期 43页
辽宁省语言学会第五届年会在沈阳举行	辽宁省语言学会秘书处	总246	1995年	3期 229页
辽宁省语言学会进行常务理事会换届选举	辽宁省语言学会秘书处 辽宁省修辞学会秘书处	总281	2001年	2期 158页
宁夏语言学会成立	钟	总164	1981年	5期 350页
宁夏语言学会举行首届年会	李树俨	总172	1983年	1期 8页
宁夏语言学会召开第六次学术年会	李树俨	总233	1993年	2期 92页
江苏省语言学会成立	众	总164	1981年	5期 383页
江苏省语言学会举行第十届年会暨成立十周年纪念会	唐曙霞	总227	1992年	2期 128页
江苏省语言学会暨苏州市语言学会年会在苏州举行	石汝杰 王丽华	总243	1994年	6期 453页
江苏省语言学会第十三届年会在扬州召开	D.Y.H	总264	1998年	3期 221页
江苏省语言学会成立20周年庆祝大会暨第14届学术年会在南通召开	江苏省语言学会成立20周年庆祝大会会议秘书组	总284	2001年	5期 474页
云南省语言学会成立	邱锷锋	总164	1981年	5期 388页
云南省语言学会召开九六年年会	云南省语言学会秘书处	总255	1996年	6期 466页
云南省语言学会召开1999年学术年会	方向明	总273	1999年	6期 449页
山东省语言学会召开年会	严萍	总167	1982年	2期 160页
山东省语言学会换届并举行学术年会	山东省语言学会秘书处	总252	1996年	3期 191页
山东省语言学会第十一次年会在威海举行	王开扬	总263	1998年	2期 122页
山东省语言学界举行专题研讨会	W.K.Y	总265	1998年	4期 308页
山东省语言学会选举产生新一届理事会	鲁雨	总274	2000年	1期 68页
山东省语言学会召开第13次学术年会	齐言	总283	2001年	4期 346页
贵州省语言学会成立	文亦真	总170	1982年	5期 346页
贵州语言学会举行第九届学术年会	贵州语言学会秘书处	总274	2000年	1期 41页
江西省语言学会成立	宋易麟	总170	1982年	5期 395页
江西省语言学会举行年会		总232	1993年	1期 32页
江西省语言学会召开2000年学术年会	李胜梅	总280	2001年	1期 26页
海南省语言学会成立	施何	总211	1989年	4期 311页

标题	作者	总期	年份	期 页
江苏省南通市语言学会召开第九次年会	南通市语言学会	总221	1991年	2期 82页
南通市语言学会召开第十届学术讨论会	陆文蔚	总226	1992年	1期 11页
重庆市语言学会成立	张显成	总263	1998年	2期 154页
吉林省语言学会第四次年会在长春市召开	吉林省语言学会秘书处	总264	1998年	3期 221页
吉林省语言学会召开第五届年会	吉林省语言学会秘书处	总273	1999年	6期 447页
内蒙古语言学会改选学会领导机构	内蒙古语言学会秘书处	总266	1998年	5期 334页
简讯七则(福建、江西、河南、湖南、浙江、贵州、天津语言学会召开年会)		总257	1997年	2期 160页
简讯(山西省语言学会、山西省方言学会、福建省语言学会召开年会)		总268	1999年	1期 80页

*　　　*　　　*

标题	作者	总期	年份	期 页
语法学术报告会在北京香山举行	晓齐	总170	1982年	5期 395页
"现代汉语(语法)学术讨论会"在延吉市召开	记者	总183	1984年	6期 476页
现代汉语语法学术讨论会在京举行(附论文目录)	本刊记者	总196	1987年	1期 78页
第五次现代汉语语法学术讨论会在京举行(附论文目录)	本刊记者	总205	1988年	4期 315页
第六次现代汉语语法学术讨论会在合肥举行	本刊记者	总220	1991年	1期 79页
第七次现代汉语语法学术讨论会在天津举行	T.J	总232	1993年	1期 78页
第八次现代汉语语法学术讨论会在苏州召开	本刊记者	总244	1995年	1期 79页
第九次现代汉语语法学术讨论会在哈尔滨举行	J.Z	总255	1996年	6期 477页
第十一次现代汉语语法学术讨论会在芜湖举行	方梅	总280	2001年	1期 80页
第十二次现代汉语语法学术讨论会在长沙举行	WM	总289	2002年	4期 380页
句型和动词学术讨论会(附论文目录)	李士重	总191	1986年	2期 152页
首届青年现代汉语(语法)学术讨论会在武汉召开	本刊记者	总195	1986年	6期 477页
第二届现代语言学及现代汉语语法研讨会在上海举行	邱伟	总218	1990年	5期 399页
第三届全国现代语言学研讨会在上海	Y.J.	总229	1992年	4期 264页

召开				
现代汉语语法研究座谈会在京举行	现代汉语语法研究座谈会会议秘书组	总223	1991年	4期 320页
现代汉语语法修辞研讨会在黄山举行	岳方遂	总225	1991年	6期 438页
第三届现代汉语语法研讨会在南京举行	张桂实	总229	1992年	4期 267页
第四届现代汉语语法研讨会在芜湖举行	本刊记者	总241	1994年	4期 296页
第四届全国现代语言学研讨会在北京召开	本刊记者	总238	1994年	1期 79页
北京第五届中青年语言学研讨会在清华大学召开		总232	1993年	1期 32页
北京第六届中青年语言学研讨会召开	赵杰	总235	1993年	4期 300页
全国第二次话语分析研讨会在杭州举行	全国第二次话语分析研讨会	总233	1993年	2期 158页
第三届全国话语分析研讨会在洛阳召开	徐赳赳	总244	1995年	1期 50页
第三届全国系统功能语法研讨会在杭州举行	施平	总236	1993年	5期 392页
现代汉语配价语法研讨会在北京举行	本刊记者	总251	1996年	2期 120页
第二届全国现代汉语配价语法研讨会在上海举行	L.Y.S	总274	2000年	1期 15页
现代汉语语法专题研讨会在北京召开	本刊记者	总251	1996年	2期 154页
新时期语法学者学术研讨会(国际)在武汉举行	吴继光	总257	1997年	2期 127页
'98现代汉语语法学国际学术会议在北京大学举行	本刊记者	总267	1998年	6期 473页
汉语主题与焦点国际研讨会在香港举行	方文	总278	2000年	5期 419页
汉语重叠问题国际研讨会在华中师大举行	朱斌	总275	2000年	2期 152页
汉语语法史讨论会在台湾中研院语言学所筹备处举行	HCH	总280	2001年	1期 79页
21世纪首届现代汉语语法国际研讨会在香港举行	邱明	总281	2001年	2期 189页
第二届现代汉语语法国际研讨会即将举行	sjm	总289	2002年	4期 301页
首届汉语语法化问题国际学术讨论会在天津召开	冬湄	总285	2001年	6期 571页

汉语学习与认知国际学术研讨会在北京召开	前瑞	总286	2002年	1期 89页
语序类型学研讨会在北京召开	李炳泽	总287	2002年	2期 189页

* * *

第九届国际语音学会议在丹麦举行	齐水	总154	1980年	1期 41页
现代语音学研讨会在北京大学召开	成明	总225	1991年	6期 450页
第十二届国际语音科学会议简记	余士英	总225	1991年	6期 封4
第二届现代语音学研讨会在北京召开	民荫	总242	1994年	5期 400页
第三届全国语音学研讨会在北京举行	林波	总255	1996年	6期 476页
第四届全国现代语音学学术会议在北京召开	吕士楠 贺琳	总273	1999年	6期 420页
中法语音和语言处理研讨会召开	李爱军	总280	2001年	1期 90页
第六届国际口语处理会议（ICS1P'2000)在北京召开	李爱军	总280	2001年	1期 88页

* * *

首届现代汉语词汇学术讨论会在天津举行	W	总236	1993年	5期 342页
第二届全国现代汉语词汇学术研讨会在烟台召开	Z.Z.Y	总254	1996年	5期 封3
第三届全国现代汉语词汇学术研讨会召开	余桂林	总282	2001年	3期 286页
第四届全国汉语词汇学学术研讨会在河北师范大学召开	第四届全国汉语词汇学学术研讨会会议秘书组	总289	2002年	4期 372页
全国汉语词汇规范问题学术研讨会在厦门召开	余桂林	总287	2002年	2期 110页
首届汉语词源学研讨会在长春召开	侯占虎	总272	1999年	5期 386页
第十七届词汇与语法比较研讨会在英国召开	郑定欧	总268	1999年	1期 77页
第十八届词汇与语法比较研讨会在意大利召开	郑定欧	总273	1999年	6期 435页

* * *

首届古汉语学术研讨会开在湖南举行	白振平	总214	1990年	1期 40页
第二届全国古代汉语学术讨论会在太原召开	Y.S.G.	总231	1992年	6期 478页
第三届全国古代汉语学术研讨会在南昌举行	S.L.P.	总244	1995年	1期 77页
第四届全国古代汉语学术研讨会暨《马氏文通》发表100周年纪念会在沈阳举行	C.L.	总265	1998年	4期 298页

第五届全国古代汉语学术研讨会在穗召开	G. S.	总279	2000年	6期	573页
第六届全国古代汉语学术研讨会将于2002年10月举行	GH	总286	2002年	1期	69页
先秦语法国际研讨会在瑞士召开	学讯	总242	1994年	5期	381页
第二届国际古汉语语法研讨会在北京召开	孙杨	总255	1996年	6期	474页
第三届国际古汉语语法研讨会在巴黎召开	马乙	总266	1998年	5期	399页
首届汉语史学术研讨会在成都召开	四川大学汉语史研究所	总261	1997年	6期	446页
中国语言学史研讨会在京召开	姚	总277	2000年	4期	337页
海峡两岸汉语史研讨会在中国社会科学院召开	张洁	总283	2001年	4期	342页

* * *

近代汉语学术讨论会在武汉举行	李崇兴	总187	1985年	4期	291页
第四届近代汉语研讨会在西安举行	舟雨	总220	1991年	1期	78页
第五届全国近代汉语研讨会在信阳市举行	许仰民	总230	1992年	5期	382页
第六届近代汉语学术研讨会在湖北大学召开	Z. G	总244	1995年	1期	80页
第七届近代汉语学术研讨会在张家界召开	XW	总256	1997年	1期	80页
第八届全国近代汉语学术研讨会暨纪念《马氏文通》100周年学术研讨会在开封举行	X. Y	总268	1999年	1期	11页
第九届全国近代汉语学术研讨会在温州召开	林波	总280	2001年	1期	44页
第十届全国近代汉语学术研讨会在宁波召开	李明	总289	2002年	4期	325页
第二届中古汉语国际学术研讨会在杭州召开	hys	总286	2002年	1期	93页

* * *

中国音韵学研究会成立	珍	总160	1981年	1期	封3
中国音韵学研究会第三次学术讨论会在桂林举行	玉香	总183	1984年	6期	469页
中国音韵学研究会第六次学术讨论会在北京举行	林连通	总220	1991年	1期	77页
中国音韵学研究会第七届年会在威海举行	殷宓	总232	1993年	1期	64页

中国音韵学研究会第八次学术讨论会在天津举行	张渭毅	总243	1994年	6期 475页
中国音韵学研究会第十次学术讨论会暨汉语音韵学第五次国际学术研讨会在长春举行	李无未	总267	1998年	6期 476页
中国音韵学研究会第十一届学术讨论会暨汉语音韵学第六届国际学术研讨会在徐州举行	方环海 王为民	总279	2000年	6期 571页
中国声韵学国际学术研讨会在香港举行(附论文目录)	龙庄伟	总218	1990年	5期 封3
汉语音韵学第四次国际学术研讨会在福州召开	马重奇	总255	1996年	6期 432页

* * *

中国训诂学研究会在武汉举行成立大会	石良	总163	1981年	4期 306页
中国训诂学研究会举办纪念段玉裁、王念孙、王引之学术讨论会	李青	总178	1984年	1期 70页
中国训诂学会年会在苏州举行	田赵周	总222	1991年	3期 220页
中国训诂学会1991年度学术讨论会在贵阳举行	钟迅	总226	1992年	1期 74页
中国训诂学研究会1992年年会在湖南举行	木子	总233	1993年	2期 160页
中国训诂学研究会1996年年会在北京举行	中国训诂学研究会秘书处	总255	1996年	6期 432页
中国训诂学研究会第五届理事会第一次会议在北京举行	中国训诂学研究会秘书处	总263	1998年	2期 141页
中国训诂学研究会'98学术年会在昆明大理举行	中国训诂学研究会秘书处	总268	1999年	1期 79页
中国训诂学研究会2000年年会在南京举行	中国训诂学研究会秘书处	总279	2000年	6期 572页
中国训诂学研究会第六届理事会在四川大学召开	中国训诂学研究会秘书处	总287	2002年	2期 173页
台湾成立训诂学会	李添富	总237	1993年	6期 473页

* * *

全国高等院校文字改革学会成立大会在黑龙江省哈尔滨市举行	全国高等院校文字改革学会成立大会秘书组	总164	1981年	5期 373页
中国古文字研究会第四届年会在太原召开	赵诚	总165	1981年	6期 407页

标题	作者	总期	年份	期	页
国际中国古文字学研讨会简况（附录：论文篇目）	初	总178	1984年	1期	77页
纪念许慎学术讨论会在开封召开	董希谦	总187	1985年	4期	318页
许慎与"说文学"国际学术研讨会在漯河举行	侯宏伟	总226	1992年	1期	44页
汉字问题学术讨论会在京举行	易土	总196	1987年	1期	23页
第二次全国汉字问题学术讨论会在北京举行	郁伟	总225	1991年	6期	468页
甲骨语言研究方法讨论会在武汉举行	早立	总220	1991年	1期	69页
北京举行海峡两岸汉字学术交流会	新	总225	1991年	6期	468页
中国文字学会在京正式成立	冬虎	总226	1992年	1期	63页
中国文字学会首届学术研讨会在津召开	XW	总255	1996年	6期	456页
全国女书学术考察研讨会在女书之乡湖南江永县召开	赵丽明	总227	1992年	2期	128页
中国盲人聋哑人协会召开盲字研究座谈会	中国盲人聋哑人协会	总138	1965年	5期	416页
甲骨文发现百周年纪念国际会议在法国举行	谷温	总275	2000年	2期	138页
首届中国文字学国际学术研讨会在天津召开	gxw	总285	2001年	6期	546页

* * *

标题	作者	总期	年份	期	页
汉语方言学会成立大会暨首届学术讨论会在厦门举行	凡	总166	1982年	1期	71页
汉语方言学会召开第三届年会	记者	总188	1985年	5期	394页
汉语方言学会召开第四届年会	本刊记者	总202	1988年	1期	39页
汉语方言学会第五届学术讨论会在大庸举行	林连通	总213	1989年	6期	412页
全国汉语方言学会第六届年会召开	方言	总227	1992年	2期	139页
全国汉语方言学会第七届年会在青岛召开	林波	总236	1993年	5期	351页
全国汉语方言学会召开第八届学术讨论会	方言	总250	1996年	1期	78页
全国汉语方言学会第十届学术年会在桂林举行		总274	2000年	1期	56页
全国汉语方言学会第十一届学术研讨会在西安举行	全国汉语方言学会第十一届学术研讨会会议秘书组	总285	2001年	6期	493页
山东省方言研究会成立	严慧	总171	1982年	6期	421页
山西省召开方言志编写会议	立文	总171	1982年	6期	478页
吴语研究学术会议在上海举行	吴华	总172	1983年	1期	封3

标题	作者	总期	年份	期页
第二届国际吴方言学术研讨会在苏州举行	石汝杰	总282	2001年	3期285页
中国语言和方言学术讨论会在美国奥克兰召开	米花	总192	1986年	3期239页
第一届国际粤方言研讨会在香港举行	本刊记者	总200	1987年	5期400页
第二届国际粤方言研讨会在广州举行	韦恩	总213	1989年	6期480页
第三届国际粤方言研讨会在澳门举行	韦恩	总225	1991年	6期473页
第五届国际粤方言研讨会在广州举行	柏苇	总251	1996年	2期144页
第六届国际粤方言研讨会在澳门举行	韦	总261	1997年	6期457页
第八届国际粤方言研讨会在广州举行	伯慧	总287	2002年	2期173页
闽方言学术讨论会在福州举行	林波	总205	1988年	4期319页
第二届闽方言学术研讨会在汕头举行	林伦伦 朱永锴	总219	1990年	6期475页
第四届国际闽方言研讨会述评	詹伯慧	总248	1995年	5期398页
第七届闽方言国际研讨会在厦门举行	李炎	总287	2002年	2期188页
普通话与方言问题学术讨论会在北京举行	苏金智	总218	1990年	5期400页
深圳举行第二届双语双方言研讨会	申延	总225	1991年	6期430页
四川召开《蜀语》国际学术交流会	吕劳	总225	1991年	6期471页
第三届双语双方言研讨会	第三届双语双方言研讨会秘书组	总237	1993年	6期409页
第四届双语双方言研讨会（国际）在深圳举行	第四届双语双方言研讨会大会秘书组	总249	1995年	6期460页
第五届双语双方言研讨会（国际）在深圳举行	第五届双语双方言研讨会秘书组	总258	1997年	3期235页
深圳举办第六届双语双方言研讨会（国际）	第六届双语双方言研讨会会务组	总272	1999年	5期392页
首届客家方言学术研讨会召开	Y	总238	1994年	1期 64页
第四届客家方言研讨会在梅州举行	谢永昌	总281	2001年	2期174页
第五届客家方言研讨会暨首届赣方言研讨会在南昌召开	第五届客家方言研讨会会务组	总290	2002年	5期476页
首届晋方言国际学术讨论会召开	沈明	总249	1995年	6期477页
晋语学术研讨会在太原市举行	晋语学术研讨会会务组	总291	2002年	6期566页
汉语方言与汉民族共同语国际研讨会在澳门举行	梁文	总257	1997年	2期 96页
首届官话方言国际学术讨论会在青岛召开	武明	总260	1997年	5期354页
中国东南部方言第六届国际学术研讨会在苏州召开	武明	总264	1998年	3期207页
中国东南部方言比较研究第九届国际研讨会在杭州举行	郭必之	总288	2002年	3期276页

《方言》杂志创刊20周年学术讨论会在成都召开	留	总265	1998年	4期 283页
粤北土话及周边方言国际研讨会在韶关大学召开	Péng Zérùn	总280	2001年	1期 39页
第二届官话方言国际学术研讨会	第二届官话方言国际学术研讨会大会秘书组	总280	2001年	1期 65页
汉语方言和民族语"动词体貌问题研讨会"在京召开	傅爱兰	总283	2001年	4期 382页

* * *

中国修辞学会在武汉成立	朱金声 吴华	总161	1981年	2期 97页
中国修辞学会首届年会在广州举行	马挺生	总167	1982年	2期 封3
中国修辞学会举行第八届学术年会	李胜梅	总260	1997年	5期 381页
中国修辞学会举行2000年国际学术研讨会暨学会成立20周年纪念大会在广州举行	马山	总279	2000年	6期 571页
中国修辞学会学术研讨会在河南信阳举行	陈伟琳	总283	2001年	4期 382页
江苏省修辞学研究年会在吴江召开	兴仁	总222	1991年	3期 194页
华东修辞学会年会在上海召开	东木	总222	1991年	3期 166页
江苏省修辞学研究会1991年会在常州举行	言逊	总224	1991年	5期 332页
语言风格和翻译写作国际学术研讨会在澳门召开	孟君	总240	1994年	3期 168页
汉语修辞和汉文化国际学术研讨会在苏州召开	吴幸	总246	1995年	3期 179页

* * *

上海辞书学会成立	胡均	总171	1982年	6期 438页
第二届全国辞书研讨会在成都举行	阳	总226	1992年	1期 59页
《现代汉语词典》出版二十周年学术研讨会在宁波市举行	善竹	总235	1993年	4期 320页
中国辞书学会成立	辞文	总232	1993年	1期 72页
中国辞书学会所属两个专业委员会成立	谷温	总237	1993年	6期 472页
中国辞书学会首届语文辞书学术研讨会召开	辰戈	总254	1996年	5期 400页
第二届国家辞书奖颁奖大会暨中国辞书学会第三届年会召开	曰兆	总262	1998年	1期 80页
第三届中国辞书奖颁奖大会暨第四届中国辞书学会年会在南京召开	李志江	总274	2000年	1期 41页

《现代汉语词典》(修订本)学术座谈会在京召开	《语言文字应用》杂志记者	总 257	1997 年	2 期 159 页
辞书著作权问题学术研讨会在京举行	李志江整理	总 262	1998 年	1 期 76 页
首届全国辞书编辑与出版学术研讨会在杭州举行	山水	总 262	1998 年	1 期 55 页
第二届语文辞书学术研讨会在西安召开	吕京	总 268	1999 年	1 期 42 页
第三届语文辞书学术研讨会在昆明举行	第三届语文辞书学术研讨会会议秘书组	总 279	2000 年	6 期 573 页
亚洲辞书学会第一届年会在广州召开	章宜华	总 270	1999 年	3 期 224 页
首届中青年辞书工作者学术研讨会在石家庄召开	丛众	总 267	1998 年	6 期 475 页

* * *

全国第一次机器翻译学术交流会在京举行	广义	总 159	1980 年	6 期 415 页
逻辑与语言研究会在成都召开年会	李陈	总 159	1980 年	6 期 474 页
二市一省理论语言学学术讨论会在沪召开	G. W.	总 187	1985 年	4 期 280 页
社会语言学学术讨论会在北京举行	林波	总 203	1988 年	2 期 156 页
第二届全国社会语言学学术讨论会在江西举行	竹林	总 214	1990 年	1 期 45 页
第三届社会语言学学术讨论会在西安举行	杜永道	总 230	1992 年	5 期 324 页
首届香港语言与社会讨论会简记	田原	总 205	1988 年	4 期 318 页
深港片语言问题研讨会在深圳召开	申延	总 207	1988 年	6 期 430 页
澳门过渡期语言发展路向国际学术研讨会在澳门召开		总 228	1992 年	3 期 240 页
汉语口语研究会第二届年会在韶关召开	陈波	总 221	1991 年	2 期 封 3
应用语言学学术讨论会在苏州市举行	郭龙生	总 221	1991 年	2 期 120 页
第二届应用语言学学术讨论会在随州举行	K. X	总 230	1992 年	5 期 324 页
第三次应用语言学学术研讨会在黄山市召开	K. X	总 241	1994 年	4 期 316 页
第四次应用语言学学术讨论会在京举行	李红岩	总 273	1999 年	6 期 477 页
中外语言文化比较研讨会在杭州举行	王继同	总 223	1991 年	4 期 306 页
中国民俗语言学会召开成立大会	李铁根	总 224	1991 年	5 期 353 页
社会用语规范学术座谈会在延吉召开	K. X	总 225	1991 年	6 期 448 页

第二届全国语言与文化学术研讨会召开	苏新春	总227	1992年	2期 157页
语用学第二届全国研讨会在济南举行	冯炜	总227	1992年	2期 155页
第三届全国语用学研讨会在临汾召开	W.X.L	总238	1994年	1期 27页
"语言与文化"学术研讨会在广东揭阳市召开	林伦伦	总231	1992年	6期 476页
首届全国语言文字应用学术研讨会在北京举行	白水	总251	1996年	2期 130页
第二届全国语言文字应用学术研讨会在哈尔滨召开	洪波	总267	1998年	6期 472页
中国语言文化学会第四届学术年会在湖北襄樊举行	赵世举	总233	1993年	2期 133页
两岸汉语语汇文字学术讨论会在台北举行	钟宇	总241	1994年	4期 319页
中国语文现代化学会成立大会在北京召开	中国语文现代化学会秘书处	总244	1995年	1期 78页
中国语文现代化学会第三次学术会议在昆明举行	王开扬	总269	1999年	2期 93页
中国语文现代化学会第四次学术会议在厦门举行	王开扬	总280	2001年	1期 26页
计算机时代的汉语和汉字研究学术讨论会	袁毓林	总251	1996年	2期 91页
语言与传意国际研讨会在澳门举行	宣文	总251	1996年	2期 109页
首届"语言与民俗"国际学术研讨会在沈阳召开	李铁根	总254	1996年	5期 390页
香港城市大学举办语言接触国际圆桌学术会议	诚言	总279	2000年	6期 571页
信息网络时代中日韩语文现代化国际学术研讨会胜利闭幕	盛玉麒	总280	2001年	1期 93页
面向新世纪语言文字应用青年研讨会在北京召开	阿龙	总284	2001年	5期 417页
语文现代化与汉语拼音方案国际学术研讨会在北京召开	赵文	总286	2002年	1期 79页
中国语文报刊代表大会在北京召开		总232	1993年	1期 32页
中国语文报刊协会正式成立	王晨	总234	1993年	3期 230页
中国语文报刊协会会员代表大会在石家庄举行	林波	总241	1994年	4期 320页

* * *

中学语文教学研究会举行成立大会和第一次年会	龙	总155	1980年	2期 160页

标题	作者	总期	年份	期页
第二届中文科课程教材教法国际研讨会在香港大学举行	林波	总230	1992年	5期375页
全国高等师范院校现代汉语教研会在福州召开	Z.Z.Y	总243	1994年	6期476页
全国高等师范院校现代汉语教学研究会隆重召开	刘永绥	总278	2000年	5期419页
"现代语文教育研讨会"在京举行	车甬	总275	2000年	2期152页
语言研究与教学国际研讨会在西安召开	杜敏	总280	2001年	1期82页
第二届《现代汉语通论》教材教法研讨会将于7月在上海举行	JM	总287	2002年	2期110页
香港举行普通话教学与测试研讨会（附论文目录）	本刊记者	总187	1985年	4期319页
第一届国际汉语教学讨论会在北京举行（附论文目录）	本刊记者	总189	1985年	6期471页
第二届国际汉语教学讨论会在京召开 世界汉语教学学会成立	雨愿	总201	1987年	6期467页
第三届国际汉语教学讨论会在北京举行	禹苑 崔希亮	总219	1990年	6期474页
第四届国际汉语教学讨论会在北京召开	阎德早	总237	1993年	6期478页
第五届国际汉语教学讨论会在北京召开	陈光	总255	1996年	6期418页
第六届国际汉语教学讨论会在德国举行	M.Q	总272	1999年	5期395页
第七届国际汉语教学讨论会在上海召开	世界汉语教学学会秘书处	总291	2002年	6期524页
首届汉语考试国际学术讨论会在北京召开	望望	总231	1992年	6期477页
"对外汉语教学研究的回顾与前瞻"研讨会在北京召开	孙德金	总258	1997年	3期191页
香港举办语文测试与语文教学国际研讨会	静远	总275	2000年	2期163页
第六届世界华语文教学研讨会在台北召开	鲁通 华东	总282	2001年	3期284页
2001年国际汉语教学学术研讨会在湖北召开	韩丽丹	总285	2001年	6期507页

	*	*	*		
民族语文科学讨论会在北京胜利召开	本刊编辑部	总 42	1955 年	12 期	27 页
新疆维吾尔自治区民族语文科学讨论会(动态)	高尔锵	总 52	1956 年	10 期	49 页
北京地区举行民族语言研究规划座谈会	民族语言研究规划座谈会会议报道组	总 144	1978 年	1 期	22 页
第三次全国民族语文科学讨论会在京举行	林波	总 155	1980 年	2 期	101 页
简讯(北京地区中国民族古文字座谈会召开)	杨耐思	总 156	1980 年	3 期	233 页
中国民族古文字研究会成立大会暨首次学术讨论会在承德市召开	道布	总 159	1980 年	6 期	412 页
中国民族语言学术讨论会在京举行	照雄	总 161	1981 年	2 期	124 页
中国突厥语研究会举行首届学术讨论会	塔伊尔江	总 167	1982 年	2 期	147 页
中国少数民族双语教学研究会举行第六届学术讨论会	王会银	总 209	1989 年	2 期	125 页
中国民族语言学会第七届学术研讨会在乌鲁木齐市举行	周庆生	总 268	1999 年	1 期	79 页
2002 年现代语言学理论与中国少数民族语言研讨会在中央民族大学召开	李炳泽	总 289	2002 年	4 期	301 页
	*	*	*		
第十五届国际汉藏语言学会议记略(附论文目录)	记者	总 171	1982 年	6 期	474 页
第十六届国际汉藏语言学会议记略(附论文目录)	吉	总 178	1984 年	1 期	79 页
第十七届国际汉藏语言学会议简讯	罗杰瑞 吉冈译	总 186	1985 年	3 期	233 页
第 23 届国际汉语藏语言和语言学会议简况	陈康	总 221	1991 年	2 期	130 页
第 30 届国际汉藏语会议在北京举行	周庆生	总 261	1997 年	6 期	423 页
华语现代化国际会议在夏威夷举行(附论文目录)	钟雨	总 178	1984 年	1 期	78 页
第十四届国际语言学家大会在柏林召开	衡之	总 201	1987 年	6 期	478 页
汉语言学国际学术研讨会在武汉举行(附论文目录)	林连通	总 227	1992 年	2 期	160 页
第一届国际汉语语言学会议在新加坡举行	沈沉	总 230	1992 年	5 期	363 页
两岸汉语言文字合作研究学术座谈会在北京语言学院举行	亚川	总 248	1995 年	5 期	400 页
汉语语言学现代化问题国际学术研讨	S.Z.Y	总 249	1995 年	6 期	472 页

会在上海举行				
第九届北美洲国际汉语语言学研讨会在加拿大召开	林华　盛玉麒	总259	1997年	4期 288页
第十届北美中国语言学学术会议明年召开	C. L.	总261	1997年	6期 470页
第十一届北美汉语语言学学术研讨会（NACCL—11）征稿通知		总267	1998年	6期 469页
第十一届北美汉语语言学学术研讨会在哈佛大学召开	胡文泽	总273	1999年	6期 480页
首届汉语言学国际研讨会在上海举行	伯江	总269	1999年	2期 160页
港澳（暨海外）汉语探新国际研讨会在澳门举行	邓景滨	总262	1998年	1期 80页
1997与香港中国语文研讨会在香港举行	梁文	总251	1996年	2期 159页
新加坡国立大学主办——第一届肯特岗国际汉语语言学圆桌会议	新加坡国立大学中文系	总285	2001年	6期 569页
首届海外中国语言学者论坛在徐州举行	方环海　沈兴安　王仁法	总287	2002年	2期 187页
第一届中国语言文字国际学术研讨会在香港举行	第一届中国语言文字国际学术研讨会会议筹备组	总288	2002年	3期 284页
西洋汉语研究国际研讨会将于2003年6月在北京举行		总288	2002年	3期 216页
第一届韩国中语中文学国际学术会议在延世大学举行	李铁根	总289	2002年	4期 316页
第四届国外语言学讨论会在京召开	赵赳	总232	1993年	1期 49页
第五届国外语言学研讨会在哈尔滨举行	方梅	总243	1994年	6期 477页
第六届国外语言学研讨会在京举行	徐赳赳	总256	1997年	1期 17页

评 奖 活 动

中国社会科学院青年语言学家评奖委员会启事		总177	1983年	6期 480页
中国社会科学院青年语言学家奖金章程		总177	1983年	6期 480页
中国社会科学院青年语言学家奖金评奖工作结束	研	总182	1984年	5期 封3
中国社会科学院青年语言学家评奖委员会启事		总185	1985年	2期 封3
中国社会科学院青年语言学家评奖委		总186	1985年	3期 240页

员会启事				
中国社会科学院青年语言学家奖金章程		总186	1985年	3期 240页
中国社会科学院青年语言学家奖金评奖工作结束		总190	1986年	1期 80页
中国社会科学院青年语言学家评奖委员会启事		总191	1986年	2期 160页
中国社会科学院青年语言学家奖金章程		总191	1986年	2期 160页
中国社会科学院青年语言学家评奖委员会启事		总192	1986年	3期 240页
中国社会科学院青年语言学家奖金章程		总192	1986年	3期 240页
中国社会科学院青年语言学家奖评选结束	明	总196	1987年	1期 80页
中国社会科学院青年语言学家奖金章程		总198	1987年	3期 229页
中国社会科学院青年语言学家评奖委员会修改章程		总202	1988年	1期 80页
中国社会科学院青年语言学家奖金1988年度评选揭晓	稣雪	总207	1988年	6期 422页
中国社会科学院青年语言学家评奖委员会1990年度评奖工作即将开始	中国社会科学院青年语言学家评奖委员会	总212	1989年	5期 347页
中国社会科学院青年语言学家评奖委员会1990年度评奖工作即将开始	中国社会科学院青年语言学家评奖委员会	总213	1989年	6期 436页
中国社会科学院青年语言学家评奖委员会通告		总215	1990年	2期 129页
第五届中国社会科学院青年语言学家奖金评选揭晓	禾口	总219	1990年	6期 437页
中国社会科学院青年语言学家评奖委员会1992年度评奖工作即将开始	中国社会科学院青年语言学家评奖委员会	总226	1992年	1期 44页
1992年度中国社会科学院青年语言学家奖金评选揭晓	卢荣和	总231	1992年	6期 477页
中国社会科学院青年语言学家评奖委员会1994年度评奖工作即将开始	中国社会科学院青年语言学家评奖委员会	总237	1993年	6期 464页
中国社会科学院青年语言学家评奖委员会1994年度评奖工作即将开始	中国社会科学院青年语言学家评奖委员会	总238	1994年	1期 56页
中国社会科学院优秀科研成果评选揭晓	禾口	总239	1994年	2期 160页
1994年中国社会科学院青年语言学家奖评选揭晓	中国社会科学院青年语言学家评奖委员会	总243	1994年	6期 469页
中国社会科学院青年语言学家评奖委员会1996年度评奖工作即将开始	中国社会科学院青年语言学家评奖委员会	总249	1995年	6期 441页

中国社会科学院青年语言学家评奖委员会1996年度评奖工作即将开始	中国社会科学院青年语言学家评奖委员会	总250	1996年	1期	62页
1996年度中国社会科学院青年语言学家奖评选工作结束	影景	总256	1997年	1期	69页
中国社会科学院青年语言学家评奖委员会1998年度评奖工作即将开始	中国社会科学院青年语言学家评奖委员会	总262	1998年	1期	65页
中国社会科学院青年语言学家1998年度评奖工作结束	张骅	总267	1998年	6期	413页
中国社会科学院青年语言学家评奖委员会2000年度评奖工作即将开始	中国社会科学院青年语言学家评奖委员会	总273	1999年	6期	427页
中国社会科学院青年语言学家奖金2000年度评奖工作结束	白长茂	总279	2000年	6期	536页
中国社会科学院青年语言学家评奖委员会2002年度评奖工作即将开始	中国社会科学院青年语言学家评奖委员会	总286	2002年	1期	65页
2002年度中国社会科学院青年语言学家奖金评选揭晓	白长茂	总291	2002年	6期	558页
中国社会科学院第四届优秀科研成果奖、第二届优秀期刊奖揭晓	本刊讯	总291	2002年	6期	558页
王力教授设立语言学奖金		总188	1985年	5期	396页
北京大学王力语言学奖金章程		总188	1985年	5期	396页
北京大学王力语言学奖金启事		总188	1985年	5期	396页
北京大学王力语言学奖金章程		总197	1987年	2期	156页
王力语言学奖金首届评奖工作结束		总197	1987年	2期	156页
王力语言学奖金和青年语言学家奖金的评选工作将交替进行		总197	1987年	2期	156页
王力语言学奖第二届评选揭晓	北京大学中文系	总203	1988年	2期	102页
北京大学举行王力语言学奖授奖会及学术讨论会	云九	总205	1988年	4期	319页
北京大学王力语言学奖第三届评奖工作结束		总214	1990年	1期	封3
北京大学王力语言学奖1991年度评奖活动开始		总220	1991年	1期	40页
北京大学王力语言学奖第四届评奖工作结束	北	总226	1992年	1期	68页
北京大学王力语言学奖第五届评选工作即将开始	北京大学中文系	总232	1993年	1期	47页
北京大学王力语言学奖第五届评奖工作结束	北钟	总237	1993年	6期	455页
北京大学王力语言学奖第六届评奖工作即将举行	北京大学中文系	总244	1995年	1期	22页

条目	作者	总期	年份	期	页
北京大学王力语言学奖第六届评奖工作结束	钟文	总250	1996年	1期	69页
北京大学王力语言学奖第七届评奖工作即将开始	钟闻	总256	1997年	1期	69页
北京大学王力语言学奖金第七届评奖工作圆满结束	钟闻	总262	1998年	1期	47页
北京大学王力语言学奖金第八届评奖工作即将开始	北京大学王力语言学奖金评委会	总269	1999年	2期	102页
王力语言学奖金第九届评奖工作即将开始	钟闻	总282	2001年	3期	262页
北京大学王力语言学奖金第九届评奖工作圆满结束	BD	总287	2002年	2期	136页
吴玉章奖金首次发奖仪式在京举行	本刊记者	总202	1988年	1期	80页
第一届中国辞书奖将在1995年评定	韦文	总243	1994年	6期	474页
第二届陈望道修辞学奖揭晓	一石	总253	1996年	4期	299页
"胡绳青年学术奖"评选活动开始	袁颁	总260	1997年	5期	325页
第二届胡绳青年学术奖评选活动开始	J.W	总276	2000年	3期	288页
第二届胡绳青年学术奖在京揭晓	第二届胡绳青年学术奖评选活动秘书处	总280	2001年	1期	53页

学 术 交 流

条目	作者	总期	年份	期	页
语言学家王力、高名凯去波兰讲学		总65	1957年	11期	22页
苏联语言学家在京作学术报告	昌宁	总74	1958年	8期	379页
法国语言学家马·柯恩教授来我国作学术访问	龚千炎	总84	1959年	6期	299页
瑞典语言学家贡纳·雅林来我国访问	南文	总147	1978年	4期	285页
美籍语言学家李方桂先生应邀作学术报告	吉	总147	1978年	4期	289页
王士元教授来华讲学	北京大学中文系语音实验室	总152	1979年	5期	400页
法国语言学家艾乐桐夫人在京做学术报告	生	总156	1980年	3期	240页
赵元任教授来我国访问	岚	总164	1981年	5期	327页
小川环树、滕井三郎来我国进行学术访问	岚	总164	1981年	5期	336页
李方桂先生来华访问	史有为	总177	1983年	6期	476页
宋采夫教授在中国社会科学院语言研究所作学术报告	文兰	总199	1987年	4期	320页
宋采娃教授访问中国社会科学院语言	W.L.	总205	1988年	4期	246页

标题	作者	总期	年份	期/页
研究所				
宋采娃教授访问中国社会科学院语言研究所	邢析	总215	1990年	2期 150页
广东省语言学会代表团访问澳门	韦恩	总216	1990年	3期 179页
村上嘉英教授在京作学术报告	卢荣和	总216	1990年	3期 237页
屈尔魏因教授在中国社会科学院语言研究所作学术报告	禾口	总217	1990年	4期 312页
美国学者罗杰瑞来华作学术访问	禾口	总218	1990年	5期 337页
大卫·贝内特访华并作学术演讲	卢荣和	总219	1990年	6期 453页
舆水优教授访华并作学术报告	禾口	总220	1991年	1期 46页
丁邦新教授到京访问讲学	北钟	总240	1994年	3期 179页
王士元访问语言所并作学术报告	小白	总254	1996年	5期 381页
丁邦新等教授应邀到语言研究所作学术讲演	J.CH.	总260	1997年	5期 366页
法国学者来京作词汇－语法系列报告	秋日	总279	2000年	6期 572页
美国著名语言学家 William labov 等将来华讲学	北京语言文化大学出版社	总280	2001年	1期 15页
英国著名语言学家利奇教授在中国社科院语言所讲演	武明	总283	2001年	4期 334页
美国威斯康星大学郑再发教授在中国社科院语言所讲演	武明	总283	2001年	4期 372页
美国著名语言学家拉波夫教授、柯罗克教授在中国社科院语言所座谈	武明	总283	2001年	4期 319页
丁邦新、郑锦全教授应邀为山西大学作学术讲演	泉声	总291	2002年	6期 566页

机构、学科介绍

标题	作者	总期	年份	期/页
中国社会科学院语言研究所计算机室北京高立电脑公司语言信息研究所简介		总241	1994年	4期 封4
中国社会科学院语言研究所词典编辑室简介		总242	1994年	5期 封4
中国社会科学院语言研究所语音研究室简介		总243	1994年	6期 封4
国家文科基地福建师大中国语言文学学科简介		总251	1996年	2期 封4
首都师范大学语言研究中心简介	邹艳霞 程丽丽	总274	2000年	1期 封3
北京语言文化大学对外汉语研究中心成立	北京语言文化大学对外汉语研究中心	总276	2000年	3期 封3

福建师范大学文学院汉语言文字学学科简况	福建师范大学文学院	总277	2000年	4期	384页
河北大学中文系简介		总278	2000年	5期	封3
东北师范大学中文系汉语言文字学专业简介	傅亚庶	总282	2001年	3期	封3
延边大学汉语言文化学院汉语言文字学专业简介	CJ	总283	2001年	4期	封3
陕西师范大学汉语言文字学学科简介	胡安顺	总286	2002年	1期	封3
中国人民大学汉语言文字学学科介绍		总287	2002年	2期	192页
南昌大学文学院汉语言文字学学科简介		总287	2002年	2期	封3
黑龙江大学文学院汉语言文字学学科简介		总288	2002年	3期	288页
苏州大学汉语言文字学学科简介		总288	2002年	3期	封3
武汉大学中文系汉语言文字学博士点简介	杨逢彬 执笔	总289	2002年	4期	384页
商务印书馆语言学出版基金简介		总291	2002年	6期	封3

书　讯

苏联出版中国语文书籍		总2	1952年	2期	17页
语文消息		总2	1952年	2期	32页
《科学通报》三卷七期介绍		总3	1952年	3期	34页
《中国语文丛书》开始出版		总19	1954年	1期	30页
《文字改革》双周刊创刊	茹萍	总21	1954年	3期	35页
《北京文艺》出版		总34	1955年	4期	38页
《中国语文丛书》简介	本刊编辑部	总42	1955年	12期	45页
《语言研究》创刊	铿	总56	1957年	2期	36页
《汉语知识讲话》将陆续出版		总57	1957年	3期	29页
欢迎《西方语文》创刊	余也牧	总62	1957年	8期	11页
中国语文丛书出版简报		总67	1958年	1期	封4
《语言研究》第二期出版		总69	1958年	3期	148页
《现代汉语词典》定于明年国庆出书		总72	1958年	6期	280页
《校补本十韵汇编》即将出版	编者	总72	1958年	6期	289页
《少数民族语文论集》第一集出版	昌	总73	1958年	7期	327页
《语言研究》第三期出版	沁	总73	1958年	7期	349页
法文《国际研究》第七期介绍	劳宁	总74	1958年	8期	354页
《语言研究通讯》复刊	白英	总74	1958年	8期	381页
向语文工作者推荐《汉语拼音报》	秋甫	总78	1958年	12期	封4
《文字改革》半月刊内容革新		总89	1959年	11期	515页

标题	作者	总期	年份	期/页
合肥师范学院中文系编成《安徽方音音系》	胡治农	总89	1959年	11期 封4
出版消息(《中国语言学论文索引》(乙编)等)		总90	1959年	12期 604页
出版消息(《五四以来汉语书面语言的变迁和发展》等)		总91	1960年	1期 封4
《汉语音韵学常识》出版	沈士英	总92	1960年	2期 封4
《语法理论》出版		总93	1960年	3期 136页
曲阜师范学院中文系编出现代汉语教材	曹一清 汪惠迪	总96	1960年	6期 271页
新书简介(《现代汉语语法讲话》《汉字改革概论》)	洪流	总112	1962年	2期 90页
《民族语文》将于二月创刊	民族语文编辑部	总148	1979年	1期 42页
《方言》介绍	方言编辑部	总148	1979年	1期 64页
《中国语言学论文索引》再版		总149	1979年	2期 124页
《中学语文教学》杂志七月创刊		总150	1979年	3期 190页
《现代汉语词典》出版		总150	1979年	3期 240页
《语言教学与研究》公开发行	陈亚川	总152	1979年	5期 400页
《现代汉语语法讲话》重印出版		总155	1980年	2期 106页
《语文现代化》丛刊创刊	Y.W.X.	总157	1980年	4期 291页
《国外语言学》对外公开发行		总161	1981年	2期 153页
《写作》杂志创刊	通	总163	1981年	4期 320页
《语文知识》即将创刊	天春	总186	1985年	3期 202页
本刊将出200期纪念专号		总199	1987年	4期 287页
《王力先生纪念文集》在香港出版	梁远	总200	1987年	5期 399页
《语法研究和探索》(四)即将出版	肖关	总204	1988年	3期 238页
中国社会科学院举行招待会庆祝《中国语言地图集》(第一分册)出版	阳平	总204	1988年	3期 239页
新书消息(《国外语言学概述——流派和人物》)		总219	1990年	6期 封3
书讯(《双楷书屋考藏珍本丛书》)		总221	1991年	2期 132页
新书消息(《北京话儿化词典》《标点符号用法讲话》)	姬金	总223	1991年	4期 261页
《现代汉语方言大词典》开始编纂	冯爱珍	总223	1991年	4期 290页
《中国语文200期纪念刊文集》出版消息		总223	1991年	4期 302页
《语言文字应用》学术季刊即将创刊		总224	1991年	5期 400页
《厦门民俗方言》在厦门出版	李熙泰	总226	1992年	1期 80页
中国语文丛书《语法研究和探索》(五)出版	丛一如	总228	1992年	3期 封4
中国语文丛书《词语评改千例》出版	边哲	总228	1992年	3期 封4

《汉语方言大词典》编纂完成		总232	1993年	1期 封3
《廖秋忠文集》首发式在京举行		总232	1993年	1期 43页
《泉州市方言志》出版	波澜	总235	1993年	4期 259页
《中国语文四十周年纪念刊文集》出版	刘玲	总237	1993年	6期 475页
《关汉卿戏曲词典》出版	L	总238	1994年	1期 52页
《中国社会科学院学术论著提要》(1991年)出版	朱	总238	1994年	1期 15页
《新满汉大词典》即将出版	舒兰	总241	1994年	4期 320页
《中国语言学年鉴》(1993)出版	K.X	总245	1995年	2期 129页
欢迎订阅《国外社会科学》	《国外社会科学》编辑部	总245	1995年	2期 146页
中国语言学报第五、六、七期出版	小丁	总249	1995年	6期 413页
《客家纵横》1994年增刊——首届客家方言学术研讨会专集出版		总250	1996年	1期 67页
《原本玉篇零卷音韵》《切韵韵图》出版		总250	1996年	1期 封3
《语法研究和探索》(七)出版		总252	1996年	3期 213页
《河北方言词汇编》《海丰方言》《近义词反义词详解辞典》《广州话音档》《汉语方言语法类编》	编者	总254	1996年	5期 388页
《〈中国语文〉索引》(1952-1992)出版	本刊编辑部	总255	1996年	6期 473页
《〈中国语文〉索引》(1952-1992)出版	晓	总256	1997年	1期 43页
《语言文字应用》杂志		总255	1996年	6期 封3
《现代汉语词典》修订本今年7月在京首发	彤文	总255	1996年	6期 418页
《动词的体》出版《严州方言研究》出版		总257	1997年	2期 125页
《方言与音韵论集》出版		总258	1997年	3期 201页
《汉语常用语词典》出版		总259	1997年	3期 205页
《近代汉语句法史稿》出版		总259	1997年	3期 233页
传统语文工具书《小学考》影印出版	简硕	总260	1997年	5期 397页
《丁邦新语言学论文集》《方光焘语言学论文集》《近代汉语音论》《现代汉语语义学》《语法研究和探索》(八)		总263	1998年	2期 102页
《东海方言研究》出版		总264	1998年	3期 236页
说文今读暨五家通检		总265	1998年	4期 320页
《汉语言的起源》出版		总268	1999年	1期 61页
《汉文字学新论》出版		总268	1999年	1期 59页
《词汇学问题》出版		总269	1999年	2期 128页
马庆株主编《语法研究入门》出版	商务印书馆编辑部	总270	1999年	3期 206页
《现代汉语八百词》(增订本)出版	金欣欣	总270	1999年	3期 206页
《〈世说新语〉译注》出版	敬远	总270	1999年	3期 203页

第四部分　动态·消息等

《古代汉语虚词词典》出版	宛屏	总271	1999年	4期245页
《江苏省志·方言志》出版	顾黔	总271	1999年	4期303页
《汉台语比较手册》出版	胡中文	总273	1999年	6期414页
《中文核心期刊要目总览》出版	林波	总277	2000年	4期297页
《吴语处衢方言研究》出版		总278	2000年	5期409页
《文化语义学》出版		总281	2001年	2期121页
邵敬敏主编《现代汉语通论》出版	SJM	总284	2001年	5期438页
钱乃荣主编《现代汉语》修订出版	QNR	总284	2001年	5期478页
《语言学问题集刊》创刊		总285	2001年	6期571页
新书介绍《中国语言学年鉴》《福建人学习普通话指南》		总290	2002年	5期472页

讣　告

讣告（赵卓先生逝世）		总56	1957年	2期 封2
波兰汉学家夏伯龙博士逝世		总63	1957年	9期 48页
讣告（罗常培先生逝世）		总78	1958年	12期 封2
讣告（高名凯先生逝世）		总134	1965年	1期 13页
讣告（黎锦熙先生逝世）		总144	1978年	1期 目录
讣告（唐兰先生逝世）		总149	1979年	2期144页
讣告（洪诚先生逝世）		总155	1980年	2期 封3
赵元任教授逝世		总168	1982年	3期 封3
讣告（容庚先生逝世）		总174	1983年	3期 封3
讣告（于省吾先生逝世）		总182	1984年	5期368页
著名语言学家桥本万太郎教授逝世		总199	1987年	4期 封3
汉语言文字学家陆宗达教授逝世		总203	1988年	2期149页
语言文字学家倪海曙教授逝世		总204	1988年	3期206页
本刊编审、语言学家陈刚先生逝世		总206	1988年	5期373页
著名语言学家傅懋勣先生逝世		总207	1988年	6期478页
语言学家郭在贻教授逝世	中国语文杂志社	总209	1989年	2期 94页
著名语言学家、本刊前主编丁声树先生逝世	中国语文编辑部	总210	1989年	3期240页
著名理论语言学家岑麒祥先生逝世	中国语文杂志社	总215	1990年	2期159页
上海教育学院教授、语言学家胡竹安逝世	本刊编辑部	总217	1990年	4期320页
中国社会科学院语言研究所闵家骥同志逝世	本刊编辑部	总218	1990年	5期343页
中国社会科学院语言研究所周殿福先生逝世	本刊编辑部	总220	1991年	1期 76页

讣告(吴文琪 商承祚 杜松寿 金鹏先生逝世)	本刊编辑部	总224	1991年	5期	封3
讣告(张寿康先生逝世)	中国语文编辑部	总225	1991年	6期	封3
张世禄教授逝世	中国语文编辑部	总226	1992年	1期	19页
《国外语言学》主编廖秋忠博士逝世	中国语文编辑部	总226	1992年	1期	封3
著名语言学家严学宭教授逝世	中国语文编辑部	总227	1992年	2期	封3
中国社会科学院语言研究所杨顺安研究员逝世	中国语文编辑部	总228	1992年	3期	194页
著名语言学家朱德熙教授逝世	中国语文编辑部	总230	1992年	5期	400页
著名语言学家张涤华教授逝世	中国语文杂志社	总233	1993年	2期	封3
著名语言学家李振麟教授逝世	中国语文编辑部	总236	1993年	5期	360页
著名语言学家周秉钧教授逝世	中国语文编辑部	总236	1993年	5期	360页
语言学家周钟灵逝世	本刊编辑部	总240	1994年	3期	197页
本刊原副主编王伯熙逝世	本刊编辑部	总240	1994年	3期	209页
孙常叙教授逝世	本刊编辑部	总240	1994年	3期	225页
讣告(史存直、王显先生逝世)	本刊编辑部	总242	1994年	5期	395页
著名语言学家许国璋教授逝世	本刊编辑部	总243	1994年	6期	429页
著名语言学家殷焕先教授逝世	本刊编辑部	总244	1995年	1期	76页
著名语言学家周祖谟先生逝世	本刊编辑部	总245	1995年	2期	封3
讣告(蒋礼鸿教授逝世)	本刊编辑部	总247	1995年	4期	305页
讣告(胡厚宣先生逝世)	本刊编辑部	总247	1995年	4期	311页
俞敏先生逝世	本刊编辑部	总248	1995年	5期	380页
讣告(贾彦德教授逝世)	本刊编辑部	总249	1995年	6期	441页
讣告(龚千炎教授逝世)	中国语文编辑部	总253	1996年	4期	280页
讣告(陈亚川先生逝世)	中国语文编辑部	总256	1997年	1期	24页
讣告(罗竹风先生逝世)	中国语文编辑部	总256	1997年	1期	54页
著名语言学家张志公先生逝世	本刊编辑部	总259	1997年	4期	281页
许绍早教授逝世	中国语文编辑部	总261	1997年	6期	438页
李新魁教授逝世	中国语文编辑部	总261	1997年	6期	463页
张清常教授逝世	中国语文编辑部	总263	1998年	2期	122页
石安石教授逝世	中国语文编辑部	总263	1998年	2期	147页
叶蜚声教授逝世	中国语文编辑部	总267	1998年	6期	470页
黄家教教授逝世	中国语文编辑部	总268	1999年	1期	80页
日本著名汉学家太田辰夫逝世	中国语文编辑部	总269	1999年	2期	125页
张拱贵教授逝世	中国语文编辑部	总270	1999年	3期	214页
张朝炳先生逝世	中国语文编辑部	总272	1999年	5期	336页
于安澜教授逝世	中国语文编辑部	总273	1999年	6期	468页
喻世长先生逝世	中国语文编辑部	总274	2000年	1期	34页

著名语言学家宋采夫教授逝世	中国语文编辑部	总276	2000年	3期280页
李思敬先生逝世	中国语文编辑部	总277	2000年	4期377页
高元白先生逝世	中国语文编辑部	总278	2000年	5期432页
肖璋教授逝世	中国语文编辑部	总281	2001年	2期171页
王迈教授逝世	中国语文编辑部	总281	2001年	2期171页
吴继光教授逝世	中国语文编辑部	总281	2001年	2期190页
马希文教授逝世	中国语文编辑部	总281	2001年	2期190页
倪宝元教授逝世	中国语文编辑部	总285	2001年	6期566页
胡裕树教授逝世	中国语文编辑部	总286	2002年	1期 13页
王辅世教授逝世	中国语文编辑部	总286	2002年	1期 81页
叶祥苓教授逝世	中国语文编辑部	总288	2002年	3期233页
陈乃雄教授逝世	中国语文编辑部	总288	2002年	3期269页
林杏光教授逝世	中国语文编辑部	总291	2002年	6期535页

读者・作者・编者

编者的话		总1	1952年	1期 17页
编者的话		总2	1952年	2期 35页
编者的话		总3	1952年	3期 35页
编者的话		总4	1952年	4期 32页
编者的话		总5	1952年	5期 21页
编者的话		总6	1952年	6期 18页
编者的话		总7	1953年	1期 34页
编者的话		总8	1953年	2期 16页
编者的话		总12	1953年	6期 21页
编者的话		总16	1953年	10期 30页
编者的话		总23	1954年	5期 15页
编者的话		总24	1954年	6期 29页
编者的话		总29	1954年	11期 22页
编者的话		总30	1954年	12期 4页
编者的话		总31	1955年	1期 38页
编者的话		总36	1955年	6期 31页
编者的话		总43	1956年	1期 9页
编者的话		总44	1956年	2期 5页
编者的话		总47	1956年	5期 47页
编者的话		总49	1956年	7期 43页
编者的话		总52	1956年	10期 30页
编者的话		总55	1957年	1期 5页

编者的话		总 62	1957 年	8 期	47 页
编者的话		总 75	1958 年	9 期	402 页
编者的话		总 87	1959 年	9 期	427 页
编者的话		总 89	1959 年	11 期	545 页
编者的话		总 99	1960 年	12 期	437 页
编者的话		总 111	1962 年	1 期	14 页
编者的话		总 121	1962 年	12 期	560 页
编者的话		总 129	1964 年	2 期	100 页
编者的话		总 139	1965 年	6 期	476 页
编者的话		总 141	1966 年	2 期	164 页
编者的话		总 146	1978 年	3 期	161 页
编者的话		总 156	1980 年	3 期	225 页
编者的话		总 162	1981 年	3 期	封 3
编者的话		总 186	1985 年	3 期	232 页
编者的话		总 220	1991 年	1 期	封 3
编者的话		总 222	1991 年	3 期	封 4
编者的话		总 223	1991 年	4 期	278 页
关于本刊的对象问题	中国语文杂志社	总 13	1953 年	7 期	34 页
读者意见表		总 29	1954 年	11 期	附页
告读者(综述读者批评、建议和要求)	本刊编辑部	总 58	1957 年	4 期	49 页
致读者	本刊编辑部	总 66	1957 年	12 期	6 页
致本刊作者	本刊编辑部	总 75	1958 年	9 期	406 页
读者意见表		总 133	1964 年	6 期	附页
告读者		总 210	1989 年	3 期	240 页
问题解答(答宋毓寿 苏克 李升 李力 邓炘)		总 18	1953 年	12 期	33 页
学习语法是否限制了语言的运用(高兆熊问)	编者	总 66	1957 年	12 期	40—41 页
语言学家必须深入生活(读者·作者·编者)	勖功	总 80	1959 年	2 期	99 页
《汉语拼音报》是中国文字改革的促进报(读者·作者·编者)	石美群	总 80	1959 年	2 期	99 页
对1958年12月号《中国语文》的几点小意见(读者·作者·编者)	张成材	总 80	1959 年	2 期	99 页
要继续贯彻百家争鸣的方针(读者·作者·编者)	张应德	总 81	1959 年	3 期	封 4
讲修辞学的文章太少(读者·作者·编者)	林文金	总 81	1959 年	3 期	封 4

请注意一下写作体例吧（读者·作者·编者）	本刊编辑部	总 81	1959 年	3 期	封 4
希望语言学家深入研究（读者·作者·编者）	李永宁	总 82	1959 年	4 期	200 页
对《中国语文》的三点意见（读者·作者·编者）	傅正模	总 82	1959 年	4 期	200 页
希望尽量走群众路线（读者·作者·编者）	张涤华	总 82	1959 年	4 期	封 4
感谢读者的帮助（读者·作者·编者）	北京大学语言学教研室	总 83	1959 年	5 期	封 4
读书评所想到的（读者·作者·编者）	刘凯鸣	总 83	1959 年	5 期	封 4
希望语言学界大力开展自由讨论（读者·作者·编者）	傅雨贤	总 85	1959 年	7 期	封 4
科学研究要走群众路线（读者·作者·编者）	王汝桃	总 85	1959 年	7 期	封 4
长文章登得太多了（读者·作者·编者）	李富才	总 85	1959 年	7 期	封 4
关于补购过期本刊（读者·作者·编者）	本刊编辑部	总 85	1959 年	7 期	封 4
"写作实习"课怎样教法？（读者·作者·编者）	傅雨贤	总 86	1959 年	8 期	封 4
加强数理语言学的研究（读者·作者·编者）	彭庆达	总 86	1959 年	8 期	封 4
希望经常有这样的讨论（读者·作者·编者）	汪惠迪	总 86	1959 年	8 期	封 4
认真学习毛主席的语言理论（读者·作者·编者）	程建民	总 93	1960 年	3 期	封 4
"耽延"不算生造词（读者·作者·编者）	董遵章	总 93	1960 年	3 期	封 4
对《十年来汉语词汇的发展和变化》的意见（读者·作者·编者）	胡双宝	总 93	1960 年	3 期	封 4
对待学术争论要以理服人（读者·作者·编者）	程观林	总 93	1960 年	3 期	封 4
欢迎《对毛主席语言的学习和研究》（读者·作者·编者）	杨先血	总 97	1960 年	10 期	封 4
我们受到了鼓舞（读者·作者·编者）	刘兴策	总 97	1960 年	10 期	封 4
《中国语文》的社论教育了我们（读者·作者·编者）	王尔康	总 97	1960 年	10 期	封 4
一定要把《中国语文》办好	本刊编辑部	总 98	1960 年	11 期	359 页
两点建议	陈贻恩	总 101	1961 年	2 期	3 页
关于广州话里的"打"（读者·作者）	冯亮	总 139	1965 年	6 期	496 页
关于商县方言词的标音（读者·作者）	张成材	总 139	1965 年	6 期	496 页
引用资料应核对原书（读者·作者）	余明象	总 139	1965 年	6 期	496 页

应该以语言实际为准(读者·作者)	崔荣昌	总139	1965年	6期 497页
一点更正(读者·作者)	曹先擢	总139	1965年	6期 497页
读者来信	赵振鸣	总140	1966年	1期 68页
来函摘登	梅祖麟	总174	1983年	3期 218页
来函照登	魏不居	总196	1987年	1期 17页
来函照登	周生亚	总215	1990年	2期 160页
来函照登		总235	1993年	4期 287页
来函照登		总284	2001年	5期 470页
来函照登	陆丙甫	总291	2002年	6期 494页
编后话(关于出版纪念刊)	本刊编者	总249	1995年	6期 478页

语言学论文索引·提要

中国语文第1期至第6期篇目索引	总6	1952年	6期 附页
中国语文第7期至第12期篇目索引	总12	1953年	6期 附页
中国语文第13期至第24期篇目索引	总24	1954年	6期 45页
《中国语文》第25期到第36期篇目索引(1954年7月号到1955年6月号)	总36	1955年	6期 45页
《中国语文》第37期到第42期篇目索引(1955年7月号到1955年12月号)	总42	1955年	12期 46页
《中国语文》总第43期至总第54期篇目索引(1956年1月号－1956年12月号)	总54	1956年	12期 附页
《中国语文》总第55期至总第66期篇目索引(1957年1月号－1957年12月号)	总66	1957年	12期 附页
《中国语文》总第67期至总第78期篇目索引(1958年1月号－1958年12月号)	总78	1958年	12期 附页
《中国语文》总第79期至总第90期篇目索引(1959年1月号－1959年12月号)	总90	1959年	12期 附页
《中国语文》总第91期至总第99期篇目索引(1960年1月号－1960年12月号。7、8、9三个月休刊)	总99	1960年	12期 附页
《中国语文》总第100期到总第110期篇目索引(1961年1月号－1961年12	总110	1961年	12期 附页

月号)			
《中国语文》总第111期到总第121期篇目索引(1962年1月号—1962年12月号)	总121	1962年	12期 588页
《中国语文》总第122期到总第127期篇目索引(1963年第1期—1963年第6期)	总127	1963年	6期 529页
《中国语文》总第128期到总第133期篇目索引(1964年第1期—1964年第6期)	总133	1964年	6期 附页
《中国语文》总第134期到总第139期篇目索引(1965年第1期—1965年第6期)	总139	1965年	6期 498页
《中国语文》1979年(总第148—153期)篇目索引	总153	1979年	6期 478页
《中国语文》1980年(总第154—159期)篇目索引	总159	1980年	6期 479页
《中国语文》1981年(总第160—165期)篇目索引	总165	1981年	6期 479页
《中国语文》1982年(总第166—171期)篇目索引	总171	1982年	6期 479页
《中国语文》1983年(总第172—177期)篇目索引	总177	1983年	6期 477页
《中国语文》1984年(总第178—183期)篇目索引	总183	1984年	6期 478页
《中国语文》1985年(总第184—189期)篇目索引	总189	1985年	6期 479页
《中国语文》1986年(总第190—195期)篇目索引	总195	1986年	6期 479页
《中国语文》1987年(总第196—201期)篇目索引	总201	1987年	6期 479页
《中国语文》1988年(总第202—207期)篇目索引	总207	1988年	6期 479页
《中国语文》1989年(总第208—213期)篇目索引	总213	1989年	6期 478页
《中国语文》1990年(总第214—219期)篇目索引	总219	1990年	6期 478页
《中国语文》1991年(总第220—225期)篇目索引	总225	1991年	6期 479页

《中国语文》1992年(总第226—231期)篇目索引		总231	1992年	6期479页
《中国语文》1993年(总第232—237期)篇目索引		总237	1993年	6期479页
《中国语文》1994年(总第238—243期)篇目索引		总243	1994年	6期478页
《中国语文》1995年(总第244—249期)要目		总249	1995年	6期479页
《中国语文》1996年(总第250—255期)篇目索引		总255	1996年	6期479页
《中国语文》1997年(总第256—261期)篇目索引		总261	1997年	6期478页
《中国语文》1998年(总第262—267期)篇目索引		总267	1998年	6期478页
《中国语文》1999年(总第268—273期)篇目索引		总273	1999年	6期478页
《中国语文》2000年(总第274—279期)篇目索引		总280	2001年	1期 91页
《中国语文》2001年(总第280—285期)篇目索引		总286	2002年	1期 90页
《方言》1979年总目		总154	1980年	1期 封3
1958年度高等院校学报和学术刊物的语言学论文索引		总79	1959年	1期 48页
1959年度高等院校学报和学术刊物语言学论文索引		总91	1960年	1期 48页
1961年下半年和1962年国内学术期刊和高等院校学报语言学论文篇名索引	本刊编辑部	总122	1963年	1期 90页
1979年国内报刊发表的语言学论文部分篇目索引		总153	1979年	6期475页
1980年国内期刊发表的部分语言学论文索引		总161	1981年	2期157页
1981年国内期刊语言学论文索引		总167	1982年	2期156页
1982年1—6月国内期刊语言学论文篇目索引	陈光	总170	1982年	5期396页
1982年7—12月国内期刊语言学论文篇目索引	陈光	总174	1983年	3期237页
1983年1—6月国内期刊语言学论文篇目索引	陈光	总176	1983年	5期397页

1983年7-12月国内期刊语言学论文篇目索引	陈光	总179	1984年	2期 157页
1984年1-6月国内期刊语言学论文篇目索引	陈光	总182	1984年	5期 397页
1984年7-12月国内期刊语言学论文篇目索引	陈光	总186	1985年	3期 235页
1985年1-6月国内期刊语言学论文篇目索引	陈光	总188	1985年	5期 397页
1985年7-12月国内期刊语言学论文篇目索引	陈光	总191	1986年	2期 155页
1986年1-6月国内期刊语言学论文篇目索引	陈光	总194	1986年	5期 395页
1986年7-12月国内期刊语言学论文篇目索引	陈光	总197	1987年	2期 157页
1987年7-12月国内期刊语言学论文篇目索引	陈光	总203	1988年	2期 157页
美籍华人学者杨福绵的三部中国语言学论著目录索引	文兰	总205	1988年	4期 320页
1960年上半年高等院校学报和学术期刊语言学论文提要	本刊编辑部	总97	1960年	10期 345页
1960年下半年高等院校学报和学术期刊语言学论文提要	本刊编辑部	总100	1961年	1期 46页
1961年上半年高等院校学报和学术期刊语言学论文提要	本刊编辑部	总106	1961年	7期 46页

启　事

《中国语文》稿约	总1	1952年	1期 39页
稿约	总2	1952年	2期 27页
北京邮局、人民教育出版社联合启事	总7	1953年	1期 20页
人民出版社、人民文学出版社、工人出版社、人民教育出版社、青年出版社、人民美术出版社启事	总9	1953年	3期 16页
人民教育出版社、北京邮局联合启事	总11	1953年	5期 6页
中国科学院语言研究所语法小组启事	总13	1953年	7期 24页
北京邮局、人民教育出版社联合启事	总14	1953年	8期 35页
中国科学院语言研究所语法小组启事	总17	1953年	11期 18页
北京邮局、人民教育出版社联合启事	总19	1954年	1期 27页

北京邮局、人民教育出版社联合启事		总 22	1954 年	4 期	14 页
人民教育出版社、邮电部北京邮局联合启事		总 29	1954 年	11 期	8 页
北京邮局、人民教育出版社联合启事		总 31	1955 年	1 期	33 页
代邮(请王士襄、王孔渊、徐志清示详细地址)		总 40	1955 年	10 期	21 页
本社启事(关于迁址)	中国语文杂志社	总 42	1955 年	12 期	封 2
本刊启事(关于改回月刊)	中国语文杂志社	总 44	1956 年	2 期	41 页
稿约		总 44	1956 年	2 期	34 页
普通话审音委员会启事		总 45	1956 年	3 期	5 页
普通话审音委员会启事		总 47	1956 年	5 期	27 页
本刊启事(关于补交刊费)	中国语文杂志社	总 48	1956 年	6 期	18 页
启事(关于铜模未齐备迟用第二批试用简化字)	本刊编辑部	总 48	1956 年	6 期	44 页
小启(《拼音》月刊读者与该刊的联系办法)		总 50	1956 年	8 期	34 页
中国文字改革委员会征求资料启事		总 50	1956 年	8 期	36 页
致爱居、陈陵、吴鲁(请示地址)	本刊编辑部	总 51	1956 年	9 期	25 页
启事(要求出版社、作者寄赠语文资料)	本刊编辑部	总 52	1956 年	10 期	21 页
启事(征集罕见的姓氏写法和读音)		总 53	1956 年	11 期	50 页
启事(《中国语言学史话》因故暂停一次)	本刊编辑部	总 55	1957 年	1 期	10 页
本刊编辑部资料室启事(请求作者及出版社寄赠语文出版物)		总 55	1957 年	1 期	16 页
启事(《方言里的文白异读》等文延下期续刊)	本刊编辑部	总 56	1957 年	2 期	48 页
启事(来稿格式)	本刊编辑部	总 58	1957 年	4 期	48 页
启事(请读者作者把姓名和通信处的字迹写清楚)	本刊编辑部	总 59	1957 年	5 期	20 页
代邮(请徐亚倩速告通讯处)		总 60	1957 年	6 期	16 页
启事(版面拥挤"书刊评介"暂停)	本刊编辑部	总 64	1957 年	10 期	30 页
启事(延期出版致歉)	本刊编辑部	总 65	1957 年	11 期	41 页
启事(请作者把姓名、地址写清楚)	本刊编辑部	总 66	1957 年	12 期	18 页
启事(退稿处理办法)	本刊编辑部	总 67	1958 年	1 期	48 页
对投稿的同志们的请求	本刊编辑部	总 67	1958 年	1 期	封 4
启事(关于"语文短评"等的刊出说明)		总 68	1958 年	2 期	封 2
本刊征稿启事		总 69	1958 年	3 期	118 页
小启(关于国际音标)	本刊编辑部	总 72	1958 年	6 期	260 页
本栏启事(关于"语文短评"的说明)		总 77	1958 年	11 期	523 页
本刊降低稿酬启事		总 77	1958 年	11 期	549 页

请尽量订阅本刊	本刊编辑部	总 78	1958 年	12 期 599 页
请订阅《中国语文》的读者注意		总 79	1959 年	1 期 封 2
人民教育出版社办理邮购业务启事		总 79	1959 年	1 期 41 页
本刊为迎接国庆十周年征文启事	本刊编辑部	总 80	1959 年	2 期 57 页
启事(来稿注意事项)	本刊编辑部	总 84	1959 年	6 期 257 页
敬求读者注意	本刊编辑部	总 86	1959 年	8 期 388 页
启事(版面不够,"语文短评"暂停)		总 87	1959 年	9 期 449 页
启事(《按词连写问题》等文延期)	本刊编辑部	总 88	1959 年	10 期 486 页
启事(版面不够,"书刊评介"暂停)(《语言学名词解释》出版单行本,连载停止)	本刊编辑部	总 89	1959 年	11 期 520 页
本刊"语文短评"栏启事		总 93	1960 年	3 期 106 页
征集语法分析的例句		总 95	1960 年	5 期 封 4
启事(请作者协助减少排字、校对错误)	本刊编辑部	总 96	1960 年	6 期 294 页
启事(关于休刊等)	本刊编辑部	总 97	1960 年	7 期 330 页
启事(编辑部不办理发行业务)	本刊编辑部	总 97	1960 年	7 期 344 页
启事(函购《中国语文》)		总 102	1961 年	3 期 47 页
中国科学院语言研究所词典编辑室征求特别字		总 109	1961 年	10-11 期 61 页
启事(1962 年 8、9 月号合刊)	《中国语文》编辑部	总 117	1962 年	7 期 311 页
启事(自本期改为月刊)		总 142	1966 年	3 期 222 页
稿约		总 144	1978 年	1 期 54 页
征文	本刊编辑部	总 148	1979 年	1 期 22 页
敬告读者		总 150	1979 年	3 期 220 页
来稿注意事项		总 151	1979 年	4 期 313 页
来稿注意事项		总 159	1980 年	6 期 封 3
《中国语文通讯》更名改版启事		总 188	1985 年	5 期 395 页
来稿注意事项		总 192	1986 年	3 期 240 页
来稿注意事项		总 194	1986 年	5 期 封 3
本刊启事(退稿处理办法)		总 196	1987 年	1 期 57 页
来稿注意事项		总 199	1987 年	4 期 320 页
本刊启事(退稿处理办法)		总 205	1988 年	4 期 317 页
本刊启事(退稿处理办法)		总 206	1988 年	5 期 371 页
告读者(邮购图书)		总 207	1988 年	6 期 452 页
告读者(来稿写清楚邮政编码)		总 212	1989 年	5 期 340 页
告读者(来稿写清楚邮政编码)		总 213	1989 年	6 期 471 页
《中国语文天地》自 1990 年 1 月起停刊		总 214	1990 年	1 期 53 页
启事(邮购图书)	本刊资料组	总 221	1991 年	2 期 151 页
启事(邮购图书)	本刊资料组	总 222	1991 年	3 期 封 3
启事(邮购图书)	本刊资料组	总 223	1991 年	4 期 280 页

纪念《中国语文》创刊四十年稿约		总 224	1991 年	5 期 400 页
本刊启事		总 233	1993 年	2 期 封 3
敬告读者(排版改为激光照排)	本刊编辑部	总 248	1995 年	5 期 335 页
征集吕叔湘先生书信启事	《吕叔湘书信集》编辑委员会	总 259	1997 年	4 期 294 页
启事(本社尚余部分《中国语文索引》(1952—1992))		总 262	1998 年	1 期 17 页
来稿注意事项		总 262	1998 年	1 期 79 页
二酉堂语言学图书俱乐部启事		总 272	1999 年	5 期 封 3
来稿注意事项	本刊编辑部	总 274	2000 年	1 期 92 页
敬告(一稿两投问题)	中国语文编辑部	总 275	2000 年	2 期 目录
徐州师范大学 2000 年招聘语言学及应用语言学专家启事		总 275	2000 年	2 期 192 页
中国社会科学院语言研究所建所 50 周年纪念刊、纪念文集稿约	本刊编辑部	总 276	2000 年	3 期 266 页
《语言学论丛》稿约		总 284	2001 年	5 期 封 3
来稿注意事项		总 285	2001 年	6 期 574 页
投稿重要提示	本刊编辑部	总 287	2002 年	2 期 186 页

更 正 · 补 正

(括号内斜线前数字为总期数或期数,后为页数)

创刊号第一版勘误表(2、6、7、8、23、31、32、34、37)	总 2	1952 年	2 期 35 页
本刊八月号勘误表(14、18、19)	总 3	1952 年	3 期 34 页
九月号勘误表(3、11、19、25、31、32、34)	总 4	1952 年	4 期 20 页
十月号勘误表(2、21、24、33)	总 5	1952 年	5 期 12 页
十一月号勘误表(7、14、17、22、23、24、26)	总 6	1952 年	6 期 11 页
一九五二年十一月号补充勘误表(16、17)	总 7	1953 年	1 期 12 页
一九五二年十二月号勘误表(5、6、10)	总 7	1953 年	1 期 15 页
一九五三年一月号勘误表(16、17、20)	总 8	1953 年	2 期 24 页
二月号勘误表(8、27)	总 9	1953 年	3 期 12 页
勘误表(1953·3/9,1953·4/4、7)	总 11	1953 年	5 期 33 页
五月号勘误表(1、20)	总 12	1953 年	6 期 35 页
六月号勘误表(26、29、30、31、13、32)	总 13	1953 年	7 期 32 页
勘误表(6/14,7/4、9、10、12、16、17、20、22、29、30、32、35)	总 14	1953 年	8 期 30 页

八月号勘误表(4、6、6、21)	总15	1953年	9期	28页
勘误表(9/6,10/17)	总16	1953年	10期	25页
十月号勘误表(18、19、29、30)	总17	1953年	11期	23页
勘误表(10/18、19、22,11/31、32、33、34)	总18	1953年	12期	29页
1953年12月号勘误表(8、11、12、14、15、21、33)	总19	1954年	1期	35页
勘误表(17/34,19/8、16、33)	总20	1954年	2期	35页
更正(《中国文字拼音化问题》内容提要)	总20	1954年	2期	35页
二月号勘误表(4、35)	总21	1954年	3期	32页
勘误表(21/16,22/14、21、35)	总23	1954年	5期	24页
补正(22/20)	总23	1954年	5期	24页
五月号勘误表(35、31、32)	总24	1954年	6期	22页
六月号勘误表(38、39、41、42、43)	总25	1954年	7期	15页
勘误表(6/35,7/18、20、23、25、34、35、19)	总26	1954年	8期	24页
勘误表(7/16,8/6)	总27	1954年	9期	18页
九月号勘误(34、35)	总28	1954年	10期	27页
勘误表(26/13,27/24、25、27、35)	总29	1954年	11期	34页
勘误表(24/38,28/33、36、37)	总30	1954年	12期	35页
勘误表(28/29,29/11,30/16,31/34、35、36、37)	总33	1955年	3期	36页
二月号勘误表(35、36、37、38、39)	总35	1955年	5期	23页
勘误表(31/31,34/5、13、14、22、23、28、29、30、31、33、43,35/16、17)	总36	1955年	6期	44页
七月号勘误表(6、8、11、33)	总38	1955年	8期	38页
勘误表(7/20、27、28、30,8/12、13、14、15、16、22、25、28)	总39	1955年	9期	17页
更正(35期高元白《汉字拼音化与汉字简化》第四段,37/32、24)	总39	1955年	9期	17页
勘误表(35/4,37/9,39/6、12、16、22、32、33、40、41)	总40	1955年	10期	27页
11月号勘误表(24、25、13)	总42	1955年	12期	47页
更正(1956・1/45)	总44	1956年	2期	37页
第1期勘误表(目录、5、18、22、28、30、31、32、33、36、37、38、50)	总44	1956年	2期	46页
勘误表(2/4,3/4、14、24、25、46)	总46	1956年	4期	27页
更正(1956・2/49,3/4)	总46	1956年	4期	51页
4月号勘误表(24、25、26、27、29、40、41、42)	总47	1956年	5期	51页

5月号勘误表(4、25、26、27、33、47、51)	总48	1956年	6期	14页
更正(6/12、7、13、11、16)	总49	1956年	7期	12页
更正(7/42)	总50	1956年	8期	48页
更正(6/50)	总51	1956年	9期	30页
更正(9/13、19、35、36、48)	总52	1956年	10期	50页
更正(10/14、18、22、47、32、51)	总53	1956年	11期	47页
更正(11/24)	总54	1956年	12期	11页
勘误表(1/11、12、15、27、41,2/28、30、33、35、36)	总57	1957年	3期	27页
更正(1957・2/32、36)	总57	1957年	3期	27页
更正(1957・3/40、46)	总58	1957年	4期	48页
更正(1957・4/31、32、33、40、48)	总59	1957年	5期	46页
更正(1956・11/38、40,1957・4/封4,5/17、40)	总60	1957年	6期	37页
更正(1957・5/16、17、44,6/32、34、37)	总61	1957年	7期	10页
作者来信补正(5/15、32、43 44、封4,2/32、33)	总61	1957年	7期	27页
更正(1957・6/40、41、48、49,7/3、6,8/1)	总63	1957年	9期	封4
更正(1957・9/目录、23、24、48)	总64	1957年	10期	49页
十月号更正(13、21、16、23、24、25、26、27、33、35、48)	总65	1957年	11期	41页
来函补正(杜松寿)(1957・9/4)	总67	1958年	1期	45页
更正(1957・11/29、30、31,12/20、21、22、23、24、34、35)	总68	1958年	2期	77页
补正(1957・11/29,12/21、22、24、35)	总68	1958年	2期	85页
更正(1958・1/14、27、28、34)	总69	1958年	3期	111页
更正与补正(1958・2/95、94,3/145)	总70	1958年	4期	188页
更正(1958・3/125、127,4/179、180),补正(1958・3/124、127)	总71	1958年	5期	224页
更正(1958・5/243、244、245)	总72	1958年	6期	253页
本刊六月号更正(271、272、273、274)	总74	1958年	8期	399页
本刊八月号勘误和补正(384、385、386、389、391)	总76	1958年	10期	469页
更正(1958・9/431)	总76	1958年	10期	482页
更正(1958・10/454,11/505、518、521、524)	总78	1958年	12期	558页
更正(1958・11/523,12/556、557、587、588)	总80	1959年	2期	72页

更正(1958·12/574,1959·2/82)	总81	1959年	3期 105页
更正(1959·2/81)	总81	1959年	3期 149页
勘误表(2/64、65,3/128、129、135)	总84	1959年	6期 291页
更正(1959·6/265、288)	总85	1959年	7期 316页
更正(1959·7/314、322、325)	总86	1959年	8期 399页
更正(1959·6/封4,7/342,8/371、387)	总87	1959年	9期 445页
补正(1959·9/410)	总89	1959年	11期 524页
本刊10月号更正(461、480、481、封4、494、495)	总89	1959年	11期 551页
本刊10月号补正(493、494、495、496)	总89	1959年	11期 551页
更正(1959·10/504、505)	总89	1959年	11期 557页
更正(1959·11/536)	总90	1959年	12期 565页
更正(1960·1/30、31、32)	总92	1960年	2期 77页
更正(1960·1/封4)	总92	1960年	2期 91页
更正(1960·1/33,2/65)	总94	1960年	4期 180页
补正(1960·1/33,2/57)	总94	1960年	4期 180页
本刊1960年3、4、5月号更正(117、192、193、194、195、196、200、237、248)	总96	1960年	6期 263页
本刊1960年4月号补正(192、193、195)	总96	1960年	6期 263页
更正(附编者按)(1960·6/265)	总98	1960年	11期 395页
补正(1960·11/369,12/407、416)	总100	1961年	1期 44页
更正(1960·11/369、397,12/425)	总100	1961年	1期 44页
本刊1961年1、2、3月号勘误(1/28、29,2/23、34,3/4、5、6、8、9、32、38、39)	总103	1961年	4期 25页
本刊1961年1、4月号勘误(1/30、31、33,4/11)	总105	1961年	6期 46页
本刊1961年7月号更正(1、26、27、28、29、30、31,25-31)	总107	1961年	8期 28页
1961年8、9月号更正(8/42、44、46、47、48,9/1、3、8)	总109	1961年 10-11期 46页
本刊1961年10、11月号,12月号补正(10、11/59、63、64、65、68、69、70、71、74、78,12/25、27、29、31、33、34、36、38、40)	总112	1962年	2期 103页
本刊1961年10、11月号,12月号更正(10、11/59、60、65、68、70、71、77、78、79、88,12/24、28、31、33、35、41)	总112	1962年	2期 103页
本刊1962年1月号《苗语概况》的更正(29、30、32、33、34、35、36、37)	总114	1962年	4期 181页

补正(1962・1/4)	总114	1962年	4期 191页
《隋韵谱》补正(1962・1/41,2/76,77)	总117	1962年	7期 333页
勘误表(6/272、273、277,8、9/362,10/442、466、476、481,11/486、487)	总121	1962年	12期 582页
本刊1962年11月号和12月号补正(1/510、511、512、513、514、516,12/561、563、564、565、566、567、568、569、570)	总123	1963年	2期 124页
本刊1962年11月号和12月号更正(11/503、504、505、507、510、511、512、513、514,12/584、585)	总123	1963年	2期 183页
更正(1963・3/192)	总125	1963年	4期 333页
本刊1963年更正和补正(更正:4/299、301,5/357、361,6/469;补正:2/149、150、151、153,5/351、363、365、373、374、378、382,6/445、462)	总128	1964年	1期 27页
更正(1963・4/327、328、329、330、331、332,1964・1/6、7、12)	总129	1964年	2期 152页
更正(1964・2/143)	总130	1964年	3期 239页
本刊1964年第2、3、5期更正(2/157、160、161、164、166、167、170,3/191、229,5/347、355)	总133	1964年	6期 441页
补正(1964・2/158、167,3/186、218、225、226、227、229,5/338、341)	总133	1964年	6期 441页
更正和补正(1965年第1期更正:10、11、15、16、22、27、39、79,1965年第2期更正:86、87、125、132、138、149,1965年第2期补正:118、122)	总136	1965年	3期 210页
本刊的更正和补正(1965・4/298,5/338、339、342、387、366)	总139	1965年	6期 491页
1965年第6期更正(488、489、491、496),补正(425、484、491、497)	总140	1966年	1期 49页
更正(1966・3/184、186)	总143	1966年	4期 240页
更正(1978・1/4、78,2/122)	总146	1978年	3期 195页
更正(1978・3/202、236)	总147	1978年	4期 316页
更正(1979・1/52,2/118,3/230、231、185)	总151	1979年	4期 304页
作者更正(王力)(1979・4/285)	总153	1979年	6期 444页
更正(1979・5/354、355、397,6/470)	总154	1980年	1期 52页
重要更正(1980・2/160)	总156	1980年	3期 195页
更正(1980・1/77、78,4/封3)	总158	1980年	5期 367页

更正(1980·4/246、5/345)	总159	1980年	6期 426页
更正(1980·6/430、431、434、436、439、442、443)	总160	1981年	1期 56页
更正(1980·6/444、447、448、449，1981·2/117)	总162	1981年	3期 220页
更正(1981·3/207、217、213、214)	总163	1981年	4期 307页
更正(1981·4/276、307、319、320)	总164	1981年	5期 340页
更正(1981·4/285、305、5/394)	总165	1981年	6期 437页
更正(1980·4/291、6/444、447，1981·5/378、381、352、355、6/434)	总166	1982年	1期 56页
更正(1982·1/10、12、15、22、54)	总167	1982年	2期 99页
更正(1982·2/88、89、90)	总168	1982年	3期 197页
更正(1982·3/223、229、235，4/250、298)	总170	1982年	5期 400页
补正(1982·3/170、171，4/289、293)	总171	1982年	6期 473页
更正(1982·5/382)	总172	1983年	1期 80页
更正(1982·6/450)	总173	1983年	2期 159页
更正(1983·2/131、132)	总174	1983年	3期 226页
更正(1983·3/186、190、187、188、189)	总175	1983年	4期 283页
更正(1983·3/203、204)	总176	1983年	5期 368页
作者补正(1983·4/226、267、268、270)	总177	1983年	6期 456页
更正(1983·5/370、371、373、381、382、383)	总177	1983年	6期 456页
补正·更正(1984·1/28，1983·6/468、471)	总179	1984年	2期 135页
更正(1984·2/158)	总180	1984年	3期 221页
更正(1984·3/187、188、229)	总181	1984年	4期 294页
更正(1984·4/封4)	总183	1984年	6期 451页
更正(1985·1/封3、16，2/83、142)	总186	1985年	3期 200页
重要更正(1985·3/240)	总187	1985年	4期 302页
更正(1985·6/446)	总190	1986年	1期 74页
更正(1986·1/24)	总193	1986年	4期 315页
本刊1986年第5期《汉字的演变与汉字的将来》补正(323、325、327、329)	总197	1987年	2期 145页
更正(1987·2/83、91，3/162、169、205、212)	总199	1987年	4期 305页
更正(1987·6/410、411、412、413、414、417、467)	总202	1988年	1期 202页
更正(1988·1/23、26、53)	总203	1988年	2期 156页

更正(1988・3/172、174,4/249、259)	总206	1988年	5期	365页
更正(1990・4/315)	总218	1990年	5期	400页
更正(1990・5/349)	总221	1991年	2期	160页
更正(1991・1/80,3/131)	总222	1991年	3期	225页
补正(1992・1/79,25、51)	总227	1992年	2期	159页
更正(1992・5/332、394、395,6/409)	总432	1993年	1期	79页
更正(1993・1/55)	总233	1993年	2期	111页
重要更正(1993・1/封3)	总233	1993年	2期	封3
更正(1994・3/240,4/275、277、278、286)	总242	1994年	5期	346页
更正(1994・6/476,1995・1/封4)	总245	1995年	2期	142页
更正(1996・5/339)	总255	1996年	6期	412页
更正(1997・1/3、5、6、7、9、10,1997・2/目录页)	总259	1997年	3期	237页
更正(1997・3/213)	总260	1997年	5期	395页
更正(1997・4/286,1998・2/146,3/214、216、225,4/273)	总267	1998年	6期	480页
更正(1998・1/封4)	总264	1998年	3期	225页
更正(1998・6/427)	总268	1999年	1期	33页
更正(1999・4/248、249、251、255)	总273	1999年	6期	453页
更正(2000・1/27)	总275	2000年	2期	108页
更正(2000・1/38,2/149)	总276	2000年	3期	204页
更正(2000・3/244,1/17、19、91)	总281	2001年	2期	190页
更正(2001・2/英文目录页、191、114、120、170)	总282	2001年	3期	273页
补正(2001・5/447、451、452)	总286	2002年	1期	76页

广　　告

《语文学习》第十期(1952年7月)目次	总1	1952年	1期	封4
《中学生》、《语文学习》、《地理知识》	总2	1952年	2期	封4
人民教育出版社出版(《农民速成识字教材》、《农民识字课本》等)	总3	1952年	3期	封4
人民出版社出版(《标点符号用法》、《甲骨文字研究》、《印度尼西亚语语法研究》、《北京话单音词词汇》)	总4	1952年	4期	封4
《小学教师》	总5	1952年	5期	封4
《人民教育》一九五二年十二月号要目	总6	1952年	6期	封4
《人民教育》一九五三年一月号要目	总7	1953年	1期	封4

标题	总期	年份	期	页
《人民教育》一九五三年二月号要目	总 8	1953 年	2 期	封 4
《人民教育》一九五三年三月号要目	总 9	1953 年	3 期	封 4
新书预告(《学前教育学》(上册)、《共产主义教育思想》)	总 10	1953 年	4 期	封 4
人民教育出版社出版《常用字用法举例》	总 11	1953 年	5 期	封 4
人民教育出版社一九五三年六月份再版书、新书预告	总 12	1953 年	6 期	封 4
人民教育出版社新书预告(《教育实习》、《教育学初级读本》、《学校教导工作的领导》、《幼儿园的创造性游戏》)	总 13	1953 年	7 期	封 4
《新华字典》出版预告	总 14	1953 年	8 期	封 4
新书预告(《学前教育学》下册、《小学算术教学法》上册、《心理学》、《教育资料丛刊》)	总 15	1953 年	9 期	封 4
新书预告(《苏维埃学校中的共产主义教育》第一分册、《从巴甫洛夫学说的观点看心理学课程问题》、《怎样做母亲》续编)	总 16	1953 年	10 期	封 4
《师范教育丛书》、《苏联儿童教育丛书》、《教育资料丛刊》	总 17	1953 年	11 期	封 4
人民教育出版社出版新书(《学校管理》第一分册、《学校教导工作的领导》、《学校管理与领导》)	总 18	1953 年	12 期	封 4
《中学数学教学法》等	总 19	1954 年	1 期	封 4
《苏维埃教师心理概论》等	总 20	1954 年	2 期	封 4
人民教育出版社出版(《常用字用法举例》等)	总 21	1954 年	3 期	封 4
新书预告(《俄语语音教程及其教学法》、《小学阅读教学法》、《小学语文课中的自然常识教学》)	总 22	1954 年	4 期	封 4
人民教育出版社五月份出版新书(《为加强劳动教育而斗争》、《心理学》等)	总 23	1954 年	5 期	封 4
人民教育出版社六月份出版新书(《小学阅读教学法》等)	总 24	1954 年	6 期	封 4
《小学阅读教学法》等	总 25	1954 年	7 期	封 4
人民教育出版社出版新书(《小学课堂教学的经验》等)	总 26	1954 年	8 期	封 4
人民教育出版社出版新书(《英语法》等)	总 27	1954 年	9 期	封 4
新书介绍(《小学图画教学》等)	总 28	1954 年	10 期	封 4

标题	总期	年份	期	位置
人民教育出版社出版部首排列《新华字典》	总29	1954年	11期	封4
人民教育出版社出版新书(《小学教师的前途问题》等)	总30	1954年	12期	封4
人民教育出版社出版新书(《儿童年龄特征》等)	总31	1955年	1期	封4
《俄语语音教程及其教学法》、《常用字用法举例》、《幼儿园的语言课程》、《英语法》	总32	1955年	2期	封4
人民教育出版社三月份出版新书(《小学自然教学法》等)	总33	1955年	3期	封4
《教育学通俗讲座》等	总34	1955年	4期	封4
新书预告(《论共产主义教育》等)	总35	1955年	5期	封4
新书预告(《苏联通史》等)	总36	1955年	6期	封4
新书预告(《活教育批判》等)	总37	1955年	7期	封4
新书介绍(《语音常识》、《汉语讲话》等)	总38	1955年	8期	封4
人民教育出版社出版部首排列《新华字典》等	总39	1955年	9期	封4
新书(《教育学》等)	总40	1955年	10期	封4
试教教材凭证发行(初级小学课本《语文》第一册等)	总41	1955年	11期	封4
杂志创刊预告(《心理学译报》等)	总42	1955年	12期	封4
新书(《苏联宪法》、《古代的东方》、《逻辑学》)	总43	1956年	1期	封4
人民教育出版社出版《汉语拼音方案(草案)》、《第一批异体字整理表》、《汉字简化方案》	总44	1956年	2期	封4
新书介绍(《新盲字入门》、《福州人怎样学习普通话》)	总45	1956年	3期	封4
新书(《中学的综合技术教育》、《班主任怎样对学生进行共产主义道德教育》、《十位不朽的教师》)	总46	1956年	4期	封4
《语文学习》、《中国语文》、《教育译报》、《心理学译报》征求订户	总47	1956年	5期	封4
新书预告(《苏联文学教学论文选》、《小学作文教学》、《苏联小学文艺作品的讲读》、《汉语讲话》等)	总48	1956年	6期	封4
新书预告(《苏联俄语教学论文选》、《中国中小学教师访苏代表团报告集》、	总49	1956年	7期	封4

《中学的综合技术教育》、《自然地理》)				
《拼音》月刊创刊启事	总 50	1956 年	8 期	封 4
新书介绍(《苏联俄语教学论文选》、《苏联文学教学论文选》)	总 50	1956 年	8 期	封 4
新书(《苏联小学俄语、习字教学大纲》等)、新书预告(《拼音字母学习法》等)	总 51	1956 年	9 期	封 4
新书(《中国中小学教师访苏代表团报告集》第一卷等)	总 52	1956 年	10 期	封 4
新书(《语法和语法教学》等)	总 53	1956 年	11 期	封 4
新书预告(《教育学教学经验选集》等)	总 54	1956 年	12 期	封 4
中国语文丛书	总 55	1957 年	1 期	封 4
新书(《成人识字教学》等)	总 55	1957 年	1 期	封 4
新书预告(《教育学和教育史》[第二辑]等)	总 56	1957 年	2 期	封 4
秋季开学供应的教学挂图	总 62	1957 年	8 期	封 4
《俄语教学与研究》扩大征求订户	总 68	1958 年	2 期	封 4
《文字改革》广告	总 78	1958 年	12 期	595 页
中国语文书籍(《汉语语法教材》等)	总 128	1964 年	1 期	封 4
社会科学书籍(《乌托邦》等)	总 129	1964 年	2 期	封 4
工具书(《新华字典》等)	总 130	1964 年	3 期	封 4
中国语文书籍(《汉语语法十八课》等)	总 131	1964 年	4 期	封 4
商务印书馆出版《新华字典》、《汉语成语小词典》	总 132	1964 年	5 期	封 4
中国语文书籍(《汉语拼音词汇》等)	总 133	1964 年	6 期	封 4
文字改革出版社出版《简化汉字总表》等	总 134	1965 年	1 期	封 4
北京出版社出版《语文小丛书》	总 135	1965 年	2 期	封 4
文字改革出版社出版《简化字总表(第二版)》等	总 136	1965 年	3 期	封 4
商务印书馆出版《新华字典》、《汉语成语小词典》等	总 137	1965 年	4 期	封 4
文字改革出版社新书预告(《汉字正字小字汇》)	总 138	1965 年	5 期	封 4
文字改革出版社新书预告(《小学语文朗读文选》)	总 139	1965 年	6 期	封 4
商务印书馆新书预告(《论语说文》)	总 141	1966 年	2 期	封 4
中国社会科学出版社新书预告(《美学论丛》等)	总 155	1980 年	2 期	封 4
《语文研究》(山西省社会科学研究所)第 1 辑要目	总 156	1980 年	3 期	封 4
中国社会科学出版社新书预告(《东方文	总 157	1980 年	4 期	封 4

学专集》等)				
《江汉语言学丛刊》第1集目录	总158	1980年	5期	封3
商务印书馆汉语工具书部分新书	总158	1980年	5期	封3
《外国史知识》征求订户	总159	1980年	6期	封3
商务印书馆汉语工具书部分新书	总160	1981年	1期	封3
中国社会科学出版社刊物介绍(《国外语言学》等)	总161	1981年	2期	封3
《语文研究》(山西省社会科学研究所)1981年第1辑目录、2辑要目	总162	1981年	3期	封4
《语文教学与研究》征订启事	总163	1981年	4期	封3
中国社会科学出版社(介绍服务项目)	总163	1981年	4期	封4
《汉语学习》扩大订户	总164	1981年	5期	封3
中华书局古文字部分新书(《甲骨文合集》等)	总164	1981年	5期	封4
《农业经济问题》简介及订阅办法	总165	1981年	6期	封4
上海教育出版社最近出版部分新书(《北京大学校史》等)	总166	1982年	1期	封4
中华书局音韵训诂新书(《音学五书》等)	总167	1982年	2期	封4
《语言研究》(华中工学院)创刊号目录、1982年第1期目录	总168	1982年	3期	封4
欢迎订阅《语言美》	总169	1982年	4期	封3
《语文研究》(山西省社会科学研究所)1982年第1、2辑要目	总169	1982年	4期	封4
《汉语学习》(延边大学)1982年第4期要目	总170	1982年	5期	封3
中国社会科学出版社1982年已出版的新书(目录)	总170	1982年	5期	封4
中国社会科学出版社1983年期刊目录(邮局发行部分)	总171	1982年	6期	封4
《中国语言学报》创刊号出版、创刊号(1982年第1期)目录(商务印书馆)	总172	1983年	1期	封4
《语文研究》(山西省社会科学研究所)1983年第1期目录、第2期要目	总173	1983年	2期	封4
中华书局语言文字新书预告(《三代吉金文存》等)	总174	1983年	3期	封4
中国社会科学出版社("外国文学研究资料丛刊"简介)	总175	1983年	4期	封4
中国社会科学出版社(中国文学作品年编)	总176	1983年	5期	封4
《汉语学习》(延边大学)1983年第3、4	总177	1983年	6期	封3

期要目				
《学语文》(安徽师范大学语言研究所、中文系)1983年第1、2、3期要目	总177	1983年	6期	封4
《文字改革》简介(语文出版社)	总178	1984年	1期	封3
上海教育出版社修订重版(《汉语知识讲话》)	总178	1984年	1期	封4
《语言学论丛》(商务印书馆)第10、11辑目录	总179	1984年	2期	封4
中国社会科学出版社新书征订(《汉语语音史》等)	总180	1984年	3期	封4
《中国语言学报》第2期出版、第2期目录(商务印书馆)	总181	1984年	4期	封4
《语言教学与研究》(北京语言学院)1983年第3期要目	总182	1984年	5期	封4
《语言研究》(半年刊)(华中工学院)征订启事	总183	1984年	6期	封3
《语文研究》(山西省社会科学院)(语文出版社书讯)	总183	1984年	6期	封4
商务印书馆近年出版的吕叔湘著作(《中国文法要略》等)	总184	1985年	1期	封4
上海教育出版社出版的吕叔湘著作(《文言虚字》等)	总185	1985年	2期	封4
中国社会科学出版社征订启事(《契丹小字研究》)	总186	1985年	3期	封3
山东教育出版社出版王力先生著作(《王力文集》1、2、3卷)	总186	1985年	3期	封3
《语文知识》(中国修辞学会等)创刊号要目	总187	1985年	4期	封3
《语言教学与研究》(北京语言学院)1985年第3期目录	总188	1985年	5期	封3
《对外汉语教学论集》出版(北京语言学院)	总188	1985年	5期	封3
语文出版社、文字改革出版社、语文音像出版社新书、再版书、报刊联合目录	总189	1985年	6期	封3
《中国语文天地》(语文出版社)创刊号目录	总190	1986年	1期	封3
商务印书馆出版"汉语知识丛书"、《北京方言词典》	总191	1986年	2期	封3
上海教育出版社出版语言文字著作介	总192	1986年	3期	封3

绍(《马氏文通读本》等)				
《语文研究》(山西省社会科学院)(语文出版社书讯)1986年第1、2、3期要目	总193	1986年	4期	封4
《语言教学与研究》(北京语言学院)1986年第3期要目	总194	1986年	5期	封4
北京大学出版社部分语文书目(《简明实用汉语语法》等)	总195	1986年	6期	封4
中华书局出版语言文字新书(《英国所藏甲骨集》等)	总196	1987年	1期	封4
商务印书馆出版《倒序现代汉语词典》	总197	1987年	2期	封4
语文出版社新书书目(《新时期的语言文字工作》等)	总198	1987年	3期	封4
语言学院出版社"对外汉语教学与研究刊物简介"	总199	1987年	4期	封4
《语文建设》1987年第5期要目	总200	1987年	5期 400页	
欢迎订阅《语文建设》(语文出版社)	总200	1987年	5期	封3
商务印书馆将出版《简明汉语义类词典》	总200	1987年	5期	封4
上海教育出版社新书介绍(《语文近著》等)	总201	1987年	6期	封4
中华书局即将出版《殷墟甲骨刻辞摹释总集》	总202	1988年	1期	封4
"注音识字,提前读写"实验课本扩大征求(语文出版社)	总203	1988年	2期	封4
四川人民出版社新书预告(《古今汉语实用词典》)	总204	1988年	3期	封4
北京教育出版社新书预告(《中学语文词典》)	总205	1988年	4期	封4
湖南人民出版社新书预告(《新编汉语词典》)	总206	1988年	5期	封4
商务印书馆即将出版《汉语成语考释词典》	总207	1988年	6期	封4
《语言教学与研究》(北京语言学院)1989年部分要目预告	总208	1989年	1期	封4
上海教育出版社新书(《3500常用字字典》)	总209	1989年	2期	封4
《世界汉语教学》(北京语言学院)出版、1989年第1期要目	总210	1989年	3期	封4
商务印书馆最近出版的新书(《现代汉语小词典》等)	总211	1989年	4期	封4

标题	总期	年份	期	位置
中国标准出版社新书预告(《汉语多用词典》)	总212	1989年	5期	封4
《古汉语研究》(湖南师范大学)1990年度征订启事	总213	1989年	6期	封4
语文出版社向各界推荐一批工具书(《现代汉语常用字表》等)	总214	1990年	1期	封4
《中国语文》200期纪念刊文集(商务印书馆)已经出版	总215	1990年	2期	封4
方言俗语书目简介(山西省社会科学院语言研究所)(《山西方言研究》等)	总216	1990年	3期	封4
上海教育出版社语言文字著作部分书目(《汉语知识讲话》等)	总217	1990年	4期	封3
商务印书馆最近出版的新书(《汉语语法史》等)	总217	1990年	4期	封4
《中国语文》200期纪念刊文集出版简介	总219	1990年	6期	封4
商务印书馆1990年出版的语言学书籍(《吕叔湘文集》等)	总220	1991年	1期	封4
北京语言学院出版社新书消息(《胡同及其他》等)	总221	1991年	2期	封4
上海教育出版社最新出版《倪海曙语文论集》	总223	1991年	4期	封4
语文出版社部分图书目录(《语言·社会·文化》等)	总224	1991年	5期	封4
庆贺商务印书馆建馆95周年	总226	1992年	1期	封4
商务印书馆1990、1991年出版语言学新书(《吕叔湘文集》(一、二)等)	总227	1992年	2期	封4
商务印书馆将出版两部专书词典(《红楼梦语言词典》《世说新语词典》)	总229	1992年	4期	封4
上海教育出版社新书预告(《语言和人——应用社会语言学若干探索》等)	总230	1992年	5期	封4
语文出版社近期图书介绍(《古汉语语法及其发展》等)	总231	1992年	6期	封4
山西高校联合出版社出版《山西方言调查报告》《山西省方言志丛书》	总232	1993年	1期	封4
山东教育出版社《王力文集》二十卷全部出版	总233	1993年	2期	封4
商务印书馆祝贺《现代汉语词典》出版二十周年辞书介绍	总234	1993年	3期	封4
广东人民出版社新书介绍	总235	1993年	4期	封4

浙江教育出版社新出语言工具书	总236	1993年	5期	封4
上海教育出版社历年出版吕叔湘先生著作、《现代汉语方言音档》	总237	1993年	6期	封4
北京语言学院杂志社系列期刊简介	总238	1994年	1期	封3
汉语大词典出版社出版新书《汉语大词典》《古今汉语字典》	总238	1994年	1期	封4
北京语言学院出版社新书介绍	总239	1994年	2期	封4
江苏教育出版社新出语言工具书《现代汉语方言大词典》	总240	1994年	3期	封4
《吕叔湘先生九十华诞纪念文集》出版	总244	1995年	1期	封4
语文出版社新书介绍	总245	1995年	2期	封4
上海教育出版社新书介绍	总246	1995年	3期	封4
北京语言学院出版社新书介绍	总247	1995年	4期	封4
新书介绍《现代汉语配价语法研究》	总248	1995年	5期	封4
河北教育出版社语言文字类新书	总249	1995年	6期	封4
商务印书馆近些年出版的语文词书	总250	1996年	1期	封4
《现代汉语词典》修订本即将出版	总252	1996年	3期	封4
上海辞书出版社新书介绍	总253	1996年	4期	封4
北京语言学院出版社隆重推出百科性综合辞书《香港辞典》	总254	1996年	5期	封4
商务印书馆最近出版语言学新书	总255	1996年	6期	封4
语文出版社部分语言学图书介绍	总256	1997年	1期	封3
上海教育出版社九五国家重点图书《现代汉语方言音库》开始征订	总256	1997年	1期	封4
语文出版社部分语言学图书介绍(二)	总257	1997年	2期	封3
热烈庆祝汉语大词典出版社成立十周年新书介绍	总257	1997年	2期	封4
语文出版社部分语言学图书介绍(三)	总258	1997年	3期	封3
庆祝商务印书馆成立100周年1995、1996年商务版语文新书	总258	1997年	3期	封4
语文出版社部分辞书介绍(四)	总259	1997年	4期	封3
河北教育出版社语言、文学和史料价值兼具的《历代笔记小说集成》	总259	1997年	4期	封4
语文出版社部分语言学图书介绍(五)	总260	1997年	5期	封3
徐州师范大学语言研究所部分科研成果简介	总260	1997年	5期	封4
语文出版社部分语言学图书介绍(六)	总261	1997年	6期	封3
南开大学中文系部分科研成果简介	总261	1997年	6期	封4
北京二酉堂图书公司图书馆配书服务	总262	1998年	1期	封3

中心推荐语言学书目				
第二届国家辞书奖获奖辞书	总262	1998年	1期	封4
北京二西堂图书公司图书馆配书服务 　中心推荐语言学书目	总263	1998年	2期	封3
上海教育出版社新书介绍	总263	1998年	2期	封4
北京二西堂图书公司文史图书超市推 　荐书目	总264	1998年	3期	封3
商务印书馆语言学新书	总264	1998年	3期	封4
二西堂推荐书目	总265	1998年	4期	封3
北京大学出版社校庆新书	总265	1998年	4期	封4
二西堂推荐书目	总266	1998年	5期	封3
商务印书馆《新华字典》1998年修订本	总266	1998年	5期	封4
二西堂书目·语言学(1998.10.6)	总267	1998年	6期	封3
北京大学出版社语言类新书	总267	1998年	6期	封4
二西堂书目·语言学(九九之一)	总268	1999年	1期	封3
HNC(概念层次网络)理论(清华大学出 　版社)	总268	1999年	1期	封4
北京二西堂图书公司语言学书桥	总269	1999年	2期	封3
《汉语大词典》(12卷本)光盘1.0版	总269	1999年	2期	封4
二西堂书目·语言学(九九之二)	总270	1999年	3期	封3
江苏教育出版社推出《现代汉语方言大 　词典》	总270	1999年	3期	封4
二西堂书目·语言学(九九之三)	总271	1999年	4期	封3
上海教育出版社新书介绍	总271	1999年	4期	封4
华中师范大学语言学研究所部分科研 　成果简介	总272	1999年	5期	封4
二西堂语言学图书	总273	1999年	6期	封3
教育部语文出版社部分重点书、获奖书 　推荐	总273	1999年	6期	封4
商务印书馆新书目录	总274	2000年	1期	封4
《语言文字应用》征订	总275	2000年	2期	封4
首都师范大学语言研究中心首都师范 　大学中文系主办《语言》创刊号主要 　篇目	总276	2000年	3期	封4
中国社会科学出版社新书介绍	总277	2000年	4期	封4
商务印书馆近年图书目录	总278	2000年	5期	封4
语文出版社最新图书	总279	2000年	6期	封3
上海教育出版社部分语言学书目	总279	2000年	6期	封4
商务印书馆新书目录	总280	2001年	1期	封4

汉语普通话单音节和双音节音联语音语料库		总281	2001年	2期 封3
江西教育出版社部分语言学书目		总281	2001年	2期 封4
汉语大词典出版社出版《现代汉语大词典》《标准汉语字典》		总282	2001年	3期 封4
北京语言文化大学出版社语言学书系		总283	2001年	4期 封4
新书介绍《中国语言学报》第十期		总284	2001年	5期 封4
北京大学出版社语言学新书选介		总285	2001年	6期 封3
辽宁大学出版社新书《汉字标准字典》		总285	2001年	6期 封4
商务印书馆新书目录		总286	2002年	1期 封4
外语教学与研究出版社即将推出当代国外语言学与应用语言学文库		总287	2002年	2期 封4
北京大学出版社影印语言学图书简介		总288	2002年	3期 封4
河北教育出版社新书选介		总289	2002年	4期 封4
《语言科学》即将创刊		总290	2002年	5期 封3
上海教育出版社新书预告		总290	2002年	5期 封4
商务印书馆语言学出版基金青年语言学者论坛《21世纪的中国语言学》(将于2003年出版)		总291	2002年	6期 封4

图　　片

中国文字改革委员会在北京举办中国文字改革文献资料展览会会场一角		总40	1955年	10期 34页
全国文字改革会议情况	孟庆彪	总41	1955年	11期 封2封3
全国文字改革会议主席团主席吴玉章主持开幕式				
中国文字改革委员会委员胡乔木作总结性发言				
中华人民共和国教育部部长张奚若主持闭幕式				
全国文字改革会议第六组小组会讨论情况				
全国文字改革会议招待代表茶话会				
出席全国文字改革会议的代表参观中国文字改革文献资料展览馆				
现代汉语规范问题学术会议开幕式(中国科学院院长郭沫若致开幕词)	孟庆彪	总41	1955年	11期 封3

贵宾们在中国科学院语言研究所（赫迈莱夫斯基、郭路特、鄂山荫、吕叔湘、夏伯龙）	赵铨			总42	1955年	12期	35页
格拉乌尔院士和中国科学院语言研究所的专家们座谈（吕叔湘、罗常培、甘世福、格拉乌尔、吴晓铃）	赵铨			总42	1955年	12期	36页
苏联和波兰的语言学者在北京大学座谈（夏伯龙、甘世福、王力、郭路特、鄂山荫）				总42	1955年	12期	38页
吴玉章主任在全国普通话教学成绩观摩会上致开幕词				总74	1958年	8期	355页
吴玉章主任在大会休息时和代表们谈话				总74	1958年	8期	356页

政　　　治

苏联共产党中央委员会、苏联部长会议、苏联最高苏维埃主席团告全体党员、苏联全体劳动人民的公告				总9	1953年	3期	3页
毛泽东主席唁电				总9	1953年	3期	5页
中国共产党中央委员会唁电				总9	1953年	3期	5页
最伟大的友谊	毛泽东			总9	1953年	3期	6页
中华人民共和国宪法草案				总24	1954年	6期	3页
认真地研究、讨论中华人民共和国宪法草案	韦悫			总24	1954年	6期	11页
中华人民共和国宪法				总28	1954年	10期	3页
提高我们的政治警惕性，彻底肃清胡风反革命集团和一切暗藏的反革命分子	韦悫			总37	1955年	7期	3页
为完成和超额完成第一个五年计划而奋斗	韦悫			总38	1955年	8期	3页
《中国农村的社会主义高潮》序言	毛泽东			总43	1956年	1期	3页
党的第八次全国代表大会鼓舞我们前进（社论）				总52	1956年	10期	3页
积极参加反右派的斗争，坚决走社会主义的道路（社论）				总62	1957年	8期	1页
庆祝十月革命四十周年，学习苏联建设社会主义的经验（社论）				总65	1957年	11期	1页
揭发右派分子徐肖斧的反动言行和恶	王福庭	刘坚	边兴昌	总65	1957年	11期	23页

标题	作者	总期	年份	期/页
劣作风	李临定 陈琪瑞 杨耐思 董遵章 饶长溶			
帝国主义者和印度扩张主义者的本来面目,以及他们支持西藏叛乱的真正意图(社论)		总83	1959年	5期 201页
反右倾,鼓干劲,以实际行动来迎接伟大的国庆十周年(社论)		总87	1959年	9期 401页
《毛泽东选集》第四卷介绍		总97	1960年	10期 301页
评"三家村"——《燕山夜话》《三家村札记》的反动本质	姚文元	总142	1966年	3期 167页
评《前线》《北京日报》的资产阶级立场	戚本禹	总142	1966年	3期 181页
高举毛泽东思想伟大红旗积极参加社会主义文化大革命(《解放军报》社论)		总142	1966年	3期 187页
向反党反社会主义的黑线开火	高炬	总142	1966年	3期 193页
擦亮眼睛,辨别真假	何明	总142	1966年	3期 195页
从一次座谈会看邓拓的反动伎俩	刘大新 封秋昌 赵沄振	总142	1966年	3期 197页
彻底批判吴晗反党反社会主义的言行——北京地区部分语文工作者座谈会记要		总142	1966年	3期 199页
政治口号("念念不忘"等四句)		总143	1966年	4期 封2
横扫一切牛鬼蛇神(《人民日报》社论)		总143	1966年	4期 225页
触及人们灵魂的大革命(《人民日报》社论)		总143	1966年	4期 228页
高举毛泽东思想伟大红旗把无产阶级文化大革命进行到底——关于文化大革命的宣传教育要点(转自《解放军报》)		总143	1966年	4期 230页
我们只听毛主席的话	黄家富	总143	1966年	4期 241页
新中国第二批女航空员"碧空五姐妹"愤怒声讨邓拓黑帮反党反社会主义的罪行	诸惠芬 于富兰 田树娥 曾咏秋 于志岭	总143	1966年	4期 242页
小小苍蝇挡不住太阳的光辉	韦彩猷	总143	1966年	4期 243页
碰得头破血流的是邓拓这伙坏蛋	程芝荷	总143	1966年	4期 244页
不许邓拓污蔑钢铁英雄!	吴长江	总143	1966年	4期 245页
党对工人最爱护	郑继春(段玉海记)	总143	1966年	4期 246页
是谁不爱护劳动力?	黄德义	总143	1966年	4期 247页
挖掉反党反社会主义的黑线	顾少印	总143	1966年	4期 248页
彻底捣毁"三家村"反党反社会主义黑店——北京四季青人民公社社员痛斥邓拓黑帮罪行摘记	阎焕东整理	总143	1966年	4期 248页

标题	作者	总期	年份	期/页
邓拓黑帮,等着听人民的审判吧!	任焕章	总143	1966年	4期 250页
不砸碎"三家村"黑店,死不瞑目!	王德新(红英整理)	总143	1966年	4期 251页
身上刀痕疼,心中怒火生	王金兰(红英整理)	总143	1966年	4期 252页
邓拓借"东林党"之名反党反社会主义	楚勇	总143	1966年	4期 252页
彻底粉碎邓拓黑帮对党的文字改革工作的进攻	王尔康 张修仁 黄炳辉	总143	1966年	4期 254页
揭穿邓拓的反党伎俩	思东	总143	1966年	4期 256页
一股反党反社会主义的妖风——揭露"三家村"的分店《青春漫语》	卫雨时	总143	1966年	4期 258页
揭露杨述为右倾机会主义分子喊冤叫屈的罪证	禹慈全	总143	1966年	4期 262页
不许杨述污蔑社会主义建设总路线、大跃进	钟羽闻	总143	1966年	4期 264页
坚决粉碎杨述毒害青年的恶毒阴谋	言基	总143	1966年	4期 266页
《从游晋祠谈起》谈的是什么?	洪鹰	总143	1966年	4期 268页
《谈杜诗》——反党反社会主义的匕首	于易泗	总143	1966年	4期 270页
按毛泽东思想办学校	张瑾瑶	总143	1966年	4期 271页
学习毛主席著作,全心全意为工人服务	颜阿泰	总143	1966年	4期 276页
读一辈子毛主席的书,全心全意为人民服务一辈子	党川贵	总143	1966年	4期 278页

附 录

作者姓名音序索引

用汉字署名的作者姓名(包括笔名)按汉语拼音字母音序排列,用拼音字母署名的作者姓名排在其后,再后是机关团体作者索引

用汉字署名的作者

A

B. A. 阿夫洛林 9
阿 龙 206
阿 鹏 8
阿 汤 15
P. И. 阿瓦涅索夫 5
霭 文 30
艾白芳 99
艾白薇 77,144(3),145(4),146
艾皓德 114
艾 萌 78
艾 木 142
艾荫范 80,102(2)
爱 卿 180
H. Д. 安德列耶夫 13
安家驹 143
安汝磐 146,148(2)
安珊笛 125
安塔尔·拉斯罗 8
安 语 194
敖镜浩 110
Д. A. 奥利德罗格 10

B

巴 南 126
巴琼妮 8
巴 桑 46
巴维尔 28,45
巴 言 51
白 波 194
白长茂 189(4),211(2)

白 芳 142
白 枫 171
白凤鸣 39,165
白俊耀 143
白梅丽 94,96
白 平 111
白 群 144
白 锐 31
白 水 1(4),8,9,10,13,14(2),
 17,206
白维国 35,43,84
白 星 57
白 英 214
白云生 38
白兆麟 110
白振平 199
班兴彩 188
包尔汉 177
保 琦 152,155
鲍怀翘 67
鲍洛尼 8
鲍明炜 36,50,53
鲍幼文 147,156
鲍祖宣 157
北 212
北 进 195
北 雨 190
北 中 190
北 钟 212,213
贝 林 145
贝罗贝 28,107,111
奔 流 163
彼得·雷德福格德 19

毕庶春 78
毕务范 143
毕 愚 142
闭克朝 59(2)
边 吉 78
边绍和 143
边仕明 181
边新灿 87
边兴昌 162,245
边 哲 215
卞觉非 32,126
冰 心 28
炳 生 68
波 澜 216
Л. Д. 波兹涅耶娃 174
伯 194
伯 韩 71,92,117,120,135,
 161,162,163(2),166,167,173
伯 晦 120
伯 慧 203
伯 江 190,209
伯 人 189
J. 柏利 21
柏 韦 194
柏 苇 32,33,40(2),203
薄 鸣 5,6,20
布·哈·托达叶娃 6,179

C

采 芹 141
采 珠 45(2)
蔡德梁 144
蔡凤书 47

附录 作者姓名音序索引

蔡镜浩 75(2),79,109,125	常富英 15	陈 钧 184
蔡美彪 83,176	常竑恩 177	陈 康 208
蔡庆生 159	常峻峰 38	陈 抗 73
蔡同安 4	超 秉 59	陈克炯 103,107
蔡维天 134	晁继周 72(2),87	陈克农 60
蔡文兰 122	车 前 99,100	陈孔伦 127
蔡颖敏 141	车 甬 207	陈 宽 147
蔡正发 65	辰 戈 204	陈黎明 35,153
操观静 107	陈爱文 119(2)	陈 力 161
曹伯韩 31(2),103(2),117,120,	陈安叔 135	陈良煜 195
134,152,153,155(2),158,161	陈白夜 77	陈 陵 120
(2),162,172,173	陈邦怀 35,153	陈满华 33,54
曹澂明 86,87,114	陈秉武 167	陈妹金 64,125
曹澄方 41	陈秉新 77(2)	陈梦家 160
曹聪孙 11	陈炳昭 148	陈民城 145,146
曹翠云 180	陈 波 205	陈明远 15
曹德明 51	陈昌仪 54	陈乃凡 119,133
曹逢甫 122	陈重瑜 46,64	陈宁萍 12,121
曹广衢 53(2),58,162,178,182	陈初生 110,111	陈 朋 110
曹广顺 110,112,113(2),114(2)	陈传忠 172	陈 鹏 5,9,28,37,159
曹剑芬 53(2),66(2),67,68,80	陈垂民 56	陈 平 1,29,116,121,132,135
曹今予 21,174	陈大尧 142,143	陈其光 19
曹克俭 142	陈大愚 156	陈琪瑞 162,246
曹 明 13(2)	陈德政 134,145(2),146	陈前瑞 151
曹万林 152	陈迪明 96,98,99	陈庆生 166
曹先擢 16,68,72,91,222	陈法今 56(2),57	陈庆延 49
曹小云 114(2)	陈富槐 74	陈琼瓒 94
曹一清 215	陈 刚 10,31,44,45,54,90,97	陈荣华 54,55
曹一新 160	(2),130(2),131	陈汝春 172
曹雨生 66	陈 光 207,224(3),225(8)	陈汝法 81
曹 耘 54	陈光逮 170,172	陈瑞衡 74
曹增之 168	陈光尧 152,155(3),157	陈润斋 42
曹志赞 47	陈 国 67,164	陈士林 79,181(3)
曹志耘 47,53	陈国魁 93	陈寿颐 100(2)
岑麒祥 5,7,11,20,31,58,118	陈海伦 42,43	陈淑宽 149
(2),151,162	陈鸿迈 57,108,111	陈淑梅 43
查·理德 66	陈 慧 15	陈松岑 139
柴春华 188(2)	陈慧英 58(3)	陈 涛 77
昌 214	陈 艰 171	陈天福 142
昌 厚 61(3),63(6)	陈建民 4,11,46(2),104,119,	陈天泉 55,56
昌 宁 212	132	陈铁卿 68(2)
昌 煌 91	陈 瑾 179	陈庭珍 132
长谷川良一 174	陈君哲 133	陈万成 58

陈望道 41,159	陈仲选 31,117,166	楚 勇 247
陈伟琳 204	陈祖仞 142	楚永安 77
陈伟武 80,81(2),86	陈祖力 141	褚毓槐 87
陈文彬 45,58,112,156,161,165,166	成和山 146	春 农 145
陈锡梧 58	成 明 199	春 行 186(2)
陈霞村 105	成 蓉 35	辞 文 204
陈向群 145	成 效 144	丛一如 150,195,215
陈肖霞 66	成志刚 48	丛 众 205
陈小荷 54	承 勋 147	崔吉元 11
陈晓锦 52,59(2)	诚 言 206	崔建新 46
陈欣向 66	程垂成 90,144,147	崔卯裘 141
陈新雄 62,64(2),70	程垂民 145	崔荣昌 51,55,139,222
陈信春 144,185,186	程达明 90	崔山佳 76,79,88,89,99,100,111,113(3),114,131,151
陈兴伟 54	程 工 90,150	崔希亮 128,207
陈秀兰 89	程观林 145,221	崔应贤 98,101
陈秀珠 15	程好问 142(4),143(4)	崔永华 128
陈 玄 169(2)	程惠新 35	翠 庵 38(2)
陈玄荣 25,75	程佳境 144,145(2)	寸 木 72
陈亚川 34,56,65(3),131,137,215	程建民 221	
陈 一 122	程 娟 112	**D**
陈贻恩 221	程丽丽 213	
陈贻庭 106	程美英 193	戴建华 75,81
陈永顶 149	程 默 181	戴金禄 171
陈永正 4,11,141	程 荣 72(2)	戴 考 90
陈雨萌 143	程天民 40	戴庆厦 10(2),57(3),176,179
陈 原 11(2),72(2)	程湘清 74(2)	戴天健 156
陈 越 140,151,153,154,157(4),158,160,164,166,167(5)	程祥徽 12(3),49,66,139,142,162	戴耀晶 122
陈月明 25,123	程 远 75,113,116,119,140,149	戴昭铭 37,53,92
陈泽平 43,56,125	程 月 142	党川贵 247
陈增杰 92	程 越 142	党怀兴 11,80
陈增岳 74	程 泽 144	刀世勋 178
陈章太 11,32,37(2),38,44,55(2),56	程章灿 153	道 布 2,179,208
陈振寰 11	程朝晖 64	道 经 33
陈植藩 178	程镇球 31	德 昇 143
陈治文 17,43,45,82,83,87,88,107(2),112,140,184	程芝荷 246	邓炳坤 139
陈中发 80	程志兵 119	邓公先 166
陈忠敏 53,54	迟 敦 148	邓建烈 172
陈仲年 146	重 奇 27	邓剑文 127
	初 202	邓景滨 12,209
	储泽祥 122,123,124,131(2),132	邓 明 80
		邓明以 16
		邓丕照 154
		邓蜀平 1

邓思颖 133	董希谦 82,202	范　同 155
邓　懿 135,165	董秀芳 95	范文博 164
地藏堂贞二 26	董　羽 8(2)	范　午 149
殿　福 46	董志翘 62,78(3),82(2),85,	范　晓 104,123,126,129,130
刁晏斌 13	103,110,112(2)	范晓芳 15
丁邦新 10,53,62	董治国 105	方福仁 87
丁宝庆 66	董遵章 47,142,148,221,246	方光焘 15,31,110
丁崇明 52	笃　厚 192	方环海 89,201,209
丁方豪 39	杜定友 155,157,159	方　捷 117
丁根生 106	杜功乐 41	方　进 50
丁　工 45	杜　敏 207	方经民 117,118
丁恒顺 128	杜乃庚 51	方　莲 143
丁　力 95,123,128	杜清军 80	方　梅 27,30,38,124,125,126,
丁立奇 159	杜松寿 9,31,157,160(2),165	128,133,135,197,209
丁　鲁 154	(3)	方　明 68
丁勉哉 134,156	杜　翔 191	方平权 111
丁　三 100	杜永道 46,49(2),87,205	方　青 61
丁声树 44,61,69,141	杜仲陵 76(2),81	方人冶 188
丁　是 36	杜子劲 159,168	方　若 140,149
丁世俊 142	端　华 69	方诗聪 137
丁水华 149,150	端木三 68	方曙平 143
丁西林 19,154,157,159(2)	段观宋 83(2)	方松熹 53(2)
丁　岩 27	段其湘 21,104	方　特 19
丁永福 163	段秀芝 102	方　伟 167
丁贞棠 108	多　明 2	方　文 26,29,174,190,198
丁植圃 144		方向明 196
定　国 93	**E**	方　言 202(2)
定　远 193	鄂山荫 37	方砚田 136
东　川 143,152	И. М. 鄂山荫 28	方　也 189(2)
东　海 136(2),137,168	而　中 142,143,144(4)	方一新 74,75,86(2),103(2)
东　木 30,204	尔　鑫 143	方　芸 59
东　石 192	迩　遥 139	方祖高 186
冬　虎 202	二　川 70	房　林 143
冬　湄 198		费秉勋 87
董崇礼 15	**F**	费锦昌 188
董楚平 154	法　今 141	费　虞 163
董大中 143	凡　 202	芬 183
董国栋 140,144	樊维纲 75	封秋昌 246
董景道 188(2)	范登堡 12	冯爱珍 56,215
董　琨 24,33,103,111,152,153	范方莲 21,122,125,127,130	冯成麟 123
董秋斯 151	范继淹 14(4),51(2),95,97,	冯春田 47,109,110
董绍克 47,65(2),84	126,127,128(2),133,134,144	冯国定 171
董淑慧 193	范开泰 104	冯　力 54

冯良珍　13
冯　亮　221
冯荣昌　47
冯胜利　66,118(2)
冯士文　79
冯　炜　206
冯文柄　15
冯友模　149
冯玉涛　89,105
冯志伟　38(2),104
符达维　20,90,134
符　号　150
符淮青　91
符景恒　144
符景垣　143
符　若　140
符士如　32
符维青　15
福　林　125
福　熙　142
付　嘉　144
傅爱兰　10(2),204
傅东华　24,76,141
傅根清　55
傅国通　54,146
傅惠钧　113
傅　婧　5,71(3),120
傅　力　80
傅懋勣　9,28(2),31,44,67,163,
　　166,174,176(6),177(2),181
傅铭第　15,106
傅冉桥　144
傅书灵　196
傅雪漪　38
傅亚庶　214
傅永康　158
傅永如　149,150
傅雨贤　221(2)
傅正模　221
傅子东　21,120(4),132
傅佐之　53
富金壁　111

G

甘世福　3,19,151
甘于恩　58
高　楚　33
高德运　171
高东山　163
Б.В.高尔农　15
高尔锵　180,208
高更生　133,138,149,154
高光烈　144(3),146
高光宇　163
高贵明　144(2)
高景成　169
高　炯　12
高　炬　246
В.И.高列洛夫　137
高名凯　1(4),3,5(2),11,15,31
　　(2),68,119(2),120,141,164
高庆赐　90
高山岭　144
高　嵩　160
高天如　33,186
高晓虹　46
高有祥　40
高玉振　56
高元白　156
高云海　109
高云祥　27
高钲夏　66
高　志　149
高志庸　173
高志用　52
高忠林　159
高子荣　15,31,184,185(2)
高祖舜　9,14(5),28,66,174
戈绍龙　159
戈　弋　129
格丹札巴　182
格拉乌尔　5(2)
A.格拉乌尔　2,174
В.И.格里高利耶维奇　14
格·谢尔久琴柯　1

葛本仪　15,16,186
葛秉旺　157
葛信益　15,31,63(2),141,142,
　　144
葛占岭　89
耿二岭　125
耿　非　90,91(2)
耿世民　181(2)
耿振生　25,65,70
弓　止　186
公　士　45
公　望　50
恭　士　157
龚　睿　146
龚千炎　95,96,116,127,132,
　　146,175,212
龚肇兰　172
古川裕　124
古敬恒　89
古屋昭弘　25(2),54
谷　敏　163(2)
谷斯南　143
谷　温　193,202,204
谷兴云　142
顾　必　149
顾　久　75
顾　黔　50,217
顾少印　246
顾　阳　119
顾　逸　142
顾义生　34,35,113
顾　越　137
顾志刚　97
关德仁　87
关尔佳　154
关　锡　160
关兴三　15,162
管建智　118
管谨迓　140
管　悝　141
管锡华　76
管燮初　7,62,102,108,111,154,
　　156,162,169(2)

管 羽 166		何 平 111
光 169	**H**	何阡陌 148
光 烈 144(2)	哈弼亮 134	何秋辉 60
广 义 205	哈山诺夫 181	何适达 125
郭必之 203	海 风 31	何书义 142
郭 诚 48	海盖第斯 19	何宛屏 98
郭 红 112	海 恒 102	何伟棠 34
郭宏义 147	海 宽 142,147,166	何亚南 75(2),80,86,89
郭继懋 12,94,122,128(2)	寒 44,154,155,157,165	何野春 147
郭洁梅 174	韩 策 144	何一寰 108
郭锦桴 187	韩陈其 62,74	何 育 60
郭锦华 79	韩建业 180	何泽涌 163(2)
郭 骏 88	韩敬体 30,101,103	何振中 146
郭俊儒 94(2),96	韩镜清 10	何正平 163
郭良夫 31,37,89,118(2),119	韩丽丹 207	何中冬 79
郭麟阁 31	韩阙林 146(2)	何钟杰 155
郭龙生 205	韩镕石 71	和志武 180
郭路特 28	韩世昌 38	河 水 142,147,166
郭明玖 125	韩文理 159	贺 琳 199
郭沫若 141,158,159	韩学重 105	贺绍兰 7,15(2)
郭乃岑 119	韩 亚 193	贺 巍 43,44(3),47(5),52
郭鹏飞 81	韩永惠 165	Б.В.赫连诺娃 16
郭 齐 85	韩兆德 145,147	黑维强 49
郭芹纳 88,89(2)	郝万全 31,194	恒 平 144
郭 锐 72,117,120,122	郝小洲 148	衡 之 208
郭绍虞 26	浩 浩 37	弘 今 143
郭守全 87	禾 口 210(2),213(3)	红 夫 152
郭松柏 81	何道南 17	洪 波 124,191,206
郭松泉 3	何耿镛 26,55(2)	洪 诚 33,71
郭文镐 106	何 季 147	洪成玉 74,108,152
郭 熙 131,151	何家槐 141	洪笃仁 15,32
郭锡良 7,25,106,107,109	何建章 75	洪静渊 77
郭锡悌 151	何金松 78,114,154	洪 流 215
郭小武 68,74,78,150,151	何 炯 139	洪 平 193
郭学德 120	何九盈 24(3),63,70,74,75(2),	洪心衡 60,108(2)
郭益先 156	88,108	洪雪立 4,12
郭友鹏 51	何科根 55	洪 鹰 247
郭在贻 35,74,75,76(2),77(2),	何乐士 108	侯宝林 40(2)
83,85,103	何 立 28	侯宏伟 202
郭昭穆 186	何昌施 146	侯精一 11,12,25,29,42,46,48(2),49(2),87,173
郭征宇 80	何茂正 146(2),147	侯兰笙 87,89(2),113
郭志良 122	何梅岑 72	侯利民 65
郭中平 134	何 明 246	

侯文普	144	华景年	94,95,96(2),100(3),144	黄勤勇	14
侯学超	94,96,99	华开	139	黄珊	106,109
侯一麟	128	华侃	50	黄绍筠	152
侯占虎	199	华萍	104	黄盛璋	106(2),125
胡安顺	214	华学诚	88	黄世瑚	143,144
胡超群	13	华言军	4	黄世翔	144
胡从曾	78	华玉明	122	黄树功	143
胡附	104,117,119(2),120,126	华珍	154	黄树南	17
胡光斌	52	黄炳辉	247	黄微远	143(4),144
胡华	118	黄伯荣	58(3),126,135,163	黄微之	144
胡渐逵	80	黄昌宁	117	黄维	77
胡均	204	黄长著	12,32	黄晓惠	114
胡孟浩	3	黄成稳	105,170	黄心平	6,28
胡明扬	3,10,21(2),29(2),31,53(4),65,120,121,125(2),162,164	黄诚一	94,97,127,143	黄言唐	187
		黄传惕	99(3)	黄衍	116
胡谱承	142	黄淬伯	63	黄翊	13
胡起望	181	黄德贤	142,143	黄幼莲	56
胡茹夫	164	黄德义	246	黄煜	12
胡绳	29,72	黄典诚	62,160,161,163	黄钺	74
胡双宝	39,48,102,221	黄丁华	56(6)	黄月圆	131
胡坦	179	黄佛同	2,5	黄岳洲	20,92,138
胡铁军	105	黄谷甘	57	黄载君	106
胡文泽	209	黄光甫	142	黄再春	91
胡晓静	33	黄国营	38,123	黄振华	103,117,118(4)
胡新	144(2),145	黄浩森	59	黄征	75
胡行之	108,119	黄家富	246	黄正德	128
胡一平	38	黄家教	12,26,44,55,58	黄智显	31,105,166(2)
胡裕树	4,104,123,141	黄家忠	50	黄宗经	146
胡芸	15	黄金贵	77,78	灰	60
胡增益	72,89,92	黄景湖	57	慧生	24(2)
胡振荣	59,144	黄景欣	2,5,20,37,104,186	惠修	143(2)
胡震元	166	黄坤尧	64,80	惠湛源	132
胡正微	54,104	黄礼奖	148		
胡芷藩	61,155	黄丽丽	71	**J**	
胡治农	95,188,194(2),215	黄灵庚	75,77,78	姬金	192,215
胡中文	72,217	黄六平	77	吉	208,212
胡竹安	82,83(2),88,95(2),97,113(2)	黄美陶	157	吉常宏	15(2)
		黄乃	168(2)	吉冈	208
胡祖竹	73	黄南松	130	计士	141
华	183	黄佩文	85,134	计伟强	87
华东	207	黄绮	32,139	计永佑	5
		黄奇逸	77	计语	195
				纪雨	188

忌　浮	64,65	
季　宾	141	
季　方	105	
季恒铨	145,146	
季　民	144	
季明珠	50	
季羡林	8,16,155	
季永兴	104	
寄　予	6,60,69(2),101,151,169(4)	
加　合	142	
佳	151	
佳　捷	145	
甲　文	7	
Н.И.贾布基娜	121(2)	
贾采珠	45(2),46,73	
贾崇柏	95,96,99,100	
贾双虎	142,143(2),144(2),145(3)	
贾　援	162,172	
贾　芝	141	
坚	136	
坚　白	133	
俭　明	5	
简启贤	106	
简　硕	216	
简　泽	144,145,146,147	
简正文	102	
建　民	95	
江　边	137	
江　成	36,52,67,166	
江　澄	45,69,88(2)	
江·纯	69	
江　东	193	
江　灏	54	
江蓝生	27,29(2),32,40,85,88(2),89,97,102,111,113(3),114	
江声大	133	
江缘僧	155	
姜宝昌	169	
姜宝琦	107	
姜君辰	31	
姜可瑜	78	
姜亮夫	141	
姜象城	143(3)	
姜　远	30,31	
姜仲民	33	
将邑剑平	65	
蒋懂闻	141	
蒋冀骋	64	
蒋　景	144	
蒋礼鸿	71,78,82,83,87(2),89	
蒋　明	50	
蒋　琪	96,101	
蒋绍愚	20,70,85,112,114	
蒋同林	129	
蒋文钦	119	
蒋希文	24,50(3),64,66(2),155,166,173	
蒋义海	139	
蒋荫安	146	
蒋荫枏	95,96,99,100,143	
蒋荫柟	140	
蒋仲仁	37	
蒋竹荪	81	
蒋宗福	89	
蒋宗许	76,80(2),89,105,109(4)	
劫　岬	79(2)	
З.捷尼舍夫	8	
今　卿	146	
金　刀	163	
金德厚	119,120	
金　华	172	
金基石	62	
金立鑫	96,98,101,129(2)	
金连城	3,90	
金　名	190	
金鸣盛	154	
金荣景	10	
金天汉	3	
金天增	73	
金湘泽	71	
金小春	35	
金欣欣	216	
金有景	42,43,52,53(4),54,66,67(2),93,98(2),99(2),124,142,144,145,146(2),165	
金羽荟	193(2)	
金章俊	36	
金　振	87	
津　化	47,48,123	
进　明	60,187	
晋　积	163	
靳平妥	1	
经本植	71	
荆贵生	80	
荆兆鸿	156	
精　一	60	
景	147,169	
景幼南	31	
敬　远	216	
静　远	207	
劲　松	45,46	
澌　之	136	
赳　赳	209	
居志良	16	
巨	10	
君　方	94	
君　梧	145	
均　仁	143	

K

А.А.卡里莫夫	9	
J.卡罗斯卡娃	28	
凯　鸣	142,147	
阚绪良	82	
康拉德	33(3)	
康　郎	143(2),144	
康同璧	156	
康　珣	149	
柯津云	6	
柯理思	44,47	
柯　英	142,144	
А.科托娃	125	
H.J.F.克拉贝	19	
克　莱	147	
克　木	191	
铿	59,60,214	

孔令达　13,96(2),126
孔　若　141
П.С.库兹涅左夫　20
宽　鸣　163
匡　群　146
邝　治　147

L

赖震川　140
濑户口律子　11,175
岚　　　212(2)
蓝立冀　35,83
蓝　钰　40
蓝仲文　91
劳君方　19,38,102
劳　宁　6,8,11,17,28(2),60,
　　93,100,102,118,125,152,164,
　　166,168,169,184,214
劳　卫　31,173,185
老　舍　28,38(2),141
乐东甫　86,87
乐玲华　194
雷庆翼　78
雷　涛　127
雷雨云　143
蕾　平　136
黎炳魁　143(2)
黎锦熙　4,31(2),32,37,38,119,
　　120(2),123,124,125,134(2),
　　160,162(2),164,165,168,173
黎新第　65
黎　意　46
黎　原　136
黎运汉　90
李爱军　67,199(2)
李　巴　142
李葆嘉　35
李葆瑞　45,67,69,92
李璧生　52
李　滨　39
李炳泽　199,208
李伯纯　103
李不息　146

李才辉　159
李　陈　205
李崇兴　75,113(2),200
李崇智　71
李春林　124
李春玲　109
李粹和　146
李大德　140
李大魁　4(2)
李代祥　99
李法白　87
李方桂　62(2)
李芳杰　137(2),150
李凤歧　41
李辅昌　143
李富才　32,55,169,221
李赋宁　32
李格非　32
李赓钧　118
李功成　107,112
李国正　51(2),80
李海霞　73
李和曾　164
李　鹤　161
李红岩　205
李洪绪　146
李辉荣　145
李惠英　171
李家浩　154
李家树　154
李建国　37,72
李杰群　109
李景泉　88
李静远　160
李　开　23
李克非　33
李　蓝　52(2),89,190
李蕾平　143
李　理　163
李立成　114
李临定　21,71,104,122,125,126
　　(2),128,129,130(2),133(3),
　　246

李　龄　51
李露蕾　108
李茂康　73
李　明　200
李明伦　161
李　鸣　39
李　讷　112,125
李佩娟　179
李　平　184
李谱英　195
李启烈　160,161
李启文　65,107
李千英　4
李　琴　157
李　青　201
李　仁　161
李人鉴　50(2),101,108,110,
　　121,126,130,132
李　荣　25,30,40,42(5),43(4),
　　44,53(2),54,62,63(2),64,65,
　　71,152(2),170
李如龙　49,55(3),56(2),57,58
　　(2),93
李若晖　25
李　森　177,181
李少春　38
李　申　50,83,89
李慎知　171
李胜梅　196,204
李时人　88
李士重　137,197
李世繁　93
李世瑜　46
李守秀　48
李树兰　179,181
李树俨　196(2)
李思敬　19
李思明　114
李泰洙　114
李　涛　67(2)
李添富　201
李铁根　97,205,206,209
李廷安　86

李 彤 8	李元太 15	梁晓虹 73,82,86
李桐华 4	李运富 71,74,111	梁晓霞 34
李维琦 40,75	李运熹 96	梁 吟 130,136(2),141,142(2)
李 炜 50	李兆同 16	梁银峰 111
李 未 42	李振麟 31,32	梁 瑛 98(2)
李 文 142	李 芝 131	梁猷刚 57(3),59,185
李文晋 195	李之亮 83,86	梁玉民 79
李文明 75,76,87	李志江 204,205	梁玉璋 55(2),56(4)
李文祥 163	李志中 170	梁 远 193,215
李无未 65,201	李智泽 74	梁赞宏 86
李锡胤 4	李中和 144	梁 振 10,187
李熙泰 69,215	李仲英 41,184	梁振仕 16(2),59,68,185
李熙宗 30	李子木 94	梁之乐 37
李先耕 98(2),109	李子云 16,59,95(2),126,133	梁之抑 102
李先焜 4	李宗江 112,114	廖 达 146
李向农 123,194	李祖彝 142(2)	廖化津 125
李向真 71	李佐丰 106,107	廖可为 21,118
李小梅 68	李作南 55(2),71	廖 平 133
李小平 49	理 俊 146	廖秋忠 121,122,131,135(4)
李小荣 89	力 达 151	廖序东 25,107,126,172
李燮纯 3	力 山 6,8,17(6),18,44,60,	廖珣英 4,28,65(2),83
李新魁 44,57,62,64,77,79	123(2)	廖振佑 80,106,108
李兴亚 96,97,133	力 行 159	廖祖桂 108
李行德 53	厉为民 67	B.B.列歇托夫 9
李行健 43,46(2),131,165	立 青 172	林柏松 59
李秀清 181	立 为 189	林宝卿 56,57(2)
李学金 142	立 文 202	林 波 150(2),188(2),189,
李学鲁 67(2),69	连登岗 75,89	190,199,200,202,203,205,206,
李雪铭 41	炼 柔 142	207,208,217
李亚非 104	良 明 138	林伯初 136
李延风 165	梁超然 195	林传鼎 157
李延瑞 66,188	梁 晨 126,130,134	林海权 16
李 炎 203	梁道洁 90	林汉达 34,36(2),117(3),162,
李 焱 65	梁东汉 15,160,162	166(4),172
李艳惠 132	梁冬青 112	林 华 68,209
李 漪 13	梁 昊 133	林华东 56
李英哲 116	梁 洁 88	林连通 56(2),57(3),200,202,
李永宁 221	梁金荣 52	208
李永燧 19,62	梁君瑞 156	林莲云 180
李于平 23	梁 敏 178	林联合 66
李宇明 10,13(2),117,122,123,	梁明江 57	林伦伦 11,56,57,58,70,203,
128(2)	梁式中 122	206
李裕德 132,133,149	梁 文 189,203,209	林茂灿 66(2),69

林 涛 163	刘 进 36	刘现强 70
林 焘 15,20,24,30,36,44,45(2),67,71,116,164	刘泾选 142	刘羡冰 12(2)
林天庆 41	刘敬东 87	刘祥柏 43
林文金 57(2),91,98(2),123,132,220	刘静文 31,123	刘晓南 55,65
林 曦 39,71,157,173	刘镜芙 87,114	刘晓然 51
林叙卿 150	刘钧杰 43,76(2),80	刘 新 11
林贻俊 146	刘凯鸣 35,41,45,84,85,86,97,102,109,121,127,136,141,142,143(3),144(4),145,146(3),147,221	刘新友 7,39,139,145,146(4)
林 阴 120		刘兴策 187,221
林有壬 91		刘雄翔 93
林雨新 55(2)		刘勋宁 44(2),49,97
林玉山 25	刘 利 97,109,111,170	刘英林 41,90,174
林裕文 26,127	刘 琳 50,144,145,147	刘永芳 145
林运来 55,184(3)	刘 玲 216	刘永耕 25
林泽熙 57	刘鲁扬 9	刘永平 30,71
林昭德 34,72,83,88	刘 璐 5,176,179	刘永绥 207
林 中 174	刘纶鑫 54,64	刘涌泉 8,9(3),14(7),15,17,20,28,32,37,93,120,159,182
林枳敬 5	刘 敏 10	
凌慈房 55,143	刘敏芝 92	刘有志 81
留 204	刘明纲 68,145,146	刘又辛 43,71,77,159,162
刘百顺 74,77,108	刘乃仲 131	刘 雨 143
刘宝俊 51	刘宁生 117,131,133	刘雨人 103
刘保明 64	刘培伦 50(2)	刘 御 160
刘朝宾 144	刘丕烈 143(3)	刘聿鑫 145
刘村汉 11	刘 萍 96	刘育林 49
刘大新 246	刘起钦 161	刘毓庆 81
刘丹青 53,87,127,128,132	刘 强 150	刘月华 8,96,99,100,122,133
刘德斋 150	刘钦荣 196	刘运沂 170
刘德周 139	刘庆隆 72	刘泽先 21,31,36,44,45(2),90,92,93(2),157,161,165,166(2),167
刘 非 9	刘如瑛 76	
刘复生 157	刘汝燮 142	
刘冠群 6,31,107(3),120,166	刘瑞明 85,87,88(3),109(3)	刘照雄 178,179
刘广和 91	刘尚慈 86	刘 征 184
刘 禾 69	刘世南 34	刘正埮 30,68
刘洪滨 39	刘世荣 130	刘正业 146
刘惠康 144	刘世儒 15,31,93,100,106(5),108,120,123,124,127,134(3)	刘之一 142
刘 坚 24,28,29(2),34,78,82,86,102,112(3),113,122,139,151,162,245		刘 倬 14(6)
	刘叔新 20,70,118(2)	刘作义 142,149,170
	刘淑学 47(2)	流 波 146
	刘思训 46	流 水 142(2)
刘建辉 3	刘天锡 145	柳 明 59
刘洁修 73,143	刘唯力 102	柳明水 136
刘金表 46	刘文英 155	柳士镇 25
	刘喜印 92,145(2)	柳曾符 154

龙 206	陆俭明 13,32,94,95,96,98,99,	181
龙果夫 127	101,118,120,121,125(2),126	罗杰瑞 58(2),208
A. A. 龙果夫 66,103,115,116(8)	(2),127,128,131(2),132(2),	罗捷文 146(2)
E. H. 龙果娃 66	133,135(2),149	罗康宁 59
龙鸿志 161	陆镜光 135	罗立乾 102
龙晦 24	陆开江 172	罗立新 89
龙惠珠 12	陆仁 105	罗美珍 10
龙鲁扬 94(2),96	陆文蔚 38,197	罗启华 96(2)
龙潜庵 79,81	陆锡兴 152	罗仁地 6
龙仁 89	陆志韦 21,31,65,67,93,103,	E. И. 罗日捷斯温斯卡娅 124
龙万火 95	117,118,125,132,141,166	罗时豫 121(2)
龙文福 146	陆宗达 26,31,70,152	罗委 171
龙庄伟 24,65,87,201	鹿琮世 3	罗英风 79,110
娄伯平 54,144,145	吕必松 29(2)	罗由沛 144
娄甚四 163,166	吕长仲 78	罗振岐 185
卢丹怀 12	吕超海 142	罗正坚 76
卢甲文 89	吕顿 155	罗正平 58
卢静 195	吕国军 3	罗志新 145
卢烈红 138	吕冀平 26,32,33,37,66,92,	罗忠新 143,144(3),145,146
卢钦 96	105,126,135,137(2)	(4),147,148(2)
卢荣和 192,210,213(2)	吕京 205	洛孜也夫 181
卢润祥 81,102	吕劳 203	骆晓平 70,79
卢绪元 70	吕士楠 199	骆增秀 46
卢延权 145(2),146	吕叔湘 5,12,15,19,20,21,25	
卢英顺 97	(2),27,28,29,30,31(3),32(3),	**M**
卢芷芬 154	34(11),35(2),37(2),60,71,72,	麻仲谦 162
鲁凡 142	88,93(2),95,97(2),99,102(2),	马贝加 113
鲁国尧 16,24(2),26	103,104(3),112,115,116(10),	马彪 120,194
鲁健骥 11	117,118,119(2),120(3),123	马承玉 80
鲁勉斋 174	(2),125,126,127,128,129,133,	马重奇 57,201
鲁蜀 148	139,141,149,150,165,171(2)	马风如 47
鲁通 207	吕文华 174	马固钢 75
鲁扬 125,140,141,142(3),	吕友仁 34	马国栋 107
143,149,174	吕云九 96	马国凡 91,92,160
鲁一民 45,68	吕枕甲 48	马国强 76,82,89
鲁雨 196	栾锦秀 105	马汉麟 108
鲁玉 143	伦海滨 140	马恒军 87
鲁允中 65	罗常培 1,8,9,24,30(3),37(2),	马坚 8,31
陆丙甫 21,126(2),127,130(2),	64,158,176(2),177	马克前 119
132,222	罗福腾 47(3)	马克荣 163
陆琛 76,145(2)	罗福银 33	马连良 38
陆大洲 143	罗洪瓦苦 181	马连祺 68,143
陆复中 144,145(2),146,147(2)	罗季光 19,45,63,176(2),177,	马麦贞 81

马清华 127	梅祖麟 10(2),53,62,82,88,	莫善乐 143,144
马庆株 104,124,131,133	110,111,112(2),222	莫　索 129
马任秋 140	湄　　 193	莫一钧 171
马荣尧 113	每　文 13	莫子纯 142
马　山 204	孟　复 31	墨　清 157
马少波 38	孟　君 204	眸　子 33
马树钩 50	孟　伦 76	木村英树 124
马思周 65,90,112,113(2)	孟蓬生 111	木霁弘 113
马天祥 187	孟庆彪 244(2)	木　它 59
马挺生 204	孟庆海 73(2),131	木　子 201
马蔚藩 142	孟庆惠 50,51	Б.Г. 穆德洛夫 28,119
马文忠 48(6),97	孟庆泰 47	Е.И. 穆拉舍瓦 20
马希文 15,42,124,131	孟庆章 114	
马锡鉴 77	孟守介 150	**N**
马叙伦 2,158	孟遂良 163	那　一 159
马学良 15,32,63,164,176(3),	孟　英 5	那宗训 62
177(2)	孟昭连 86	乃　凡 123,149
马炎武 21	孟自黄 138	乃　华 188
马　乙 200	孟　琮 99,101(2),135,188	南　山 21,169
马　逸 144(2)	梦　湘 119	南　台 55
马玉崑 167	弥松颐 84	南　文 212
马悦然 105	米　尔 8,15(2)	南　讯 187
马　真 95,96,100,128,131	米　花 203	Т.М. 尼柯来耶娃 14
马志荣 146	米列娜·维林格罗娃 87	倪宝元 90,91(2),124,133,138
马　忠 95(2),133,148	米　青 48(4),69(2),88,142,	(4),139,140,147
玛莉·S. 厄鲍 33	187	倪大白 139
麦　芒 170	苗　青 140	倪海曙 183
麦梅翘 25,71(3),79,109,110	民　荫 199	倪寄予 45,61,69
麦　耘 64	闵加基 2	年　一 137,146(3),147
满鹤年 141	敏　生 142	聂鸿音 24,66
毛秉生 54	明　　 210	聂文龙 127
毛成栋 40	明　德 186	宁　榘 31,71,103
毛西旁 31,60,97,141,143,160,	明　秋 126	牛文炳 143(2),144
162	明　扬 174	牛文华 147
毛修敬 45	明　之 152	农　　 181
毛永波 72	缪咏禾 61	暖　地 143
毛远明 73(2),74	缪锦安 21,41	
毛泽东 245(2)	缪鸾和 4	**O**
茅　开 69,142(2),143,175	缪树晟 118,132	欧庆泰 145
卯　裘 141	莫　衡 72	欧阳觉亚 19,179
梅德愚 117	莫慧娴 58	
И. 梅里楚克 14	莫　木 120	**P**
梅立崇 123	莫彭令 149	帕　安 192

潘尔尧	2,7,186	彭小川	59(2)	茜芙	117
潘 庚	101	彭延铭	74	乔全生	11,49(3),50
潘 永	18,100,133,138	平	188	乔惟森	139,141,144,145
潘光弼	143	平 群	140,147	乔维森	142(3)
潘海华	133	平山久雄	24,46,52,64(2),65	桥本万太郎	110
潘 佳	142(2),143	平田昌司	65	且 斤	146(2)
潘家懿	48	蒲喜明	149	钦 文	139
潘 力	144,145,146,148	濮之珍	24,33	秦 华	160
潘露莉	6	浦 吉	149,150(2)	秦建明	78
潘茂鼎	55	普 林	187	秦炯灵	51(3),88
潘 铭	150	普 语	18	秦礼军	110,127
潘 佩	142			秦 实	164
潘荣生	77(2),82,88,89(2),107	**Q**		秦旭卿	16,148,186,187
潘 山	117,160,168	戚本禹	246	Л.P.琴德尔	13
潘 慎	34,113,184	戚 勇	142	沁	214
潘天华	26	戚雨村	5	青 海	189
潘渭水	12,58	漆永祥	25	丘劲柏	38
潘文国	25	祁 平	101	邱常恕	156
潘悟云	43,65	齐 东	105	邱锷锋	196
潘相瑶	142	齐沪扬	124	邱景焕	130(2),149,150
潘晓东	135	齐 力	160	邱 明	198
潘 醒	143	齐 鲁	19(2)	邱鸣皋	78
潘印桂	142	齐 荣	135	邱 伟	197
潘 永	142	齐声乔	67	秋	194
潘允中	110	齐 水	9,19,199	秋 甫	41,148,184(2),185,214
潘中柔	143	齐 言	189,196	秋谷裕幸	53,54
庞安福	172	齐 云	142	秋 辉	174
庞 麟	168	其 华	141,143,144,145,147	秋 日	213
裴显生	15(2)	A.C.契科巴瓦	1,5,16	秋 颖	163
裴银汉	26	虔	176	仇志群	12,90
彭楚南	1,2,5(3),6,8(2),9(3),16(2),17(6),20,21(2),31,33(2),34,36,163,164,166,167	千 麦	146,148	裘荣棠	95,98,131
		前 瑞	199	裘 是	190
		钱剑夫	34,78	裘锡圭	64,111,152(2),153
彭 铎	15,34	钱敏汝	94	曲翰章	10,33
彭炅乾	23	钱乃荣	66	屈哨兵	51,129
彭国钧	11,52	钱腾蛟	93	瞿霭堂	182(2)
彭嘉强	171	钱兴奇	105	全 基	91,148
彭 坚	152	钱玄同	62	全 中	171
彭可君	52	钱元庆	130(2),138	泉 声	213
彭峋森	145	钱曾怡	42,47(4)	群 策	9(2),37
彭庆达	130,148,221	钱兆明	137	群 力	121
彭柔县	146	钱宗武	79,112,195	群 文	9
彭维金	185	茜 旁	141(3),142	群 一	24

R

饶秉才　44(2)
饶长溶　55(3),105,123,125,131,134(2),246
饶继庭　134
仁　芳　146
任海波　119
任焕章　247
任建民　136
任均泽　88
任铭善　66
任醒云　137
任学良　103
任雪梅　135
任言信　162
任以均　174
任应培　101(2)
任　鹰　132
任　远　78,111
日　健　55
戎椿年　146,147
荣　　　187,192
荣　英　186
茹　萍　214
汝　信　29
阮安善　1
阮善志　10
阮西湖　28,159
蕤　　　39
锐　声　25,35

S

沙加尔　179
沙　金　95
T.C.沙拉泽尼泽　5
沙　平　56
山　佳　15(2)
山　岭　143(3),167
山　石　30,103
山　水　205
杉村博文　128
单耀海　38
单周尧　62,81,153,154
单祖华　2
善　竹　204
尚　芳　147
尚　静　45
尚允川　184
邵霭吉　35,88,133
邵朝阳　13
邵　楚　170
邵景康　144
邵敬敏　124(2),125,128(2),137(2)
邵君朴　99,100(2)
邵　勉　8
C.K.邵勉　1
邵慕曾　144
邵乃强　20,90
邵荣芬　4,36,56,62,63(3),64(2),68,71(3),102,116(4),155
邵欣伯　102
邵迎建　24
邵则遂　79
申小龙　111
申　延　203,205
申仲莱　97
深　泓　100
沈　沉　208
沈鸿鑫　145(2)
沈怀兴　96,119
沈家煊　13,94(2),96,117,123,124,127(2),128,129(2),130,135
沈建民　64,65,69
沈镜澄　154
沈　炯　45,67,68
沈开木　36,94,100,104
沈孟璎　143
沈　明　49,203
沈士英　16(2),46,59,69,136,142,145,146,215
沈　涛　147
沈伟民　145,146,147
沈文玉　64
沈锡伦　110,145
沈锡铭　143
沈锡人　60,136,142
沈兴安　209
沈　阳　119,122,129,131
沈　愉　142
沈钟伟　42
沈子平　61(2)
慎　　　151(2)
慎　言　138(2),141,149(2),171
生　　　212
盛　炎　12
盛玉麒　206,209
施　波　67
施春宏　121
施旦中　143
施关淦　29,33,60,104,105,129(2),130,132
施　何　196
施建基　73,133
施　平　150,198
施其生　57
施树森　140
施文涛　1(2),42,44,61(2)
施　言　132
施　政　182
石安石　3,5,15(2),20(3),137,142,150
石　川　142
石定栩　13
石　锋　46
石　后　156
石巨文　48
石　良　201
石美群　220
石汝杰　196,203
石　英　143(2),144
石毓智　66,105,112,123(2),124
时　风　5
时永乐　153
实　　　59
实藤惠秀　159
史长贵　171

史存直　45,67,94,117(2),126,
　　132,184
史　该　143
史冠新　47(2)
史金生　94
史佩信　80,109,111
史萍青　169
史　式　59
史锡尧　4(2),16,90,118,126,
　　185,186
史　新　140
史秀菊　88
史有为　53,137,212
史振晔　121,130,132
士　衡　182
叔　湘　88(2),92,94(2),98,99,
　　100,120,130,131,141,150(3)
舒　黛　67
舒　方　132,140
舒　兰　216
舒市丙　102,142.143(2),144,
　　149
Е.И.舒托娃　137
双　人　189
水　夫　151
司马朝军　25
司马川　102
思　东　247
思　嘉　149
思　弥　165
斯尔鑫　125,142,144,148
К.А.斯拉维娜　172
А.И.斯米尔尼茨基　1
Н.А.斯丕式涅夫　67
М.И.斯铁布林-卡勉斯基　8
Н.斯威科　21,118
松　风　145(2)
宋均芬　46(2)
宋珉映　65
宋瑞龙　8
宋　商　83
宋绍年　111
宋绍周　90

宋文辉　46
宋秀令　125
宋　学　188
宋易麟　196
宋永培　78
宋毓珂　101
宋玉柱　46,94,95,97,128,130,
　　142,143,145(5),146(4),147,
　　148(2),151
宋元嘉　45
宋振华　31
宋子然　75
宋祚胤　108,125
苏宝荣　78
А.В.苏别兰斯卡娅　9
苏东川　142
Н.К.苏贺夫　93
苏　华　1,8
苏济霖　142
苏　杰　59
苏金智　12(2),13,203
苏　民　39
苏培成　72,150
苏贤辉　57
苏新春　73,206
苏　吻　113
苏以凤　144
苏以凤　146
鲊　雪　210
肃　父　94,136
隋文昭　84,85,86,88(2)
孙帛生　104
孙朝奋　109
孙崇义　71
孙聪宝　33
孙德金　207
孙德宣　23,71(5),79,86,125
孙　方　136,142,143
孙凤云　168
孙福全　49
孙宏开　10,178,180
孙继民　81
孙继善　49

孙建谟　143,144,145
孙经国　142(2)
孙克东　78
孙立新　49(2)
孙良明　15,20(2),81,102,106,
　　111,126
孙俍工　36
孙茂松　97,98,117
孙　潜　172
孙儒雅　144
孙文采　80
孙希絜　106
孙锡信　88,112
孙修章　41
孙延璋　185
孙　杨　200
孙耀南　143
孙雍长　74(2),108,138
孙玉溱　179
孙玉文　25,33
孙毓苹　121,127,134,184
孙占林　52
孙中逊　143
孙　竹　179
М.В.索弗罗诺夫　14
所　佳　142

T

塔伊尔江　208
太田辰夫　111
太田辰一　112
泰　文　190
谭达人　95,134
谭代龙　35
谭　馥　46
谭　黄　37,144,147
谭景春　72,121,123,124,128
谭全基　23,148
谭耀炬　89
谭永祥　142,143,147
汤廷池　14
汤珍珠　53,61,186
汤志祥　53

唐伯先　157	廷　穆　142(2),143	王　凡　137
唐　辰　190(2)	通　　　215	王凤阳　90
唐　建　154	佟乐泉　190	王福堂　58,61
唐　捷　41,184	肜　文　216	王福庭　105,132(2),245
唐君力　63	童盛强　97	王福祥　3
唐君励　118	童　玮　174	王辅世　45,46,54,176(2),179,
唐　兰　21,31,141,160,161,162	涂光禄　51	180(2),182
唐　莉　62	拓　牧　36,159,161(2),163(2),	王谷若　42
唐启运　3,132,136,139,141	164,166	王光全　122
唐盛发　151		王贵元　81,153
唐曙霞　196	**W**	王国璋　40,130
唐嗣丰　168	Л.А.瓦尔萨夫斯基　15	王海丹　67
唐松波　91,139	宛　屏　217	王海棻　25(3),74,107,111,137
唐亚伟　168	万　波　54	(2),150(2)
唐钰明　79,105,110(6),111(4)	万久富　75	王红夫　117
唐志东　13(2)	汪国胜　51(2),95	王洪君　48,66,118(2)
唐子恒　137	汪化云　35,54	王宏霞　144
唐作藩　29,65,73,135	汪惠迪　4,95,151,215,221	王弘宇　135(2)
陶　甫　73	汪家正　146	王　还　10,12,26,97,100,120
陶红印　129	汪　平　52,53	(2),121,129,137
陶　炼　128	汪树福　51	王　晖　47,192
陶　伦　156	汪维辉　33,48,70,76,86,103,	王慧才　149
陶天白　154	108	王会银　208
Н.А.特利福诺夫　172(2)	汪叶森　149	王吉先　166
天　春　215	王安龙　122	王继洪　73,154
天　高　194	王本华　192	王继如　75,77
田宝齐　31	王　冰　166	王继同　114,124,205
田福生　136	王伯熙　103,141,152	王嘉龄　46
田　恭　18(12),19(3)	王才宽　147	王建华　60,129
田光明　194	王灿龙　124,129	王建军　193
田　禾　140	王常新　149	王建设　26,86
田　京　90	王　辰　165	王建亭　15
田　林　154	王　晨　206	王健庵　62
田　茹　1	王崇德　91	王健慈　122
田世棣　174	王传典　170,171	王健伦　90
田树娥　246	王存芳　145(2)	王健芝　145
田树生　76	王存维　143(2)	王杰昌　144,145(2),146
田希诚　48(3)	王大新　90	王金兰　247
田小琳　29,37,41,105,170	王大勇　43	王金彦　146
田　原　189(2),205	王德春　2(2),8	王　晶　66
田赵周　201	王德新　247	王晶湖　3
田忠侠　102	王东海　119	王军虎　129
廷　木　145,149	王尔康　56,185,187,221,247	王　均　9,28(2),37,59,156,

164,172,173,176,177(2)
王开扬　106,196,206(2)
王　恺　88
王　柯　76
王克仲　69,78,79,102,106,108,109,110,111(3),141
王孔渊　161
王魁伟　108,113,137
王理嘉　66,67,165
王　力　3(2),15,16,17,21,23(7),26,27,28,31(2),32,36,62(2),66,68,70,116(3),117,151,152,160,162,173
王利宾　177
王立达　48(3),92(2)
王丽华　196
王　林　105
王临惠　49
王　迈　34(2),84,86
王漫萍　145
王卯根　80
王敏学　41
王　楠　73
王年芳　171
王年一　96(2),97,99,122,138,141,144
王　宁　72,152
王培光　16(2)
王培基　49
王　平　38
王璞之　143(2),144(3)
王千山　143,144
王　勤　90
王邱丕　133
王群生　51
王仁道　105
王仁法　209
王如霖　120
王汝桃　221
王若瞻　143,144(2)
王　森　47,50(3),73
王少恭　9
王绍新　87

王士襄　69,71,157
王士元　6,42
王世华　50
王世祥　160
王受舜　172
王叔潜　187
王树滋　140
王泗原　74
王松茂　138
王素蓉　151
王天石　92
王为民　62,201
王维贤　93,128,132
王　伟　123
王　文　190
王文晖　89,115
王希杰　2,122,138(2),139,146(3)
王　显　4,23,24(2),62,63(2),154,156,162
王祥荣　13
王小莘　72
王新华　112
王旭东　45
王学奇　88
王学勤　75
王学作　40
王雪樵　48,88(2)
王　迅　48
王　涯　18,142
王彦坤　34,73
王　燕　145
王　羊　156,163
王阳畛　96
王　尧　182
王依民　77
王荫柽　167(2)
王　锳　74,76,80,81,83(4),87,89,107,108,109,112
王永炳　83
王玉先　148
王　岳　192
王云路　74,76,80,89,103(2)

王泽宏　182
王兆麟　145(3),146(2),147
王兆鹏　63
王　畛　15
王振声　140
王　正　140,142
王　志　124,128
王志洁　67
王志逵　143,144
王志平　81
王志武　90
王志勇　79
王仲闻　93
王自强　142,149
王宗祥　80
王宗炎　6(2),31,33,118
王佐良　31,141
王作宾　7,169
旺　盛　190
望　桐　20
望　望　207
望　元　87
葳　　　37,39,102
葳　甫　141
微　知　142
韦　　　203
韦彩猷　246
韦　恩　189,203(2),213
韦济藩　159
韦庆稳　180,182
韦　悫　31,40,155,157,158(3),160,161,162,164(2),173,179,245(3)
韦　焘　146(3)
韦　文　212
В.В.维诺格拉多夫　2,9
С.С.维索特斯基　6
维　英　172(2)
苇　　　193
伟　森　142,147,166
伟　武　193
蔚　　　101
卫雨时　247

魏不居 222	吴崇康 71,72	吴一凡 145
魏德胜 81	吴春明 45	吴一飞 174,185
魏钢强 38,73	吴东英 13	吴　垠 194
魏建功 2,28,31,37,62,71,155(2),160,162,164	吴　芬 184	吴　羽 127
	吴福祥 107,112,113,114(3)	吴裕衡 77
魏　励 170	吴国忠 109	吴郁文 184(2)
魏茂书 161(2)	吴　海 78	吴玉章 156,158,159,160
魏　仁 9	吴　华 202,204	吴　越 159
魏文瑞 142,143	吴慧颖 98	吴云霞 49
魏膺高 66	吴继光 131,198	吴兆吉 107
魏元良 53	吴剑扬 91,145(2),146	吴哲夫 15,31,120
魏展英 93	吴洁敏 67	吴振国 87,152
温端政 7(2),12,48,57,58,60,92(2),102,141(2),142(3),151,194	吴金华 76,77,78,79,110(4)	吴　争 149,150(2)
	吴可久 41	吴之翰 121,123(2)
	吴可颖 74	吴志钢 116
温公翊 35,83	吴　乐 1,9,28,37,151,177	吴宗济 9,19(2),31,66(2),67,184
温应时 144	吴　鲁 94	
温永禄 94	吴　蒙 38,93,96,97(2),99(2),100,116,130,140,149	吾省铭 34
温　瑜 90		伍　华 55
温知新 156	吴其昱 159	伍均仁 143,145,148
文 184,191,195	吴　琦 28	伍　民 90
文安朗 78	吴琦幸 77	伍青文 2
文　兵 159	吴启禄 57(2)	伍铁平 1,6,32
文大生 72	吴启主 129	武继山 48
文　端 163	吴　青 39(2)	武　明 203(2),213(3)
文　风 140	吴庆峰 26	武彦选 6
文　兰 12,212,225	吴庆锋 88	武占坤 90,138
文　炼 104(4),116,117(3),119(2),120,125,126(2)	吴人樵 171(2)	
	吴润光 15	**X**
文同本 164	吴士勋 132	兮 168
文　武 193	吴世醒 172	曦 195
文亦真 196	吴天石 185	奚博先 153,195(2)
闻　进 160	吴为章 104,122(4),133	西　旁 143
闻　欣 150	吴伟俊 41	西　尧 168,169
翁　仲 169	吴　畏 172	西槙光正 2,174
巫凌云 166	吴文祺 26	锡　尧 148
P. M. 乌罗耶瓦 20	吴晓铃 30,38(2),39(5),87(2),140,141	夏伯龙 151
吴葆棠 104		夏博文 159
吴奔星 140(2)	吴辛丑 35,79,107,151	夏　光 41
吴伯方 145	吴新华 49	夏光荣 66
吴　昌 37	吴　幸 204	夏剑钦 54
吴长江 246	吴学宪 52	夏　渌 78(3),79,152
吴炽堂 155,159	吴　雪 39	夏锡骏 15(2),44

夏延章 78	小　公 143,144	邢道成 170
先　鞭 142	小　禾 144,146	邢福义 94,95(3),97(2),101
显 156	小　兼 142	(2),105,123,124,128,129,130
羡闻翰 37	小　宣 190	(2),131,133,134(7),185,187,
献　力 144(2),145(2)	小　舟 90	194
香坂顺一 28(2)	小　竹 146	邢公畹 2,10(2),21,26,80,137
相　望 163	晓 216	邢谷桐 144
相原茂 121	晓　丁 193	邢　析 213
向光忠 91	晓　齐 197	邢向东 49(5)
向锦江 171	晓　日 189	熊　焰 81
向　群 144(2),145(3),146	晓　沈 189	熊尧祥 93
向　若 95,117	晓　燕 37	熊振顺 8,17
向　熹 35,106,107	筱　文 6,119	熊正辉 4,42,55
向　岩 155	筱园丁 149	徐采芹 141(3)
向　阳 184	解惠全 15	徐　丹 98,101(3),124,128,137
项　楚 35,82,85	谢栋元 196	(2)
项开喜 129	Л.B.谢尔巴 120	徐福汀 108
项镇鼎 142	Г.谢尔久琴柯 9	徐　复 82,102
肖　丹 46,150	谢尔久琴柯 9(2),151,159,177	徐复岭 47,88,114
肖　斧 125	(2),182	徐亨中 146
肖　关 215	谢芳庆 80	徐化文 155
肖国政 152	谢纪锋 64,108	徐继孔 32,144
肖家林 68	Б.谢列布连尼科夫 9	徐家桢 11
肖黎明 52	Б.A.谢列布列尼科夫 20	徐　杰 105,116,131
肖申生 133,147	谢留文 54,55	徐经谟 147
肖　淑 139	谢米纳斯 12	徐赳赳 30,135(3),198,209
肖　旭 80(2),109	谢鸣雄 79	徐兰坡 149
肖萤辉 148	谢晓安 16,50(2),186	徐连祥 123
肖　云 185	谢永昌 203	徐烈炯 53,104,117(2),128(2)
萧　兵 142	谢永仁 138,166	徐　琳 178
萧　斧 114,125(2)	谢质彬 35,74(2),75,77,78,79,	徐缦华 15
萧国政 13,128,134	89,91,105,109(2),110,111,	徐　敏 171
萧　红 74	143,195	徐　青 5,8
萧黎明 109	谢自立 73(2),147	徐庆凯 103
萧　三 158	燮　初 169	徐仁甫 34,105,118,119,138
萧申生 144	新 202	徐荣强 5
萧　淑 145	心　叔 125	徐若冰 146
萧天赏 146	辛世彪 49	徐盛桓 128,149
萧天柱 144(2)	辛　征 99	徐时仪 113
萧　芸 17	欣　向 91	徐世荣 31,39,40,41(3),45(3),
萧　璋 15,31	信应举 75,85	67(3),68,71,164,171
小　白 213	星　灿 87	徐世松 157
小　丁 216	兴　仁 204	徐世璇 179

徐 枢	29,138,141	勖 功	15,220	颜德厚	68
徐思益	16,21,127,129	宣	153	颜景常	103,110
徐铁生	52	宣 文	206	颜洽茂	73,195
徐通锵	1,2,4,26,48,54,105	宣镇华	144	颜如南	143(2)
徐 伟	142,143	玄 常	60,136	颜 森	43
徐文堪	33	薛恭穆	108	颜廷超	163(2)
徐萧斧	31,109	薛少春	112	颜秀萍	81
徐亚倩	151	薛牲生	93	颜逸明	37,52,61
徐耀民	91,194	薛生民	44,49	颜 追	146
徐耀中	139	薛晓平	74	阳	204
徐应济	142,144,145,146	薛晓芎	172	阳 平	215
徐盈桓	149	薛正兴	34	扬 选	#####
徐英葆	142,143	学 讯	200	扬之舟	91
徐 远	136	雪 夫	145	扬 子	133
徐云扬	53			杨宝忠	154
徐 允	143,144(2)	**Y**		杨伯峻	30,31,34,77(2),105
徐 征	60,136,143,145	雅洪托夫	135		(2),106,107(2),108,110
徐志敏	14(3)	C.E.雅洪托夫	28	杨长礼	6,59(2),60,66,184,186
徐志清	106,134(2),144,156	雅罗夫	4	杨成凯	129,133
徐中玉	139	雅·沃哈拉	118	杨春波	170
徐仲华	15,21,31,120,129,142,	亚 川	208	杨道经	24,62,69
	144,145(2),146,148,156,171,	亚努士·赫迈莱夫斯基	62	杨德峰	132
	172	燕 宝	163	杨 定	7,11
许宝华	37,40,53,61(2)	燕良杰	171	杨定远	41
许德宝	24(2)	研	209	杨 东	25
许德楠	123,147	严 慧	202	杨发兴	79
许国璋	16,25(2)	严加胜	51	杨逢彬	214
许嘉璐	14,24(2),32(2),37,71,	严 棉	56	杨国文	14(2),29,117,122
	110	严 萍	196	杨合鸣	110
许嘉琦	172	严 修	4,25,103(2),107,138,	杨贺松	7
许连贵	146		148	杨焕典	52,62,161
许令芳	60,61,175	严修鸿	96	杨建国	75,107
许谦文	13	严学宭	10,26,31	杨剑桥	25,52,64,106
许绍早	21(2),31	言 基	247	杨静仁	144(2),145,148
许树声	49	言 逊	204	杨居辰	185
许威汉	4,81,105	言一兵	95,104	杨君璠	94
许惟贤	15,35	言 语	189	杨联陞	60,100
许锡丰	156	岩田礼	43,61	杨 琳	106,107
许仰民	200	阎德早	207	杨柳桥	31,78(2),117,153
许 毅	19,66	阎焕东	246	杨耐思	23,24,43,46,54,64,141
许庄叔	77,78	阎俊生	162		(2),148,208,246
许自成	142	阎仲笙	134	杨 平	49,114
序 东	172(2)	颜阿泰	247	杨庆蕙	137,138

杨荣祥	114	叶恭绰	154(2)	尹黎云	75,138
杨石泉	129,133	叶贵良	89	尹梦华	163
杨守敬	80	叶国湘	149	尹世超	122(2)
杨顺安	66(2),67	叶九如	77	尹一斖	155
杨天戈	87,93	叶俊夫	143	尹　玉	133
杨　挺	92	叶乾贵	142	尹仲贤	67
杨万昌	144,147	叶　青	78,150	应培基	41
杨先血	221	叶　蓉	125	应学谦	174
杨晓红	195	叶圣陶	29,40,141,170	应雨田	90
杨筱敏	3,44	叶祥苓	44,170	影　景	211
杨欣安	87,91,95	一　兵	145(3),146(5)	雍从甫	17
杨信川	65	一　厂	172	雍　庸	59,94,102
杨行健	142	一　川	90	攸　川	141,142
杨一兵	90	一　丁	60	攸　沐	185,186
杨一可	145,147(2)	一　石	212	游汝杰	52,53(2),66
杨义春	20,94,148(2)	一　虚	64	游顺钊	12,81,106,153(3)
杨亦鸣	13(2),62,129	伊　尔	87	游仲权	145
杨永龙	108,109	伊　凡	165,172	猷　田	69
杨宇麻	71	伊三克	117,118(4),174	有　景	11
杨月蓉	135	宜　文	29	迂　公	141(2)
杨　真	156	艺　文	146	于安徽	146
杨振铎	87	亦　鸣	141	于本善	163
杨振淇	39	易　土	202	于富兰	246
杨直夫	144(3)	易熙吾	119(2),157,161	于根元	41,127,150
杨　钟	194	易先培	180	于　江	113
杨仲瑜	77	易祖洛	78	于立君	154
杨自翔	51	毅　夫	102	于　密	27
姚	200	荫　范	109	于　平	119
姚德怀	12	荫　桂	151	于浦吉	188
姚鹏慈	91	因　梦	55,60,148	于　世	150
姚文元	246	殷德厚	4	于细良	95(2),123(2),185,186
姚小平	138	殷焕先	37,65,67,161,170	于夏龙	113,156
姚永铭	86	殷寄明	80	于省吾	153
姚兆炜	14(2)	殷孟伦	15,24,76	于易泗	247
姚振武	79,86,105(2),109(2),110,111,129	殷　宓	200	于　知	8(2)
		殷　默	69	于志岭	246
野　帆	142(3),143	殷守仁	98,99	余霭芹	30,59(2),61
野　夫	77	殷之华	145(3),146	余大光	130
叶爱国	74,77,80(2),108	殷志平	128,131(2)	余桂林	199(2)
叶步青	25	殷作炎	68	余健萍	93,97,118
叶长荫	140,194	吟	142	余　磊	144,146,148
叶楚强	153	鄞江生	142,143	余立人	124
叶蛰声	105	尹斌庸	118,120	余　卯	136

余明象 25(2),33,63(3),221	元 丁 25,67	曾仲珊 76,107
余遒永 24	元 直 59	扎多延柯 174
余生蓉 68	元 植 142	Т.П.扎多延柯 66
余士英 199	爱 居 161	翟时雨 184
余伟文 187	原 野 142	詹伯慧 12,15,43(2),44,51,57
余行达 63(2)	袁 颁 212	(2),58,60,61,71,72,103,203
余也牧 9,214	袁 宾 35,85,87,112,114(3)	詹开第 45,127,129,140
余 雨 192	袁翰青 92	詹人凤 131,144
余志道 164	袁家骅 15,31,164,182(2)	詹卫东 130
余中明 151	袁津琥 80	詹鄞鑫 58,154(2)
俞光中 113,114	袁 明 154	张宝胜 134
俞 圭 57	袁明军 122	张 标 79,107
俞理明 81,107(2),115(2)	袁汝临 143	张 博 20
俞 敏 5,6,11,26,31,36,42,	袁世海 164	张伯江 26(2),29,117,121,125,
44,46,78,103,118,126,153	袁 岘 119	128,129(2),131(3)
俞燮标 104	袁毓林 121(2),127(2),128(3),	张长桂 111
俞信芳 82	132,206	张 潮 150
俞 旭 12	袁 征 139(2)	张朝炳 153,168,169(2)
俞 扬 50(2)	远 航 145	张朝康 146
俞咏梅 131	远藤光晓 193	张 赪 89,111
俞忠鑫 90	曰 兆 204	张成材 49(3),147,195(2),220,
徐培英 142	岳方遂 198	221
虞山民 142,143	云 九 211	张 崇 48,49,63,112
舆水优 174	云 生 91	张传宗 140
宇 培 192	运 班 87	张翠銮 41
宇文斌 78	蕴 光 16,21	张大本 31,151
宇文长工 67(2)	恽天民 24	张德鑫 175
雨 188		张登岐 122
雨 田 142(2),143(2),145(4),	**Z**	张涤华 16,26,32,221
146		张凤祥 143
雨 愿 207	早 立 202	张 冈 119
禹慈全 247	曾聪明 123	张耕夫 79(2),151
禹 岩 193	曾 铎 170,171(2)	张拱贵 41,52(2),66,91,184
禹 苑 207	曾钢城 79(2)	张光五 147
域 弓 34	曾华强 86	张光宇 42,53(2),55,56
毓 林 192	曾 良 81,89	张广西 171
喻世长 19,176,177(2),178	曾明路 62	张归璧 77(2),109
喻卫平 65	曾庆瑞 33,64	张桂实 198
玉 香 200	曾世英 93	张国光 111
玉 柱 46,122	曾宪通 153	张国宪 122,123(4),131,132(2)
郁 伟 202	曾晓渝 24,180	张和珍 33
郁 影 169	曾毅平 139	张鹤泉 85
遇笑容 110,112	曾咏秋 246	张恒棣 120
	曾昭抡 92	

张 桁　196	张少庭　141	张永言　6,23,24,35,63,70(2),
张鸿魁　26,65,86(2)	张生汉　87	75,76(4),82,93,101,103,110,
张鸿苓　171	张盛裕　55,57(2)	148,182
张 骅　211	张世华　73	张涌泉　26,77,82
张 桦　141,142,143(2),144	张世禄　31,66,70,159,166	张友建　97,142,143
张惠英　43(2),52(3),54,62(2),	张寿康　2,26,31,92,118,130	张有一　169
87,88(2),95,98	张淑敏　14,50(4)	张雨山　146
张加良　64	张树铮　42,47(3)	张玉惠　188
张家骅　92	张双庆　43,54	张玉金　79
张家䝨　32	张斯忠　79	张玉来　65
张家英　79(2),89	张松正　144	张育泉　187
张 健　69	张天翼　172	张 悦　80,81
张建木　24,36(2),101	张万起　106,124	张云秋　123
张 洁　64,200	张旺喜　27	张韵斐　66
张瑾瑶　247	张维耿　55	张在云　150
张 静　32,45,124,126(2)	张伟然　54	张增健　147
张靖立　5	张卫经　43,87	张 照　21
张君炎　4	张渭毅　64,201	张喆生　44(2),68,69,73,86,87,
张俊霖　159	张文斌　146	185(2)
张凯民　195	张文国　35	张 真　157
张 琨　42,63,65	张文轩　63	张 榛　88
张励妍　41	张文周　130	张振兴　58,61,145,146,147
张炼强　58,123,130,134	张西萍　187	张正寰　144(4),145(3),146(4)
张了且　143	张奚若　40	张政飚　49
张林林　50	张娴娟　144	张政烺　153
张懋镕　78	张显成　197	张之强　111
张美兰　87,107	张啸虎　38,139	张 芷　15,16,31,185
张 猛　69,107	张欣山　33	张志公　21,26,31,32,37,70,
张鸣春　92	张心逸　82	126,138,164,170(3),171(2)
张明冈　149	张星逸　83	张志毅　20,71,72(2)
张其华　60	张修仁　247	张卓夫　12
张清常　11(5),15,28,45,65,81,	张 琇　155	章 敬　150
90,92,137	张 须　76	章 璠　63
张清源　51	张洵如　44	章秋农　34
张庆绵　190	张延华　48	章信华　60
张庆云　20,72(2)	张 雁　163,167	章 熊　170,171(2)
张邱林　95	张耀亭　143,146	章一鸣　139
张人表　153(2)	张一才　141	章宜华　205
张日昇　92	张谊生　121,124,131	章正力　169
张荣国　77	张应德　92,220	章祖安　35
张 儒　108	张永奋　89	璋 赏　186
张汝舟　135	张永绵　16,33,81(2)	赵秉璇　48
张少怀　156,166	张永鑫　71	赵长才　108,109,114

赵长信 143,144	赵云中 3	郑懿德 12,56(3),131,137
赵　诚 81,137,201	赵沄振 246	郑义润 145
赵德山 41	赵振才 146	郑玉蓉 186,187(2)
赵恩柱 93,99,100,101,117, 121,144	赵振铎 5,6,7,25,32,33,63,69	郑远汉 91,106,135,139
赵光智 47	赵振鸣 222	郑张尚芳 52,53(2)
赵　宏 194	赵宗乙 73	郑之东 40,153,161
赵洪勋 139	照那斯图 179,180	郑祖庆 16,103,115,116(8)
赵怀印 51	照　雄 208	郑作广 52
赵加均 161	折敷濑兴 43	直　 136
赵　杰 12,198	珍　 200	志　江 191
赵金铭 113(2),128,131,174	甄继祥 194	志　逵 144
赵京战 109,110	甄尚灵 15,78,96	志　升 14
赵静远 190	振　甫 91	治　水 150
赵觉诚 6	郑传伟 120	钟　 196
赵克勤 152	郑　达 7,136,184	钟本康 117,145(3)
赵丽明 202	郑达汉 11	钟隆林 33,54(2)
赵立哲 108	郑　奠 31,70(10),71(3),74, 92,141	钟　梫 42,117(2),119,120,172
赵宁渌 143(2),144,146	郑定欧 58,199(2)	钟荣富 58
赵丕杰 80	郑福同 1	钟　声 87
赵平安 195	郑光仪 68,172	钟　文 212
赵　铨 245(2)	郑国泽 160	钟　闻 212(3)
赵日和 56,85	郑　红 80	钟秀生 177
赵日新 51(2)	郑怀德 73,130	钟　迅 201
赵荣普 127	郑继春 246	钟　宇 206
赵瑞生 68	郑坚白 184	钟　雨 188,208
赵生明 91	郑锦全 42(2)	钟羽闻 247
赵世举 206	郑俊文 166	钟兆琥 93
赵世开 1,5,116	郑良伟 58	钟兆华 85,109,112(2),113(2)
赵守一 98	郑林曦 36,117,155,158(2), 159,162,164,166(2)	钟　焯 146
赵寿安 148		众　 196
赵淑华 119,120	郑銮图 134	众义 9
赵　文 206	郑　梅 102,136	仲　和 143,144(3),145(3),146(4)
赵文章 166	郑梅基 102	
赵　曦 156	郑　南 130	仲　岚 149
赵遐秋 33,64	郑权中 4	仲庆奕 26
赵小刚 65	郑　涛 80	仲素纯 178
赵新德 76	郑天挺 28	仲伟民 92
赵　洵 4,9	郑铁生 81	仲　宣 120
赵　焉 132	郑贤章 73	仲　言 27
赵衍荪 178	郑秀鹤 155	仲　颖 101
赵燕侠 39	郑贻青 179	仲哲明 137
赵月朋 47	郑　毅 170	舟　丹 98
		舟　雨 200

周斌武	3	
周长楫	56(3),58,61,62,188	
周达甫	31,62,92,93,166	
周殿福	19,39,67	
周定一	4,26,28,31,37,38,46, 65,68,92,96(2),160,165	
周恩元	143	
周恩源	142(2),143	
周光贤	159	
周国光	13,127,153	
周 基	145	
周 荐	72,73,90,103	
周建设	105	
周俊生	149	
周俊勋	81	
周 磊	44	
周梦江	77	
周 明	40,164	
周清海	12,13(2),41,110	
周庆生	208(2)	
周 仁	93	
周溶泉	143	
周绍恒	79	
周生亚	78,106,107,109,222	
周时龙	8(2),178,184	
周铁铮	36	
周文董	41	
周文谨	154	
周武童	143	
周锡馥	110	
周小兵	124,131,134	
周欣平	165	
周信炎	189	
周勋初	157	
周耀文	19,30,100(2),176	
周一民	46,120	
周 易	146	
周因梦	23(2),28	
周有光	21,22(3),28,36,42,69, 145,152,153,160(3),162(2), 163,165(5),166(2),167(3), 168,169,173	
周泽耿	8	
周增泰	142,143
周 铮	9
周 至	140
周志锋	89,154
周志远	20,146
周钟灵	25
周祖谟	3,23,24,31,34,36,64, 68,101,162,174
朱	216
朱 斌	198
朱伯石	40,92,140(2)
朱 城	74,77,79,109,112
朱承平	108
朱 达	99(3)
朱德熙	27,42(2),43,79,94,104 (4),107,116,124,126,127(2), 129,130,133,139,141,171
朱 贯	188
朱广福	156
朱广颐	164
朱 华	166
朱寄尧	18
朱建颂	12,46,51
朱剑芒	91
朱金声	204
朱景松	50,113,122,124,150, 151
朱良恩	33
朱林清	20,94
朱庆仪	51
朱庆之	24,76(2),85,89
朱声琦	64
朱松山	146
朱晓亚	137
朱 星	2,3,15,16
朱兴华	90
朱学范	167(2)
朱永锴	69,87,203
朱泳燚	37,138,139(4),144(2), 145(4),146(3),147,148(2)
朱运申	108
朱彰年	54
朱之湘	36
朱志宁	181(2),184(2)
朱志瑜	13
朱祖延	77
诸惠芬	246
竹 安	94,108
竹 林	205
竹 苏	141(2),142(2)
竹 亭	180
竺家宁	62(2)
祝鸿杰	35
祝鸿熹	145
祝敏彻	113
祝注先	77
庄关通	139,146(2)
庄惠珍	185
庄文中	105,175,192
庄 张	185
庄正容	106
卓 立	171
B. A. 兹维金采夫	1(2)
子 朗	15,186(2)
紫 明	142
宗 菲	10
宗福邦	58
宗守云	129
宗 渊	66
邹定中	100(2)
邹国统	93,100,119
邹韶华	121(2),194
邹艳霞	213
邹正利	51
祖 力	7(2)
祖人植	135
祖生利	114
祖 新	143
遵 章	142(2)

用拼音字母署名的作者

BD	212
CJ	214
C. L.	199,209
CZ	189
D. Y. H	196
GH	200

G. S.　200
G. W.　205
gxw　202
G. Y.　26
Han Yang Saxena　25
HCH　198
H. C. Q　192
Herbert D. Pierson　12
hys　191,200
J. CH.　213
JM　207
J. S.　186
J. W　212
J. Z　197
K. X　189
L　216
L. L.　190
L. Y.　192
L. Y. S　198
M. Q　207
Péng Zérùn　195,204
QNR　217
Sau-Lim Tsang　12
S. B.　149
S. Floqi　9
sjm　198
SJM　198
S. L. P.　199
S. Z. Y　208
T. J　197
W　199
WEBMASTER　190
WJS　190
W. K. Y　196
W. L.　212
WM　197
W. X. L　206
xin　190
XW　200,202
X. Y　200
Y　203
Y. Z.　146
Y. G.　185
Y. J.　197
Y. S. G.　199
Y. W. X.　215
Y. Y　190
YYS　191
Z. G　200
ZH. Y.　188
ZL　192
ZY　191
Z. Z. Y　199,207
Ю. В. Кнорозов　21
ㄅㄛㄏㄢ　93
ㄆ.ㄇ.ㄋㄨㄚㄋㄝㄑㄛㄏ　9
ㄋ.ㄧ.ㄎㄛㄅㄦㄚㄉ　5(2)
ㄍ.ㄧ.ㄗㄧㄏㄟㄝㄏ　9
ㄐㄧㄍㄧ　93
ㄚ.ㄚ.ㄏㄛㄉㄛㄉㄌㄧㄑ　8
ㄦ.ㄧ.ㄚㄌㄚㄋㄝㄙㄛㄋ　6

机关团体作者

A

安徽省歙县文教局　173
安徽省语言学会秘书处　194
安徽师范学院语言文学系通讯组　183

B

包头煤矿学校语文组　170
北京大学汉语语言学研究中心　191
北京大学王力语言学奖金评委会　212
北京大学西语系法语教研组　5
北京大学语言学教研室　17(9),18(4),221
北京大学语言学教研室汉语方言学及方言调查教学小组　43
北京大学中文系　183,211,212(2)
北京大学中文系1956级语言组　5,25(2)
北京大学中文系55级、57级语言班　121(2)
北京大学中文系语音实验室　212
北京师范学院中文系汉语组　26
北京语言文化大学出版社　191,213
北京语言文化大学对外汉语研究中心　213
本刊编辑部　3,16(2),26(4),27,28(3),29(3),30,32,36,40(2),120,140,159(2),162,163(2),166,173,183(5),190,208,214,216,217(3),218,219(11),220(3),221(3),224,225(3),226(13),227(10),228(4)
本刊编者　41,222
本刊记者　26,27(4),29(4),30,32,188,190(2),191,197(5),198(5),202,203,207(2),212
本刊评论员　32,157
本刊特约评论员　26
本刊讯　211
本刊资料组　227(3)
编　者　214,216,220

D

第二届官话方言国际学术研讨会大会秘书组　204
第二届胡绳青年学术奖评选活动秘书处　212
第三届双语双方言研讨会秘书组　203
第三届语文辞书学术研讨会会议秘书组　205
第六届双语双方言研讨会会务组　203
"第十二次现代汉语语法学术讨论会"筹备组　191
第四届双语双方言研讨会大会秘书组　203
第四届全国汉语词汇学学术研讨会会议秘书组　199
第五届双语双方言研讨会秘书组　203

第五届客家方言研讨会会务组 203
第一届中国语言文字国际学术研讨会会议筹备组 209
《动词用例词典》编写组 73

F

方言编辑部 215
福建省教育厅 41
福建师范大学文学院 214

G

甘肃师范专科学校语文科"文选及习作"教学小组 16
甘肃天水铁路中学语文组 171
广东省教育厅 40
广东省中国语言学会会议秘书组 194
贵州省教育厅普通话推广科 184
贵州语言学会秘书处 196
《国外社会科学》编辑部 216

H

哈尔滨师范学院中文系 187
《汉语拼音小报》(上海)编辑部 165
汉语拼音字母扫盲成通纱厂试点组 173
汉语音韵学研究班 188
河北北京师范学院中文系汉语习作教研组 170
河北省昌黎县县志编纂委员会 46
河北省语言学会秘书处 195(3)
河北省哲学社会科学研究所语言研究室 42,153
河北玉田一中语文组 170
黑龙江大学汉语教研室 1
黑龙江大学语言研究所 191
黑龙江省语言学会 194
黑龙江省语言学会秘书处 194
湖北省语言学会秘书处 195(3)
湖南省语言学会会议秘书组 195

华中师范学院中文系汉语教研组青年教师 15
华中师范学院中文系语言学战斗组 132
吉林省语言学会秘书处 197(2)

J

记　者 27(3),197,202,208
纪念王力先生诞辰100周年语言学国际学术研讨会会务组 29
江苏省语言学会成立20周年庆祝大会会议秘书组 196
晋语学术研讨会会务组 203

L

辽宁大学中国语言文学系语言教研室 47
辽宁省修辞学会秘书处 196
辽宁省语言学会秘书处 196(2)
《吕叔湘书信集》编辑委员会 228

M

民盟北京市委 189
民族语文编辑部 215
民族语言研究规划座谈会会议报道组 208

N

内蒙古语言学会秘书处 197
南京大学中文系语言教研组 16
南京师范学院中文系"马克思主义语言学原理"教材编写组部分学生集体讨论 5
南开大学中文系现代语言学暑期研讨班筹备组 189
南通市语言学会 197

P

普通话审音委员会 68(3)

Q

曲阜师范学院方言调查工作组 185

全国第二次话语分析研讨会 198
全国高等院校文字改革学会成立大会秘书组 201
全国汉语方言学会第十一届学术研讨会会议秘书组 202
全总工人话剧团演员队台词小组 39

S

山东大学中文系语言教研组 35
山东省教育厅 173(2)
山东省语言学会秘书处 196
山西省语言学会秘书处 194
商务印书馆编辑部 216
上海市第67中学 41
上海市推广普通话工作委员会办公室 40
少数民族语言研究所学术秘书室 186
世界汉语教学学会秘书处 207
四川大学汉语史研究所 200
四川省自贡七中教师 145
苏联科学院文学与语言学部普通语言学委员会 8

T

天津语言学会秘书处 193(2)
铁道部电务局 167

W

《王力古汉语字典》编写组 73
武汉大学 153

X

厦门大学中文系 41
《现代汉语八百词》编写组 94(4),95(2),96(2),97(2),98(5),99(3),100(4),101(2)
《现代汉语八百词用法》编写组 127
现代汉语语法研究座谈会会议秘书组 198
香港大学语言学系 191

新加坡国立大学中文系 209

Y

《语言文字应用》杂志记者 205
语言研究编辑部 191
语言研究所词典编辑室 72
语言研究所现代汉语小组全体青年 2
语言研究所语音研究室 19(2)
云南省语言学会秘书处 196

Z

浙江大学汉语史研究中心《中古近代汉语研究》编辑部 191
浙江省语言学会秘书处 195(4)
中共山西省委 173
中国科学院河北省分院语言文学研究所 44
中国科学院民族所少数民族语言研究室藏语小组 182
中国科学院民族研究所少数民族语言研究组 181
中国科学院民族研究所少数民族语言研究组苗语小组 180
中国科学院民族研究所少数民族语言研究组壮语小组 182
中国科学院少数民族语言研究所瑶语小组 181
中国科学院少数民族语言研究所壮语小组 182
中国科学院语言研究所词典编辑室 73
中国科学院语言研究所方言组 46
中国科学院语言研究所现代汉语小组 105
中国科学院语言研究所语法小组 115(17)
中国盲人聋哑人协会 202
中国青年艺术剧院 39
中国人民大学普通话推广工作委员会 41
中国人民解放军某部速成中学教务处 170(2)
中国社会科学院青年语言学家评奖委员会 210(7),211(4)
中国社会科学院语言研究所词典编辑室 72
中国文字改革委员会 153,155(4),163(3),164
中国文字改革研究委员会秘书处 152,153,155,157,158,163,173
中国训诂学研究会秘书处 201(5)
中国语文编辑部 191
《中国语文》编辑部 191
中国语文现代化学会秘书处 206
中国语文杂志社 189,217(2),219,220,226(3)
中国语言学会秘书处 191,192,193(3)
中国语言学博士点专家座谈会秘书组 191
中山大学语言学系语法教研组 103
中山大学中文系 186
中央民族学院通讯组 183
中央民族学院语文系 174
中央民族学院语文系语言学教研组 16
中央民族学院语言翻译组 6
中央人民政府教育部工农业余教育司 152
2002年全国中国语言学暑期高级讲习班筹备组 191